Ron Hall & Denver Moore mit Lynn Vincent
GENAUSO ANDERS WIE ICH

Ron Hall & Denver Moore
mit Lynn Vincent

genauso anders wie ich

Eine unglaublich wahre Geschichte

Über die Autoren:
Ron Hall – Künstler, Cowboy, Schriftsteller – wurde von seiner Frau Deborah gebeten sich um Denver Moore zu kümmern. Daraus entstand eine tiefe Freundschaft, die er in *Genauso anders wie ich* festgehalten hat.
Denver Moore wurde in Louisiana geboren. Als Obdachloser, der eine Zeitlang inhaftiert war, traf er 1998 auf Ron Halls Frau, die ihm zu einem besseren Leben verhalf. Nun ist er Künstler, hält Vorträge und setzt sich für andere Obdachlose ein.
Lynn Vincent hat sich auf das Schreiben von wahren Geschichten spezialisiert. Die Journalistin hat sich einen Namen damit gemacht, als Koautorin die Geschichten von gewöhnlichen Menschen niederzuschreiben, die außergewöhnliche Leben führen.

Bibliografische Information Der Deutschen Bibliothek
Die Deutsche Bibliothek verzeichnet diese Publikation in der Deutschen Nationalbibliografie; detaillierte bibliografische Daten sind im Internet über http://dnb.ddb.de abrufbar.

ISBN 978-3-94015-824-6 (LUQS)
ISBN 978-3-86827-307-6 (Francke)
Alle Rechte vorbehalten
Copyright © 2006 by Ron Hall
Originally published in English under the title
same kind of different As me
by W Publishing Group, a division of Thomas Nelson, Inc.,
P.O. Box 141000, Nashville, Tennessee 37214, USA
Alle Rechte © 2012 der deutschen Ausgabe bei LUQS Verlag, Ingolstadt
Deutsch von Thomas Weißenborn
Umschlagbild: © iStockphoto.com / track5
Umschlaggestaltung: Verlag der Francke-Buchhandlung GmbH /
Sven Gerhardt
Satz: Verlag der Francke-Buchhandlung GmbH
Druck & Bindung: CPI Moravia Books, Korneuburg

www.luqs.de
www.francke-buch.de

1

Well – a poor Lazarus poor as I
When he died he had a home on high ...
The rich man died and lived so well
When he died he had a home in hell ...
You better get a home in that Rock, don't you see?
— Spiritual

Ein armer Lazarus, so arm wie ich
Als er starb, hatte er ein Zuhause im Himmel ...
Der reiche Mann starb und lebte so gut
Als er starb, hatte er ein Zuhause in der Hölle ...
Merkst du nicht, dass es besser ist,
ein Zuhause in diesem Felsen zu haben?

Denver

Vor Miss Debbie hab ich noch nie mit 'ner weißen Frau gesprochen. Na ja, vielleicht hin und wieder ein paar Fragen beantwortet – aber das war nicht wirklich *reden*. Und für mich war selbst das ziemlich brenzlig. Wie ich nämlich das letzte Mal dumm genug gewesen bin, vor 'ner weißen Frau meinen Mund aufzumachen, war ich am Ende halb tot und fast blind.

Ich war vielleicht fünfzehn, sechzehn Jahre alt und bin den roten Feldweg runtergegangen, der an der Baumwollplantage langlief, wo ich mein Zuhause gehabt hab, da in Red River Parish im Bundesstaat Louisiana. Die Plantage war riesig und ziemlich flach. Wie ein Haufen kleiner Farmen, die zu einer gemacht worden sind. In der Mitte hat sich ein sumpfiger Fluss geschlängelt, einer von denen, die wir Bayou nennen. Zypressen sind wie Spinnen in dem schlammigen Wasser gestanden, das die Farbe von grünen Äpfeln hatte. In der Gegend gab es 'nen Haufen verschiedener Felder, vielleicht hundert, jedes von ihnen war um die zweihundert Morgen groß, und alle wurden von Bäumen eingegrenzt, meistens waren es Pecannussbäume.

Neben der Straße standen trotzdem nicht allzu viele Bäume, und als ich also an dem Tag vom Haus meiner Tante – sie war die Schwester meiner Oma väterlicherseits – nach Hause lief, war ich auf offenem Feld unterwegs. Es hat nicht lange gedauert, da hab ich diese weiße Lady dastehen sehen, neben ihrem Auto, 'nem blauen Ford, Baujahr ungefähr 1950, vielleicht '51, irgendetwas in der Art. Sie hat einfach dagestanden mit ihrem Hut und ihrem Rock, so wie wenn sie in der Stadt gewesen wär. Sah aus, als ob sie 'nen platten Reifen wechseln müsste, aber keine Ahnung hätte, wie man das anstellt. Ich bin also stehen geblieben.

„Brauchen Sie Hilfe, Ma'am?"

„Ja, vielen Dank", hat sie gesagt. Wenn ich ehrlich bin, hat sie mächtig dankbar ausgesehen. „Ja, wirklich."

Ich hab sie also gefragt, ob sie 'nen Wagenheber hat, sie hat gesagt, sie hätte einen, und das war wirklich alles, was wir miteinander geredet haben.

Ungefähr in dem Augenblick, wo ich den Reifen gewechselt hatte, sind aus dem Wald drei junge Kerle auf braunen Pferden herangeritten. Ich glaub, die waren auf der Jagd gewesen, jedenfalls sind sie rangekommen und haben mich erst nicht gesehen, weil sie auf dem Weg waren und ich auf der anderen Seite von dem Auto hockte, weil ich ja am Reifenwechseln war. Die Pferde haben roten Staub aufgewirbelt, der auf mich draufgeweht ist. Zuerst bin ich ganz ruhig geblieben, weil ich gedacht hab, dass die schon weiterreiten würden. Dann hab ich gedacht, ich will nicht, dass die sich denken, ich würd mich verstecken, deshalb bin ich aufgestanden. Genau in dem Augenblick hat einer von denen die weiße Lady gefragt, ob sie Hilfe braucht.

„Ich schätze nicht!", hat so 'n rothaariger Kerl mit großen weißen Zähnen gesagt, wie er mich entdeckt hat. „Sie hat sich 'nen *Nigger* geholt, der ihr hilft!"

Ein anderer, mit dunklen Haaren und 'nem Blick wie 'n Wiesel, hat 'ne Hand auf seinen Sattelknauf gelegt und sich mit der anderen den Hut ins Genick geschoben. „Hey, Junge! Warum belästigst du die Lady?"

Der ist auch nur ein Junge gewesen, vielleicht achtzehn, neunzehn Jahre alt. Ich hab nichts geantwortet, hab einfach nur dagestanden und ihn angeguckt.

„Was glotzt du so blöd, Junge?", hat er gefragt und dann auf den Boden gespuckt.

Die anderen beiden haben nur gelacht. Die weiße Lady hat nichts gesagt, die hat einfach nur auf ihre Schuhe geguckt. Es war furchtbar still, man konnte nur hören, wie die Pferde mit den Hufen gescharrt haben. So wie die Ruhe vor 'nem Wirbelsturm. Der Junge direkt neben mir hat mir dann ganz plötzlich ein Seil um den Hals geschlungen, so wie wenn er ein Kalb einfangen würde. Er hat es so fest gezogen, dass mir der Atem stehen geblieben ist. Der Knoten hat mir wie eine Klette am Hals geklebt und die Angst ist mir aus den Beinen in den Bauch gekrabbelt.

Ich kann mich noch erinnern, dass ich gedacht hab, dass keiner von denen viel älter ist wie ich. Aber ihre Augen waren eng und böse.

„Wir werden dich lehren, wie man weiße Ladys belästigt", hat der eine gesagt, der, der das Seil gehalten hat. Das war das Letzte, was einer von den Kerlen zu mir gesagt hat.

Ich erzähle nicht gern, was dann passiert ist, weil ich keine Lust auf dieses „Armer-schwarzer-Kater"-Spiel habe. Ich war ja nichts Besonderes, es ist ja einfach nur das passiert, was in Lousiana damals normal gewesen ist. In Mississippi auch, glaube ich jedenfalls, denn ein paar Jahre später haben die Leute sich erzählt, dass dort ein junger Farbiger, Emmett Till hat er geheißen, so verprügelt worden ist, dass man ihn nicht mehr erkennen konnte. Er hat 'ner weißen Frau hinterhergepfiffen, und einigen von diesen ehrenwerten Herrschaften ging das mächtig gegen den Strich. Scheint so, als ob die Wälder damals voll gewesen sind von so Kerlen. Jedenfalls haben sie dem Jungen ein Auge ausgeschlagen, ihm dann den Propeller von 'ner Baumwollerntemaschine um den Hals gebunden und das arme Schwein von 'ner Brücke in den Tallahatchie-Fluss geworfen. Die Leute erzählen sich, dass man auf der Brücke heute noch hören kann, wie der Junge beim Ertrinken um Hilfe ruft.

Damals gab's 'ne Menge Emmett Tills, nur von den meisten hat man nie was gehört. Die Leute sagen, dass die Bayous in Red River Parish bis an ihre erbsengrüne Oberfläche voll sind von den zersplitterten Kno-

chen von Farbigen, die von den weißen Kerlen an die Alligatoren ver-
füttert worden sind, weil sie ihre Frauen falsch angeguckt haben oder
einfach nur geschielt haben. Man kann nicht sagen, dass es jeden Tag
passiert ist, aber schon die Möglichkeit, die Drohnung, dass so etwas
passieren kann, waberte über den Baumwollfeldern wie ein Gespenst.

Ich hab in den Feldern fast dreißig Jahre lang gearbeitet wie ein Sklave, obwohl die Sklaverei angeblich abgeschafft worden ist, wie meine
Oma noch ein kleines Kind war. Ich hatte eine Hütte, die mir nicht
gehörte, zwei Overalls, die ich auf Kredit gekriegt hab, ein Schwein
und 'n Plumpsklo. Ich hab in diesen Feldern gearbeitet, gepflanzt und
gepflügt und gepflückt und die ganze Baumwolle dem *Mann* gegeben,
dem das Land gehört hat, alles ohne irgendwann irgendeine Abrech-
nung zu sehen. Ich hab ja nicht mal gewusst, was das ist.

Vielleicht kannst du dir das nicht vorstellen, aber ich habe jahrein,
jahraus so geschuftet, angefangen von der Zeit, wo ich noch ein kleiner Junge gewesen bin, bis lange nachdem ein Präsident, der Kennedy
hieß, in Dallas erschossen worden ist.

In all den Jahren ist regelmäßig ein Frachtzug durch Red River Parish gerollt, auf den Schienen, die gleich neben dem Highway 1 sind.
Jeden Tag hab ich ihn pfeifen und stampfen gehört, und ich hab mir
vorgestellt, wo der mich alles hinbringen könnte ... nach New York
oder Detroit, wo es heißt, dass da auch Farbige einen richtigen Lohn
bekommen, oder nach Kalifornien, wo alles, was sich regt, so viel Kohle hat, dass man die Scheine wie Pfannkuchen stapeln kann. Das hab
ich jedenfalls gehört. Na ja, eines Tages hatte ich einfach die Nase voll
davon, arm zu sein. Deshalb bin ich zum Highway 1 runtergelaufen,
hab gewartet, bis der Zug 'n bisschen langsamer geworden ist, und
bin dann auf einen von den Wagen gesprungen. Ich bin nicht mehr
ausgestiegen, bis die Türen aufgemacht worden sind. Das ist in Fort
Worth in Texas passiert. Aber wenn ein Farbiger, der nicht lesen, nicht
schreiben und nicht rechnen kann, der nichts anderes kann, wie sich in
den Baumwollfeldern abzurackern, in die Großstadt kommt, dann hat
er nicht das, was die weißen Leute „Karrieremöglichkeiten" nennen.
Aus dem Grund hab ich auf der Straße gelebt.

Ich will gar nicht so tun, wie wenn das besonders toll gewesen wär,
die Straße macht einen ziemlich eklig. Und ich war eklig, war obdachlos, hatte Stress mit dem Gesetz, war im Angola-Gefängnis, und dann

wieder für ein paar Jahre obdachlos, auch wie ich Miss Debbie getroffen hab. Und das eine kann ich dir sagen: Sie war die dürrste, neugierigste und aufdringlichste Frau, die ich je getroffen hab, egal ob farbig oder weiß.

Sie war so aufdringlich, ich hab nicht mal verhindern können, dass sie meinen Namen, Denver, rausgefunden hat. Die hat herumgeschnüffelt, bis sie es gewusst hat. Für 'ne ziemlich lange Zeit bin ich ihr also einfach aus dem Weg gegangen. Aber nach 'ner Weile hat sie es trotzdem geschafft, sie hat mich in Gespräche verwickelt, wo ich über Dinge geredet habe, über die ich nicht gern rede, und ihr Sachen erzählt habe, die ich noch nie jemandem erzählt hab – sogar die Geschichte mit den drei Kerlen und dem Seil. Und ein paar von den Geschichten will ich dir auch erzählen.

2

Ron

Das Leben enthält einige dieser unrühmlichen Begebenheiten, die einem für immer im Gedächtnis haften bleiben. Eine von ihnen trug sich 1952 zu, und sie hat sich in mein Gehirn eingebrannt wie das Brandzeichen auf einem Longhorn-Rind. Damals sollten alle Kinder eine Urinprobe mit in die Schule bringen, damit sie von Mitarbeitern des Gesundheitsamtes auf gefährliche Krankheiten untersucht werden konnte. Als Zweitklässler in der Riverside-Grundschule in Fort Worth, Texas, trug ich also vorsichtig den Pappbecher mit meiner Piesel zur Schule, so wie das alle guten Jungen und Mädchen taten. Aber anstatt ihn bei der Krankenschwester abzugeben, brachte ich ihn aus Versehen zu Miss Poe, der bösartigsten und hässlichsten Lehrerin, die mir jemals begegnet war.

Mein Fehler führte zu einem Wutausbruch, der so überzogen war, als hätte ich meinen Urinbecher direkt in ihre Kaffeetasse geleert. Um mich zu bestrafen, ließ sie wie ein Armeeausbilder die ganze zweite Klasse im Gänsemarsch auf dem Schulhof antreten. Dann klatschte sie in die Hände, um unsere volle Aufmerksamkeit zu haben.

„Klasse, ich habe eine Mitteilung zu machen", krächzte sie, ihre verrauchte Stimme hörte sich an wie die Bremsen an einem Vierzigtonner. „Ronnie Hall wird heute in der Pause nicht dabei sein. Weil er dumm genug war, seinen Becher in den Klassenraum zu bringen statt in das Krankenzimmer, wird er die nächste halbe Stunde mit der Nase in einem Kreis verbringen."

Miss Poe holte dann ein frisches Stück Kreide hervor und kritzelte einen Kreis an die rote Backsteinwand des Schulhauses, ungefähr sieben Zentimeter über der Stelle, an der meine Nase die Wand berührt hätte, wenn ich mich einfach nur vor sie gestellt hätte. Gedemütigt schlich ich nach vorn, stellte mich auf die Zehenspitzen und drückte meine Nase an die Wand. Nach fünf Minuten fing ich an zu schielen und musste meine Augen schließen, denn wie ich mich erinnerte, hatte meine Mutter mich gewarnt, niemals zu schielen, weil die Augen dabei stehen bleiben könnten. Nach einer Viertelstunde hatte ich schwere Krämpfe in den Zehen und Waden, und nach zwanzig Minuten hatten meine Tränen die untere Hälfte von Miss Poes Kreis von der Wand gewaschen.

Mit einem Hass, den nur ein gedemütigtes Kind kennt, verabscheute ich Miss Poe dafür. Und als ich älter wurde, wünschte ich mir so manches Mal, ich könnte ihr einen Brief senden und ihr mitteilen, dass ich nicht dumm war. Über die Jahre jedoch verlor ich die Sache aus dem Gedächtnis. Das änderte sich an einem strahlend schönen Tag im Juni 1978, als ich in meinem Mercedes-Cabrio die Hauptstraße von Forth Worth herunterfuhr und vom Sicherheitsdienst wie ein Rockstar durch das Tor zu einem privaten Flugfeld auf dem Meacham Airfield gewinkt wurde.

Es wäre perfekt gewesen, wenn auch Miss Poe mich so hätte sehen können, sie und ein paar alte Freundinnen – Lana und Rita, vielleicht auch Gail – ach egal, die ganze Abschlussklasse von 1963 der Haltom Highschool. Wenn sie alle hier wie bei einer Parade aufgereiht gestanden hätten, um zu erleben, wie ich meine Kindheit in der unteren Mittelklasse hinter mir gelassen hatte. Im Rückblick muss ich sagen, es war eigentlich ein Wunder, dass ich an diesem Tag überhaupt auf dem Flugplatz angekommen bin, schließlich hatte ich während der ganzen Fahrt kaum etwas anderes getan, als mich selbst im Rückspiegel zu bewundern.

Ich fuhr also mit dem Auto zu der Stelle, wo der Pilot eines privaten Falconjets auf mich wartete. Er hatte schwarze Hosen an, ein gestärktes weißes Hemd und glänzend gewienerte Cowboystiefel. Als er seine Hand zum Gruß hob, flimmerte sie leicht in der texanischen Hitze, die bereits vom Flugfeld aufstieg.

„Guten Morgen, Mr Hall", rief er in das Brummen der Turbinen. „Brauchen Sie Hilfe mit den Bildern?"

Vorsichtig trugen wir drei Gemälde von Georgia O'Keeffe vom Mercedes in den Falconjet, eines nach dem anderen. Zusammen waren sie knapp eine Million Dollar wert. Zwei Jahre zuvor hatte ich dieselben Bilder – zwei von Georgia O'Keeffes berühmten Blumenbildern und eines mit einem Schädel darauf – an eine unglaublich reiche texanische Frau für eine halbe Million Dollar verkauft. Als sie den Scheck mit der Summe darauf aus ihrem ledergebundenen Hermès-Scheckheft riss, hatte ich sie zum Spaß gefragt, ob sie sich sicher war, dass der Scheck auch gedeckt wäre.

„Ich hoffe schon, Schätzchen", sagte sie und lächelte zu ihrem sirup-süßen texanischen Dialekt. „Mir gehört die Bank."

Jetzt entledigte sich diese Kundin von ihrem goldschürfenden Ehemann und den O'Keeffes. Die Käuferin war eine elegante, etwa fünfzigjährige Dame, der eines der schönsten Apartements in der New Yorker Madison Avenue gehörte. Sie trug vermutlich selbst in der Badewanne Perlenketten, und sie ließ sich ebenfalls scheiden. An diesem Nachmittag hatte sie ein paar ihrer kunstliebenden Gesellschaftsfreunde und mich zu einem kleinen Empfang eingeladen, um ihre neuen Errungenschaften zu feiern. Ohne jeden Zweifel lebte sie gemäß der Devise, dass ein flottes Leben die beste Rache am „Ex" ist, denn sie hatte einen Teil der königlichen Summe, die ihr bei der Scheidung zugesprochen worden war, dazu benutzt, um die O'Keeffes für den doppelten Betrag dessen zu kaufen, was sie einmal gekostet hatten. Sie war viel zu reich, um über das Preisschild von einer Million auch nur ein Wort zu verlieren. Mir war das gerade recht, denn meine Provision bei diesem Handel betrug damit rund $100.000.

Meine Kundin hatte die Falcon aus New York geschickt, um mich abzuholen. In der Kabine streckte ich mich auf den buttercremefarbenen Lederpolstern aus und überflog die Schlagzeilen des Tages. Der Pilot schoss über die Startbahn, hob nach Süden hin ab und schwenkte dann behutsam in nördliche Richtung. Als wir an Höhe gewannen, ließ ich meinen Blick über Fort Worth streifen, eine Stadt, die von den hier ansässigen Milliardären völlig verändert worden war. Es war mehr als nur eine Schönheitsoperation: Gigantische Löcher im Boden kündeten von der Errichtung neuer glitzernder Türme aus Glas und Stahl. Galerien, Cafés, Museen und erstklassige Hotels würden dort bald entstehen und sich zu den Banken und Anwaltskanzleien gesellen, die aus dem verschlafenen Kuhdorf Fort Worth ein pulsierendes urbanes Zentrum gemacht hatten.

Das Projekt war so ehrgeizig, dass damit systematisch die Obdachlosen vertrieben wurden. Das war sogar ein offizielles Ziel, denn man wollte aus unserer Stadt einen Ort machen, an dem es sich besser leben ließe. Wenn ich es aus tausend Metern Höhe betrachtete, war ich insgeheim froh darüber, dass die Penner auf die andere Seite der Schienen vertrieben wurden, denn ich hatte es satt, jeden Tag auf dem Weg zu meinem Fitnessstudio im Fort Worth Club angebettelt zu werden.

Debbie, meine Frau, wusste nicht, dass ich so darüber dachte. Ich versuchte, mir meine elitäre Einstellung nicht allzu sehr anmerken zu lassen. Schließlich war es erst neun Jahre her, dass ich mit dem Verkauf von Dosensuppen $450 im Monat verdient hatte, und nur sieben, seit ich mein erstes Gemälde gekauft und verkauft hatte, wofür ich heimlich Debbies fünfzig Aktien der Ford Motor Company benutzt – gestohlen? – hatte, die sie von ihren Eltern für ihren Abschluss an der Texas Christian University bekommen hatte.

Für mich war das Jahrhunderte her. Ich war wie eine Rakete vom Dosensuppen-Verkauf über das Investment-Banking zum Gipfel der Kunstwelt aufgestiegen. Um es ganz offen zu sagen: Gott hat mich mit zwei guten Augen gesegnet, mit einem für Kunst und einem für ein gutes Geschäft. Aber das hätte man mir damals nicht sagen dürfen. So wie ich es sah, hatte ich mich den ganzen Weg von einem Landei aus der unteren Mittelklasse bis in die Schicht heraufgearbeitet, die den Lebensstil der Milliardäre aus der Forbes-400-Liste imitiert.

Als Debbie erfuhr, dass ich ihre Ford-Aktien benutzt hatte, drohte sie mir mit der Scheidung – „Das ist das Einzige, was wirklich nur mir gehört hat!", fauchte sie –, aber meine schamlosen Bestechungsversuche steigerten ihre Vergebungsbereitschaft erheblich. Ich schenkte ihr eine goldene Piaget-Uhr und eine Nerzjacke von Koslow.

Zuerst betrieb ich den Kunsthandel nur nebenbei, während mein eigentlicher Job das Investmentbanking blieb. Doch 1975 verdiente ich $10.000 an einem Gemälde von Jack Russell, das ich an einen Mann aus Beverly Hills verkaufte, der Cowboystiefel aus weißem Schlangenleder mit goldenen Spitzen trug und eine mit Diamanten besetzte Gürtelschnalle von der Größe eines Kuchentellers. Nach dieser Erfahrung sagte ich dem Bankgewerbe auf Wiedersehen und begab mich auf den Drahtseilakt des Kunsthandels, ohne irgendein Sicherheitsnetz.

Es zahlte sich aus. 1977 verkaufte ich meinen ersten Renoir und verbrachte dann einen Monat in Europa, um meinen Namen und das Wissen über mein sicheres Auge unter der Kunstelite der Alten Welt zu verbreiten. Es dauerte nicht lange, bis die Nullen auf den Kontoauszügen von Debbie und Ron Hall immer mehr wurden. Wir hatten mit Sicherheit nicht dasselbe Einkommensniveau wie meine Kunden, das irgendwo zwischen fünfzig und zweihundert Millionen Dollar angesiedelt war. Aber sie luden uns in ihre Stratosphäre ein: Segeltouren in der Karibik, Vogeljagd auf Yucatán, Gesellschaften auf Inselklubs und in Villen, die nach altem Geld rochen.

Ich sog das alles in mich auf und wählte als Standarduniform Armani-Anzüge. Schränkeweise. Debbie konnte sich mit den Spielereien des Wohlstandes nicht so gut anfreunden. 1981 rief ich sie aus einem Autohaus in Scottsdale im Bundesstaat Arizona an, wo ich es mit einem Rolls-Royce-Händler zu tun hatte, der sich für ein Gemälde interessierte, das ich besaß.

„Du wirst nicht glauben, gegen was ich es eingetauscht habe!", rief ich in demselben Moment, in dem sie in unserem Haus in Fort Worth den Hörer abnahm. Ich saß in dem „Was", einem feuerroten Corniche-Cabriolet mit weißer Lederausstattung, die in passendem Rot abgesteppt war. Das Auto kostete $160.000. Ich überschlug mich geradezu, als ich es über mein Satelliten-Telefon beschrieb.

Debbie hörte mir aufmerksam zu, dann sprach sie ihr Urteil: „Wage es ja nicht, das Ding nach Hause zu bringen. Lass es im Autohaus stehen. Mir wäre es peinlich, in so einem Auto gesehen zu werden, erst recht, wenn es bei uns in der Einfahrt stünde."

Hatte sie wirklich das Beste, was Rolls Royce zu bieten hatte, gerade *das Ding* genannt? „Mir würde es Spaß machen", murmelte ich.

„Ron, Schatz?"

„Ja?", sagte ich, weil mir ihr sanfter Ton plötzlich Hoffnungen machte.

„Hat dieser Rolls auch einen Rückspiegel?"

„Ja."

„Dann schau doch einmal hinein", sagte sie. „Siehst du einen Rockstar?"

„Äh, nein ..."

„Denk immer daran: Du verkaufst Bilder, mehr nicht. Also steig aus dem Rolls aus, schwing deinen Haltom-City-Hintern in ein Flugzeug und komm nach Hause."

Das tat ich.

In demselben Jahr, in dem Debbie den Rolls ablehnte, eröffnete ich eine neue Galerie an der Hauptstraße des blühenden Kulturviertels von Fort Worth, einer Gegend, die Sundance Square genannt wird, und stellte eine Frau namens Patty an, die sich um sie kümmern sollte. Obwohl wir Impressionisten und moderne Künstler ins Schaufenster stellten – Monet, Picasso und anderes in der Art –, die mehrere Hunderttausend Dollar wert waren, achteten wir sorgfältig darauf, keine Preise anzuzeigen oder zu viele von ihnen in der Galerie zu haben, denn eine große Anzahl Stadtstreicher war noch immer nicht davon überzeugt worden, dass es besser wäre, wenn sie sich mit ihrem Kram unter die Autobahnbrücken im Südwesten verzögen. Einige von ihnen kamen schmierig und stinkend jeden Tag in unser Viertel, um sich abzukühlen, aufzuwärmen oder die Gegend zu inspizieren. Die meisten von ihnen waren Schwarze, und ich war davon überzeugt, dass sie alle Alkoholiker oder Drogenabhängige waren, obwohl ich mir nie die Zeit nahm, ihre Geschichten zu hören – mir waren sie auch egal.

Eines Tages taumelte ein offensichtlich unter Drogen stehender Schwarzer in schmieriger, zerrissener Armeekleidung in die Galerie. „Wie viel wollen Sie für das Bild da?", stammelte er und deutete mit dem Finger auf einen Mary Cassatt im Wert von $250.000.

Ich hatte Angst, er würde mich ausrauben, deshalb versuchte ich es mit einem Spaß, um nicht die Wahrheit sagen zu müssen. „Wie viel haben Sie denn einstecken?"

„Fünfzig Kröten", sagte er.

„Dann geben Sie mir die, und das Bild gehört Ihnen."

„Nö, Mann. Ich zahl doch keine fünfzig Dollar für so 'n Bild."

„Gut. Das hier ist kein Museum, und ich nehme deshalb auch keinen Eintritt. Wenn Sie also nichts kaufen wollen, wie soll ich dann meine Miete bezahlen?" Damit komplimentierte ich ihn zur Tür hinaus.

Ein paar Tage später tauchte er mit einem ähnlich abstoßend aussehenden Gefährten wieder auf und versuchte es mit einem kleinen Blitz-Überfall. Sie türmten mit einer Tüte voller Geld und einigen kunstvoll gearbeiteten Schmuckstücken. Patty drückte den Alarmknopf, den wir installiert hatten, und ich spurtete aus meinem Büro im Obergeschoss nach unten, um eine Verfolgungsjagd wie im Film aufzunehmen, auf der die Diebe durch schmale Gassen rannten und Mülleimer umstürzten, während ich hinter ihnen her schrie: „Halten Sie diese Männer auf! Sie haben mich beraubt!"

Zuerst bin ich gerannt, dann wurde ich etwas langsamer, denn mir dämmerte, dass ich keine Ahnung hatte, was ich mit den Kerlen anfangen sollte, wenn ich sie eingeholt hätte. (Ich schrie natürlich lauter, um das langsamere Laufen auszugleichen.) Als die Polizei die beiden ein paar Straßen weiter einfing, waren ihre Hände leer. Sie hatten eine mehrere hundert Meter lange Spur aus Zwanzig-Dollar-Noten und Schmuck hinter sich gelassen.

Dieser Zwischenfall bestätigte mich in meiner Ansicht, dass es sich bei Obdachlosen um eine abgerissene Armee von Ameisen handelte, die nichts weiter wollte, als anständigen Menschen das Sonntagspicknick zu ruinieren. Zu diesem Zeitpunkt hatte ich keine Ahnung, dass Gott in seinem unnachahmlichen Humor damit die Basis legte, auf der einer von ihnen mein Leben verändern würde.

3

Mir hat noch nie einer erklärt, warum ich eigentlich Denver heiße. Die meiste Zeit hat mich sowieso nie wer irgendwas anderes als Little Buddy gerufen, also „Kleiner Kumpel". Wahrscheinlich war das deshalb, weil ich als kleiner Kerl von meinem Großvater, PawPaw, immer in der vorderen Tasche seines Overalls rumgetragen wurde. Deshalb haben mich die Leute Little Buddy genannt, das glaube ich jedenfalls.

Von meiner Mama weiß ich nicht viel. Sie war noch ein junges Mädchen, zu jung, um wirklich für mich zu sorgen. Sie hat also getan, was sie tun musste, und mich zu PawPaw und Big Mama gebracht. So war es damals auf den Plantagen und Farmen im Red River Parish. Farbige Familien gab es in allen Formen und Größen. Da lebte vielleicht 'ne erwachsene Frau in einer von diesen Flintenhütten, hat Baumwolle gepflückt und ihre eigenen Brüder und Schwestern großgezogen, und das war dann eine Familie. Oder da gab's 'nen Onkel und 'ne Tante, die die Kinder ihrer Schwester großgezogen haben, und das war dann auch 'ne Familie. Eine Menge Kinder hatten auch nur 'ne Mama und keinen Papa.

Zum Teil hatte das damit zu tun, dass wir arm waren. Ich weiß, heutzutage macht man sich nicht besonders beliebt, wenn man so was sagt. Aber es ist die Wahrheit. Die meisten der Männer waren Sharecropper auf einer von diesen Plantagen und haben sich gewundert, warum sie jahrein, jahraus in der Hitze geschuftet haben und jedes Jahr der *Mann*, dem die Felder gehört haben, den ganzen Gewinn eingestrichen hat.

Weil es heute keine Sharecropper mehr gibt, muss ich dir eben erklären, wie das funktioniert hat: Dem *Mann* hat das Land gehört. Der hat dir dann den Baumwollsamen und den Dünger und das Maultier und ein paar Klamotten gegeben und überhaupt alles, was du gebraucht hast, um das Jahr zu überleben. Natürlich hat der dir das nicht einfach so gegeben: Du musstest dir das selbst kaufen, im Laden, auf Kredit.

Und der Laden hat ihm gehört, so wie auch die Plantage ihm gehört hat.

Du hast also gepflügt und gepflanzt und geackert, bis die Erntezeit da war. Dann, am Ende des Jahres, wenn du die ganze Baumwolle gepflückt hast, dann bist du zu dem *Mann* gegangen, um abzurechnen. Vielleicht habt ihr vorher ausgemacht, dass jeder die Hälfte von der Baumwolle kriegt, oder vielleicht sechzig-vierzig. Aber wenn die Baumwolle reif ist, schuldest du dem *Mann* schon so viel, dass dein Anteil an der Ernte kleiner und kleiner wird. Auch wenn du glaubst, diesmal schuldest du ihm nicht so viel, oder wenn es 'n gutes Jahr war mit 'ner großen Ernte, es kommt immer auf dasselbe raus. Der *Mann* wiegt die Baumwolle und schreibt die Zahlen auf. Und er ist der Einzigste, der die Waage oder die Bücher lesen kann.

Du arbeitest also das ganze Jahr und der *Mann* macht überhaupt nichts, aber trotzdem schuldest du dem *Mann* ganz viel. Und deshalb bleibt dir nichts anderes übrig, wie dich noch ein Jahr lang abzurackern, damit du wenigstens deine Schulden loswirst. Aber am Ende ist es immer dasselbe gewesen: Dem *Mann* hat nicht nur das Land gehört. Auch *du* hast ihm gehört. Damals gab es 'nen Spruch, der das ziemlich gut zusammengefasst hat: „Schuld ist Schuld und Zahl ist Zahl, alles für den Weißen, dem Nigger nur die Qual."

Wie ich noch ein junger Kerl war, haben die Leute erzählt, dass in einem weißen Haus ein Mann lebt, der Roosevelt hieß, und der wollte es den farbigen Leuten einfacher machen. Aber es gab einen Haufen weißer Leute, vor allem Sheriffs, die es besser gefunden haben, wenn alles beim Alten geblieben ist. Das hat die Farbigen oft ziemlich mutlos gemacht, und deshalb haben viele von ihnen alles hingeschmissen und sind einfach abgehauen, ohne die Frauen und Kinder. Manche von ihnen waren sicher schlechte Kerle. Aber viele haben sich einfach nur geschämt, weil sie nicht besser für sie sorgen konnten. Das soll keine Entschuldigung sein, sondern ist die echte Wahrheit, das schwöre ich bei Gott.

Wenn ich mich richtig erinnere, hab ich überhaupt nie jemanden kennengelernt, der noch Mama und Papa gehabt hat. Ich und mein großer Bruder, Thurman, haben also bei Big Mama und PawPaw gelebt und uns nichts dabei gedacht. Wir hatten auch 'ne Schwester, Hershalee, aber die war schon groß und hat ein Stück die Straße runter gewohnt.

Big Mama war die Mama von meinem Papa, nur hab ich den nie so genannt. Für mich hat er BB geheißen. Ab und zu ist er bei uns vorbeigekommen. Wir haben bei Big Mama und PawPaw gewohnt, in 'ner Hütte mit drei Zimmern mit Ritzen im Fußboden, die so groß waren, dass man die Erde darunter sehen konnte. Wenn es heiß war, war uns das egal, aber im Winter hat die Kälte ihre hässliche Fratze durch die Ritzen gestreckt und uns gebissen. Wir haben uns dann mit ein paar losen Brettern und Dosendeckeln gegen sie zur Wehr gesetzt.

Big Mama und PawPaw waren ein ziemlich seltsames Paar. Big Mama war wirklich 'ne *kräftige* Frau, und ich meine damit nicht nur, dass sie schwere Knochen hatte. Sie war in jeder Hinsicht groß, hoch und breit, in jeder Richtung. Ihre Kleider hat sie aus alten Mehlsäcken gemacht. Damals waren Mehlsäcke noch nicht so hässlich wie heute. Manche von ihnen waren mit Blumenmustern bedruckt oder Vögeln. Man brauchte sieben oder acht von den großen, um ein Kleid für Big Mama zu machen.

PawPaw war das krasse Gegenteil von Big Mama. Er war ziemlich schmächtig und neben Big Mama hat er wie ein Zwerg ausgesehen. Sie hätte ihn einfach umhauen können, schätze ich. Aber sie war 'ne eher ruhige Frau und lieb. Ich habe nie mitgekommen, dass sie irgendwen verprügelt hätte oder auch nur rumgeschrien. Aber mach dir keine falschen Vorstellungen, sie hatte bei uns die Hosen an. PawPaw hatte über nichts zu bestimmen außer über sein Mundwerk. Aber er hat sich um Big Mama gekümmert. Sie musste sich nicht in den Feldern abrackern. Sie hatte ja auch mit ihren Enkeln genug um die Ohren.

Sie war natürlich nicht nur meine Großmutter. Sie war auch meine beste Freundin. Ich hab sie heiß und innig geliebt und hätt alles für sie getan. Wie ich noch ein kleiner Junge war, war sie mal ziemlich krank und hatte arge Schmerzen. Ich hab ihr dann Medizin geholt. Ich weiß nicht genau, was das für Pillen waren, aber sie hat sie Rote Teufel genannt.

„Little Buddy, sei doch so lieb und bring Big Mama zwei von den Roten Teufeln", hat sie dann zum Beispiel gesagt. „Ich muss mich ein bisschen entspannen."

Von Big Mama hab ich immer ein paar Dinge zu tun bekommen, wie den Eimer mit den Essensresten rausbringen oder ein Huhn fangen und ihm den Hals umdrehen, damit sie es zum Abendessen braten konnte. Jedes Jahr hat PawPaw 'nen Truthahn für Thanksgiving, unser Erntedankfest, hochgepäppelt. Der hat immer was Besonderes zu fressen gekriegt, damit er schön rund und fett wurde. Und wie sie gedacht hat, jetzt wär ich groß genug, hat Big Mama zu mir gesagt: „Little Buddy, geh raus und dreh dem Truthahn den Hals um. Ich will ihn fürs Essen fertigmachen."

Ich sage dir, das war schwerer, wie ich gedacht hab. Wie ich auf den Truthahn losmarschiert bin, ist der ausgebüchst, wie wenn der Teufel höchstpersönlich hinter ihm her wär. Er ist im Zickzack rumgerannt, hat Dreck aufgewirbelt und rumgekreischt, wie wenn ich ihn schon an der Gurgel hätte. Ich hab den Vogel gejagt, bis ich nicht mehr konnte, und an dem Tag habe ich zum ersten Mal gesehen, dass die Viecher fliegen können! Er hat abgehoben wie 'n Flugzeug und ist irgendwo weit oben in 'ner Zypresse gelandet.

Der Vogel war übrigens nicht blöd. Er ist erst drei oder vier Tage nach Thanksgiving zurückgekommen. In dem Jahr hatten wir also Hähnchen statt Truthahn.

Wie ich also gesehen hab, wie der Vogel in die Zypresse fliegt, war ich mir sicher, dass ich heute zum ersten Mal in meinem Leben eine richtige Tracht Prügel bekommen würde. Aber Big Mama hat nur gelacht, so heftig, dass ich Angst hatte, sie würde platzen. Ich denke, sie wusste einfach, dass ich mein Bestes gegeben hatte. Sie hat mir einfach vertraut. Wirklich wahr, sie hat mir sogar mehr als meinem Papa und meinen Onkeln vertraut – obwohl das ihre eigenen Söhne gewesen sind. Wie mit dem Geld, das sie in einem Gürtel um ihre Hüften getragen hat – ich war der Einzigste, der unter ihr Kleid greifen durfte, um das Geld rauszuholen.

„Little Buddy, schlüpf da mal schnell drunter und hol mir zwei Zehner und 'nen Vierteldollar heraus", hat sie dann vielleicht gesagt. Und ich hab ihr das Geld rausgeholt und es dem gegeben, dem sie es geben wollte.

Big Mama hatte immer irgendwas für mich. Vielleicht ein paar Pfefferminzbonbons oder ein paar Kronkorken, damit ich mir 'nen Laster bauen konnte. Wenn ich einen Lastwagen haben wollte, habe ich mir ein Stück Holz geholt und vier Kronkorken drangenagelt, zwei vorne und zwei hinten, und dann hatte ich meinen Laster und konnte ihn durch den Dreck fahren. Aber dazu hab ich nicht oft Zeit gehabt. Ich hab nie wirklich wie ein Kind spielen können. Hab mir nie Spielzeug oder so etwas zu Weihnachten gewünscht. Ich bin einfach nicht der Typ dafür gewesen.

Ich glaube, deshalb habe ich gemacht, was ich gemacht habe, wie zum ersten Mal was richtig Schlimmes passiert ist.

* * *

In irgendeiner Nacht, ich war so ungefähr fünf oder sechs, haben Big Mamas Beine ihr das Leben zur Hölle gemacht und sie hat ein paar von ihren Roten Teufeln von mir gewollt und sich ins Bett gelegt. Ein bisschen später sind Thurman und ich auch ins Bett gegangen, obwohl unser Cousin Chook immer noch beim Feuer saß. Der war damals gerade bei uns.

Ich und Thurman hatten hinten im Haus unser Zimmer. Ich hab kein richtiges Bett gehabt, nur 'ne Matratze, die auf ein paar Brettern gelegen hat, drunter Backsteine. Mir hat das irgendwie gefallen, weil direkt über meinem Kopf ein Fenster gewesen ist. Im Sommer hab ich dann die Läden offengelassen und hab die warme Erde gerochen und gesehen, wie die Sterne mir zugewinkt haben.

Manchmal kommt es mir so vor, wie wenn es damals mehr Sterne gegeben hat wie heute. Es hat einfach kein elektrisches Licht gegeben, das den Himmel überstrahlen konnte. Abgesehen von dem Loch, das der Mond in die Finsternis geschnitten hat, sind die Nächte dunkel wie Molasse gewesen und die Sterne haben wie Glasscherben in der Sonne geglitzert.

Also, damals hatte ich noch so 'ne kleine Katze, die ich gefunden hab, wie sie noch 'n Fellknäuel von 'nem Katzenbaby gewesen ist. Ich weiß nicht mal mehr, wie sie geheißen hat, aber ich weiß noch, dass sie immer auf meiner Brust gelegen ist, wenn ich eingeschlafen bin. Ihr Fell hat mich am Kinn gekitzelt und ihr Schnurren war wie 'n Schlafmittel, es hatte so 'nen Rhythmus, bei dem man einfach wegdämmern musste. In der Nacht habe ich wohl schon eine Weile geschlafen, wie die Katze plötzlich von meiner Brust runtergesprungen ist und mich dabei übel gekratzt hat. Mit einem Schlag war ich hellwach und hab gesehen, wie die Katze auf die Fensterbank gesprungen ist und auf einmal einen Höllenlärm gemacht hat und nicht aufhören wollte. Also bin ich aufgestanden, weil ich sehen wollte, was das Problem gewesen ist, und im Mondlicht habe ich dann gemerkt, dass da Rauch im Haus war.

Zuerst habe ich gedacht, ich hätt sie nicht mehr alle, und hab mir die Augen gerieben. Aber wie ich sie wieder aufgemacht hab, hab ich gesehen, dass der Rauch immer noch da gewesen ist, er ist richtig durch den Raum gewirbelt. Ich hab also als Erstes schnell die Katze aus dem Fenster geworfen. Dann bin ich in Big Mamas Zimmer gerannt, aber ich hab immer noch kein Feuer gesehen. Aber ich habe trotzdem gewusst, dass das Haus gebrannt hat, weil der Rauch immer dicker geworden ist. Ich hab also keine Flammen gesehen, aber ich hab das Feuer gespürt, weil es mir in meiner Kehle und meinen Augen gebrannt hat. Ich habe wie verrückt gehustet und bin zur Haustür gerannt, aber PawPaw war schon bei der Arbeit und hat sie abgeschlossen. Ich hab gewusst, dass die Hintertür einen Holzriegel hat, aber der war so hoch, dass ich kaum drangekommen bin.

Ich bin also in mein Zimmer zurückgerannt und hab versucht, meinen Bruder aufzuwecken. „Thurman! Thurman! Das Haus brennt! Thurman, wach auf!"

Ich habe ihn geschüttelt und geschüttelt, aber der war im Tiefschlaf. Schließlich habe ich ihm die Decke vom Bett gerissen, hab mit der Faust ausgeholt und ihm so fest, wie ich gekonnt hab, auf den Kopf geschlagen. Er ist aufgesprungen und war zornig wie 'ne nasse Katze, und ist mir sofort an die Gurgel gegangen. Wir sind in 'nem wilden Knäuel auf dem Boden rumgerollt, dabei habe ich ihn die ganze Zeit angeschrien, dass das Haus brennt. Nach 'ner Minute oder so hatte er es schließlich kapiert und wir sind beide aus dem Fenster gesprungen, raus ins hohe Gras hinter dem Haus. Obwohl er größer war als ich, ist Thurman dort einfach zusammengeklappt und hat geheult wie ein Baby.

Ich hab ganz schnell angefangen zu überlegen, was ich tun kann. Big Mama war ja immer noch im Haus und Chook auch. Ich musste also wieder zurück, um sie irgendwie herauszuholen. Ich bin deshalb hochgesprungen, habe mich an einer Ecke des Fensterrahmens festgeklammert und bin die Hauswand raufgeklettert, mit meinen nackten Füßen auf den rohen Brettern. Wie ich endlich drin gewesen bin, bin ich sofort in das vordere Zimmer gerannt, geduckt natürlich, weil der Raum schon voller Rauch war, und da habe ich Chook gefunden, der hat einfach vor dem Kamin gesessen mit einem Schürhaken in der Hand und hat mit leeren Augen vor sich hingestarrt.

„Chook! Das Haus brennt! Los komm, wir müssen Big Mama retten, wir müssen sie hier herausholen!" Aber Chook hat einfach nur weiter im Kamin rumgestochert, so wie wenn er in irgendeiner Trance oder so was gewesen ist.

Ich hab nach oben geguckt und gesehen, wie die Funken durch den Schornstein gestoben sind und wie Mücken durch die Luft getanzt haben. In dem Augenblick ist mir klar gewesen, dass der Schornstein in Flammen steht und damit vermutlich auch das ganze Dach. Ich hab gehustet wie ein Verrückter, aber ich hab gewusst, dass ich meine Großmutter retten muss. Also habe ich mich flach auf den Boden gelegt und bin in ihr Zimmer gekrochen. Ich hab zwar ihr Gesicht erkennen können, aber sie hat so fest wie Thurman geschlafen, und ich habe sie geschüttelt und geschüttelt, aber sie ist nicht aufgewacht.

„Big Mama! Big Mama!" Ich hab ihr aus nächster Nähe ins Gesicht gebrüllt, aber es war, wie wenn sie tot wäre und nicht nur eingeschlafen. Ich habe mittlerweile das Prasseln der Flammen im Schornstein hören können, es hat gedonnert wie ein Zug. Ich hab an Big Mama rumgezogen, so gut ich gekonnt hab, habe versucht, sie aus dem Bett zu stoßen, aber sie war zu schwer.

„Big Mama! Bitte! Big Mama! Wach auf! Das Haus brennt!"

Ich hab gedacht, dass sie vielleicht der Rauch vollends erwischt hat, und mein Herz ist in zwei Teile gebrochen, genau da, wo ich gestanden habe. Ich hab gespürt, wie mir die Tränen die Backen runtergelaufen sind, einmal weil ich so traurig war, aber auch wegen dem Rauch. Es wurde jetzt furchtbar heiß und mir war schlagartig klar, dass ich abhauen muss, sonst wäre ich auch erledigt.

Ich bin also rausgerannt ins vordere Zimmer, hab getobt und geschrien und gehustet. Chook saß da immer noch. „Du musst abhauen, Chook! Der Rauch hat Big Mama erwischt! Los komm, wir müssen hier raus!"

Chook hat sich nur umgedreht und mich mit Augen angeguckt, die ausgesehen haben, wie wenn er schon tot wär. „Nö, ich bleib hier bei Big Mama." Ich kann es mir nicht erklären, aber er hat nicht mal gehustet oder so. Hat sich nur einfach wieder umgedreht und weiter im Feuer rumgestochert.

In dem Augenblick hab ich den berstenden Krach gehört, der mir einen Frostschauer durch den Körper gejagt hat. Wie ich hochguck, hab ich gesehen, dass das Dach kurz vor dem Zusammenbrechen war. Der Rauch war jetzt so dick, dass ich Chook nicht mehr sehen konnte. Ich bin also auf meine Hände und Knie gefallen und hab meinen Weg gefühlt, bis ich gemerkt habe, dass ich an dem gußeisernen Ofen angekommen war. Da hab ich gewusst, dass die Hintertür gleich um die Ecke war. Ich bin also ein bisschen weitergekrabbelt und hab dann einen kleinen Fetzen Tageslicht gesehen, der durch den Spalt unter der Tür geschienen hat. Ich bin also aufgestanden und habe mich auf die Zehenspitzen gestellt. Mit den Fingerspitzen habe ich geradeso den hölzernen Riegel zu fassen gekriegt. Die Tür ist aufgeflogen und ich bin rausgefallen mit dem schwarzen Rauch hinter mir her, wie wenn es ein Rudel Dämonen wäre.

Ich bin ums Haus herumgerannt, Thurman war auf der Seite, wo Big Mamas Zimmer war, und hat Rotz und Wasser geheult. Ich hab auch geweint. Wir haben sehen können, wie die Flammen vom Dach herunterleckten und unter die Schindeln gegriffen haben, bis sie schließlich die Bretter erreicht hatten und die Seitenwände zu brennen angefangen haben. Die Hitze hat uns umgehauen, aber ich habe nicht aufgehört zu schreien: „Big Mama! Big Mama!"

Das Feuer ist durch die Luft gewirbelt wie ein Wirbelsturm, hat gerauscht und gepufft, alles war voll von dem schwarzen Gestank, den es gibt, wenn Dinge brennen, die nicht brennen sollten. Das Furchtbarste passierte, wie das Dach zusammengebrochen ist, denn in dem Augenblick ist Big Mama endlich aufgewacht. Ich hab genau sehen können, wie sie sich zwischen den Flammen und dem Rauch hin- und hergerollt und zum Herrn geschrien hat.

„Hilf mir, Jesus! Rette mich!", hat sie gebrüllt, wie sie in dem Rauch um sich geschlagen und gehustet hat. Dann gab es einen lauten Krach und Big Mama hat wie am Spieß geschrien. Ich hab gesehen, wie so 'n großes Stück Holz so auf sie gefallen ist, dass sie nicht mehr vom Bett runterkommen konnte. Sie konnte sich nicht mehr bewegen, aber sie hat immer weitergebrüllt: „Herr Jesus, rette mich!"

Chook habe ich nur einmal kurz aufschreien gehört, dann war er still. Und ich hab dagestanden und geschrien und zugesehen, wie meine Großmutter verbrannt ist.

4

Wie ich bereits erwähnte, wurde ich nicht mit einem goldenen Löffel im Mund geboren. Ich wuchs in einem Arbeiterviertel von Fort Worth auf, in einem Stadtteil namens Haltom City, der so hässlich war, dass man in der örtlichen Drogerie keine Ansichtskarten von ihm kaufen konnte. In Texas war das vermutlich einmalig. Aber seien wir ehrlich: Wer würde sich schon gern an einen Besuch in einer Gegend erinnern wollen, in der auf jedem zweiten Grundstück ein heruntergekommenes Billighaus oder ein ausgeschlachtetes Autowrack stand, beides von gefährlich aussehenden Hunden an langen Ketten bewacht? Wir machten damals Witze darüber, dass die einzige Schwerindustrie, die Haltom City zu bieten hatte, die örtliche Avon-Beraterin war, die hundertfünfzig Kilo wog.

Mein Vater, Earl, war bei seiner Mutter und zwei altjüngferlichen Tanten aufgewachsen, die so tief in ihre Garrett-Schnupftabak-Dosen gegriffen hatten, dass ihnen das Zeug am Kinn hinunterlief und in ihren Falten trocknete. Ich hasste es, sie zu küssen. Mein Vater war anfangs ein witziger Mann gewesen, der für jeden Spaß zu haben war. Als er schließlich in Rente ging, hatte er vierzig Jahre lang für Coca Cola gearbeitet. Doch irgendwann während meiner Kindheit war er in die Wiskeyflasche gekrochen, aus der er erst wieder herauskam, als ich schon längst erwachsen war.

Meine Mutter, Tommye, war ein Bauernmädchen aus Barry, Texas. Sie schneiderte eigenhändig jedes Kleidungsstück, das wir auf dem Leib trugen, backte Plätzchen und jubelte mir bei Sportveranstaltungen zu. Als sie noch ein Mädchen war, ritten sie, ihre Schwester und ihr Bruder auf einem Pferd zur Schule – alle auf demselben Pferd. Ihr Bruder hieß Buddy, und der Name ihrer Schwester war Elvice, aber das wurde wie „Elvis" ausgesprochen, was mit zunehmendem Alter zum Problem wurde.

Tommye, Buddy, Elvice und später Vida Mae, die Jüngste, sie alle pflückten Baumwolle auf der Schwarzerdefarm, die ihrem Vater – meinem Großvater – gehörte, einem Mann namens Jack Brooks.

Nun ja, die meisten Menschen haben keine Ahnung, was es bedeutet, auf einer Schwarzerdefarm in Texas zu leben – es ist alles andere als romantisch. Die Topografie ist vor allem flach. Das Einzige, was es im Überfluss gibt, sind sonnengebleichte kleine Hügel, von denen aus man auf sein Farmhaus schauen kann und darauf hoffen, dass einen irgendwann die große Liebe zu seinem Land ereilt. In Wirklichkeit ist die Gegend miserabel, bedeckt von einem Boden, der vermutlich die Erfinder von Zement inspiriert hat. Selbst der dünnste morgendliche Nebel verwandelt alles in eine solche Matsche, dass man Mühe hat, die Stiefel herauszubekommen. Und wenn auch nur ein Zentimeter Regen fällt, wird sogar der fleißigste Farmer seinen Traktor in einen niedrigen Gang schalten und sich heim unters Schleppdach begeben, weil er keine Lust hat, die nächsten Tage damit zuzubringen, seinen John Deere fluchend wieder auszugraben.

Das bedeutet natürlich nicht, dass die Farm meines Großvaters in Corsicana, ungefähr hundertzwanzig Kilometer südöstlich von Fort Worth, nicht auch ihren ländlichen Charme gehabt hätte. Mein Bruder John und ich haben dort freiwillig unsere Sommerferien verbracht, das war auf jeden Fall besser, als ein Vierteljahr lang meinen Vater in der Tailless Monkey Lounge zu suchen. Uns genügte es, wenn wir das neun Monate im Jahr tun mussten.

Jeden Juni fuhr uns also meine Mutter zu ihrem Elternhaus, wir sprangen aus ihrem Pontiac und rannten mit dem Tatendrang eines Soldaten im Sturmangriff zu Großvaters und MawMaws Farmhaus, das mit grünen Asphaltschindeln gedeckt war. Errichtet in den Zwanzigerjahren sah dieses Haus aus wie eine große Schachtel. Ich kann mich nicht mehr erinnern, wann es einen Wasseranschluss bekam, aber ich weiß noch sehr gut, dass in meinen frühen Jahren das Regenwasser, das vom Dach floss, in einer Zisterne hinter dem Haus aufgefangen wurde. Sie wurde durch eine quietschende Falltür abgedeckt. MawMaw besaß eine weiße Porzellanschüssel, die auf der hinteren Veranda stand. Wenn wir zum Essen hereingerufen wurden, schöpften wir uns damit zuerst in der Zisterne Wasser und wuschen uns dann die Hände mit einem Stück Lava-Seife, was ungefähr so angenehm ist, wie wenn man es mit Schmirgelpapier versucht. Aber Lava-Seife ist die einzige Seife, mit der man wirklich allen Dreck von der Haut bekommt, nachdem man auf einer texanischen Schwarzerdefarm gearbeitet hat.

Großvater arbeitete wie ein Ochse und war ein echter Redneck, ein Rotnacken, wie bei uns die Angehörigen der Unterschicht genannt werden. Er trug immer lange Khakihosen und ein langärmliges Khakihemd und Arbeitsschuhe – sechs Tage in der Woche. Sein ganzer Körper war schneeweiß, abgesehen von seinen braunen, lederartigen Händen und natürlich seinem Nacken, der von links nach rechts von indianerroten Falten durchzogen war, so als hätte jemand auf einem schönen Stück Land ein paar Furchen gepflügt. Er war ein anständiger, ehrlicher Mann, der jedem half, der es nötig hatte. Und ich habe auch noch nie einen Menschen getroffen, der schwerer gearbeitet hätte als er.

Mein Onkel Buddy erzählt gern die Geschichte, wie mein Großvater nach dem Ersten Weltkrieg als armer junger Mann nach Texas zurückkam. Nachdem er in Frankreich die Deutschen übel zugerichtet hatte, musste der Paarundzwanzigjährige nun herausfinden, wie man eine Frau bei sich hält, vier Kinder großzieht und eine kleine Farm abbezahlt. Irgendwann fragte er also einen Nachbarn, einen alten Farmer namens Barnes, wie er das anstellen solle.

„Jack, beobachte mich einfach", sagte Mr Barnes. „Du arbeitest, wenn ich arbeite. Und du fährst in die Stadt, wenn ich in die Stadt fahre."

Wie Sie vielleicht vermuten, ist Mr Barnes nie in die Stadt gefahren. Und auch mein Großvater hat es nur ganz selten getan. Während der großen Dürre und in der Zeit der Wirtschaftskrise hat er das Geld zusammengehalten. Er war so dünn, dass er Steine in den Hosentaschen trug, um nicht fortgeweht zu werden. In den Jahren, als man von den Banken noch nicht einmal dann zehn Cent geliehen bekam, wenn man Rockefeller hieß, schlug er sich durch, indem er den ganzen Tag Baumwolle pflückte und sie abends in die Mühle brachte. Er schlief auf der Baumwolle, bis er an der Reihe war, dann fuhr er bei Sonnenaufgang zu seinem Feld zurück und wiederholte den Tanz, bis die Erntezeit vorbei war.

Im Sommer waren John und ich meistens mit meinem Großvater auf den Feldern, pflückten Baumwolle oder fuhren mit ihm auf dem Traktor. Wenn wir nicht bei ihm waren, machten wir irgendwelchen Unsinn. MawMaw hatte einen Obstgarten mit Pfirsichbäumen in der

Nähe der Straße, die an der Farm vorbeilief. Ich liebte den Geruch, den Pfirsichbäume verströmten, wenn die Früchte reif und süß waren. Reife Pfirsiche sind übrigens auch wunderbare Wurfgeschosse. Eines Tages wollten John und ich wissen, wer von uns weit genug werfen könnte, um ein vorbeifahrendes Auto zu treffen.

„Ich wette, ich treffe zuerst", rief John aus seiner Gefechtsstation, irgendwo hoch in einem Baum voller reifer Früchte.

In einem anderen Baum füllte ich eine Lücke zwischen zwei Ästen mit der klebrigen Munition. „Wetten nicht!?"

Wir hatten mehrere Versuche nötig, bis es schließlich einem von uns gelang – ich weiß nicht mehr, wem – einem 1954er Ford Fairlane die Windschutzscheibe einzuwerfen. Die Fahrerin hielt an und marschierte auf das Farmhaus zu, um sich bei MawMaw zu beschweren. Wenn man ihrer Geschichte Glauben schenken wollte, dann hatten wir ihr Auto wenigstens mit schwerer Artillerie unter Beschuss genommen. Als Großvater nach Hause kam, schnitt er einen Zweig von einem der Pfirsichbäume ab und walkte uns damit so richtig durch. Er versohlte uns auch, als wir – ohne seine Erlaubnis – das Hühnerhaus inklusive Dach neu anstrichen und zwar in einem Furcht einflößenden Babyblau.

Trotzdem war mein Großvater eigentlich ein ziemlicher Spaßvogel. Im Rückblick betrachtet habe ich allerdings den Eindruck, dass manche seiner Späße in Wirklichkeit gar keine waren, sondern seine Art, aus Jungen Männer zu machen. Einmal warf er John und mich in das große Pferdebassin, damit wir schwimmen lernten, doch dann fiel ihm ein, dass er selbst nicht schwimmen und uns deshalb auch nicht retten konnte. Wir haben also beide sehr schnell schwimmen gelernt.

An einem der Weihnachtsmorgen, die wir auf der Farm verbrachten, bekamen John und ich jeweils ein glitzerndes Paket. Als wir sie öffneten, fanden wir darin Boxhandschuhe. Großvater packte uns dann in seinen 1947er Chevy Pickup und fuhr nach Barry zur Tankstelle, die damals auch ein Ort war, an dem sich die alten Männer trafen, um Dame zu spielen, Kaffee zu trinken und über das Wetter und Rinderpreise zu plaudern. Großvater hatte vorher heimlich alle Väter im Ort angerufen, die Jungen in unserem Alter hatten, und an diesem Morgen kamen sie alle neben der Tankstelle zusammen. Dort formten ihre Pickup-Trucks einen Boxring, der mit Lametta und anderem Weihnachtsschmuck bedeckt war. John und ich kämpften an diesem

Tag gegen jeden Jungen der Stadt, und wir hatten beide schon vor dem Frühstück blutige Nasen, aber es war toll. Großvater lachte sich halb tot. Das und dass wir auf der Farm an jedem Weihnachtsmorgen auf jungen Kälbern reiten durften, die mit ihrem warmen Atem Rauchkringel in die Kälte bliesen, gehört zu meinen schönsten Weihnachtserinnerungen.

Auf der Farm tat MawMaw ihren Teil, indem sie die Kühe molk, die Kinder großzog, Pfirsiche und grüne Bohnen für den Winter einmachte und Großvater zwei Schokoladenkuchen pro Tag backte. Einen aß er zum Mittagessen und den anderen zum Abendessen. Und trotzdem blieb er sein Leben lang eine ein Meter achtzig große, nur 65 Kilo schwere Bohnenstange.

Die Leute sagten, Großvater sähe aus wie Kildee, der schwarze Schuhputzer, der bei dem Friseur in Blooming Grove arbeitete. Der alte Kildee war auch eine Bohnenstange, und er hatte keinen einzigen Zahn mehr im Gesicht. Er unterhielt die Leute, indem er seine Unterlippe so hochzog, dass sie seine Nase berührte. Großvater hat John einmal fünfzig Cent versprochen, wenn er Kildee einen Kuss gab, was John natürlich gerne tat, nicht nur, weil er sich Süßigkeiten dafür kaufen konnte, sondern auch, weil jeder Kildee liebte.

Bis zum heutigen Tag ist Kildee der einzige Schwarze, der auf dem Rose-Hill-Friedhof in Blooming Grove, Texas, beerdigt ist. Er fand seine letzte Ruhe inmitten der Ahnen der besten weißen Familien von Navarro County.

In anderen Gegenden des Landes mag es den Leuten egal sein, ob die Nachbarn im nächsten Grab schwarz sind oder weiß. Doch als die Bürgerrechtsbewegung in den Fünfzigerjahren langsam Fahrt aufnahm, hat sie Corsicana, Texas, einfach übersprungen, so wie ein erfrischender Frühlingsregen die Ländereien eines Farmers auslassen kann, obwohl er hingebungsvoll gebetet hat.

* * *

In den Fünfzigerjahren war die soziale Struktur der Südstaaten so offensichtlich wie Holzkohle auf einem Schneebrett. Aber aus der Perspektive eines kleinen, hellhäutigen Jungen war das ein Thema, das ungefähr so aufregend war wie Ein- und Ausatmen. Die weißen Familien von Corsicana lebten in der Regel auf Farmen oder in netten Reihen von frisch gestrichenen Häusern in der Stadt. Die Schwarzen hatten ihr eigenes Viertel hinter den Bahnschienen in der Nähe der Baumwollmühle, da wo die öffentlichen Weideplätze für die Rinder waren. Ich weiß gar nicht, ob diese Gegend überhaupt einen richtigen Namen hatte, ich kenne sie nur als „Niggerstadt".

Zu dieser Zeit schien das keine schlimme Sache zu sein, denn dort wohnten nette Menschen, von denen nicht wenige für meinen Großvater arbeiteten. Soweit ich mich erinnern kann, war der Vorname von allen „Nigger" und ihre Nachnamen waren wie unsere Vornamen: Bill, Charlie, Jim und so weiter. Manche von ihnen hatten auch biblische Namen wie Abraham, Mose und Isaak. Da gab es also einen „Nigger Bill" und einen „Nigger Mose", aber keiner von ihnen hatte einen richtigen Vor- und Nachnamen wie wir, also Namen wie meinen, Ronnie Ray Hall, oder den von meinem Großvater, Jack Brooks. Und ehrlich gesagt, gab es damals auch keinen Grund, weswegen irgendjemand ihre Nachnamen wissen musste, denn niemand stellte ihnen jemals einen Scheck aus, und sie mussten mit Sicherheit auch keine Versicherungsanträge oder so etwas ausfüllen. Damals sind mir solche Details natürlich nicht aufgefallen, es war einfach so.

Die Niggerstadt bestand aus langen Reihen von Ein- oder Zweiraumhütten, aus grauen Brettern gebaut, die aussahen, als hätte man sie von einem Schiffswrack abgerissen. Manche Leute nannten diese Behausungen „Flintenhütten". Wie ich später herausfand, lag das daran, dass sie so klein waren, dass man, wenn man mit einer Schrotflinte in der Vordertür stand, mit einem Schuss die Hintertür aus der Wand ballern konnte. Die Häuser standen so dicht beieinander wie die Autos auf dem Hof eines Gebrauchtwagenhändlers, so eng, dass eine wirklich dicke Person einmal um den Block laufen musste, um von der Vordertür ihres Hauses zur Hintertür zu gelangen.

Vielleicht waren die Hütten woanders gebaut und hierhergebracht worden, denn zwischen ihnen war nicht einmal genug Platz, um einen Hammer zu schwingen. Es sah aus, als ob sie jemand mit einem Kran einfach dahingestellt hatte, auf die abgesägten Baumstümpfe, die man überall unter ihnen sehen konnte. Die dadurch entstandenen Hohlräume waren übrigens ein perfekter Rückzugsraum für Hunde und Hühner, die sich dort vor der brütenden texanischen Sonne versteckten.

Großvater heuerte eine Menge Schwarze an, auch ein paar Weiße, damit sie ihm auf der Farm halfen. Jeden Morgen vor Sonnenaufgang fuhren wir mit unserem Pickup in die Niggerstadt und begannen zu hupen. Jeder – Mann, Frau oder Kind – der in der Lage war, Unkraut auszujäten, und der an diesem Tag Arbeit brauchte, taumelte aus seiner Hütte, zog sich dabei an, und kletterte auf unser Auto. Es gab keinerlei Sicherheitsvorkehrungen oder irgendwelche Regeln, was den Transport von Menschen betraf: Großvater versuchte einfach so langsam zu fahren, dass niemand herunterfiel.

Nachdem sie den ganzen Vormittag in den Baumwollfeldern gearbeitet hatten, luden wir alle Arbeiter wieder auf unseren Pickup und fuhren zur Tankstelle, die auch ein Gemischtwarenladen war. Die Schwarzen stellten sich in einer Reihe vor der Glasscheibe auf, hinter der die weiße Porzellanfront der Fleischtheke war, und jeder von ihnen bestellte eine dicke Scheibe Salami oder Pökelfleisch oder ein Stück Cheddarkäse. Großvater stand neben der Kasse und bezahlte die Rechnung, wobei er noch ein Glas Gurken oder ein paar Zwiebeln für alle dazukaufte. Dann nahmen sie alle ihr Mittagessen, eingepackt in weißem Metzgerpapier, und setzten sich hinter dem Laden auf die Erde. Dort gab es eine Zisterne, aus der sie ihr Trinken schöpften.

Nachdem wir so für die Schwarzen gesorgt hatten, stiegen wir wieder in unseren Pickup und fuhren die Weißen, die an diesem Tag bei uns arbeiteten, zu uns nach Hause, weil im Farmhaus ein Mittagessen auf sie wartete. MawMaw ließ sich niemals lumpen, es gab Leckereien wie gebratenes Hühnchen, frische schwarze Bohnen, selbst gebackene Brötchen, heiß und gebuttert, und immer einen Kuchen oder irgendeinen anderen Nachtisch. Selbst als kleiner Junge fand ich es seltsam, dass die schwarzen Arbeiter ihr Mittagessen hinter der Tankstelle einnehmen mussten, während die weißen hier wie Familienangehörige eine hausgemachte, kräftige Mahlzeit aufgetischt bekamen. Manchmal hatte ich das Verlangen, etwas an dieser Situation zu ändern, aber ich habe nie einen entsprechenden Versuch unternommen.

Am Ende eines jeden Arbeitstages bezahlte Großvater jedem Arbeiter dasselbe, drei oder vier Dollar pro Nase, und fuhr sie zurück in die Stadt. Er hat immer ehrlich mit ihnen abgerechnet und sogar schwarzen Familien zinslose Darlehen gegeben, damit sie durch den Winter kamen, wenn die Arbeit knapp war. Jack Brooks vergab diese

Kredite gegen Handschlag und schrieb sie sich nicht auf, weswegen es für Maw-Maw schwierig war herauszufinden, wer ihnen wie viel Geld schuldete. Doch die Schwarzen von Corsicana achteten ihn so sehr, dass nach seinem Tod im Jahr 1962 einige von ihnen unerwartet vor der Tür standen, nicht nur um ihr Beileid auszudrücken, sondern auch um ihre Schulden zu bezahlen.

Seit ich sechs oder sieben Jahre alt war, habe ich auch in den Feldern gearbeitet und habe neben ihnen Baumwolle gepflückt.

Eines Tages, ich war ungefähr vierzehn, arbeitete ich mit einigen von ihnen in einer langen Reihe von Baumwollpflanzen. Wir schwitzten furchtbar und mussten ständig Grashüpfer verscheuchen, die die Größe ausländischer Kleinwagen hatten. Grashüpfer sind auf diesen Schwarzerdefarmen üble Kreaturen, die einem an der Kleidung hängen wie eine Klette und einen ekligen braunen Saft daraufspucken, wenn man versucht, sie abzuschütteln. An diesem Tag brummte und glühte die Luft um uns herum so sehr von ihnen, dass man den Eindruck haben konnte, Großvater hätte seine Baumwolle auf einer von Ungeziefer infizierten fremden Sonne gepflanzt.

Um sich die Zeit zu vertreiben, fingen die Männer rechts und links von mir an, ihre abendlichen sozialen Angelegenheiten zu diskutieren. Ein Mann, den jeder Nigger John nannte – er arbeitete für meinen Großvater, solange ich mich erinnern konnte –, schlug mit seiner Hacke in einen Flecken aus Gras und anderem Unkraut. „Wenn die Sonne untergeht", erzählte er seinem Freund Amos, „geh ich runter in die Stadt zu Fanny's und hol mir 'n Bier und 'ne Frau. Ich wollte, ich könnte es jetzt gleich tun, ich verbrenne."

„Ich komm mit", verkündete Amos. „Ich weiß nur noch nicht, ob ich mir eine Frau und zwei Bier holen soll oder lieber zwei Frauen und ein Bier."

John grinste Amos vielsagend an. „Warum besorgst du dir nicht zwei Frauen und gibst Ronnie Ray hier eine davon ab?"

Alles, was ich wusste, war, dass Fanny's das war, was die Schwarzen eine „Absteige" nannten, also – so raunte man sich zu – eine dunkle, verrauchte Höhle, die von Menschen mit zweifelhaftem Charakter aufgesucht wurde. Doch mit vierzehn hatte ich noch keine Ahnung, was es bedeutete, wenn sich ein Mann eine Frau „besorgt", geschweige denn zwei. Ich hielt also meinen Kopf gebeugt und hörte aufmerksam zu, tat aber so, als würde ich mich auf ein besonders hartnäckiges Unkraut konzentrieren.

John nahm mir das nicht ab. „Warum bist du so still, Ronnie Ray?", neckte er mich. „Willst du damit etwa sagen, dass du noch nie ein warmes Bier und eine kalte Frau gehabt hast?"

Zu diesem Zeitpunkt meines Lebens war ich offensichtlich noch kein Mann von Welt. Aber ich war auch nicht dumm. Ich stand also auf, schob meinen Strohhut zurück und grinste John mit einem besonderen Lächeln an. „Hast du da nicht etwas durcheinandergebracht, John? Du meinst doch sicher ein *kaltes* Bier und eine *warme* Frau, oder?"

Die nächsten anderhalb Minuten schienen John und Amos medizinischen Beistand nötig zu haben. Sie fielen einander in die Arme und schnappten nach Luft, das Gelächter hing wie Musik über den Feldern, bis John schließlich in der Lage war, einen Zipfel des Vorhangs meiner Unschuld zu lüften.

„Nee, Ronnie Ray, ich bring da nichts durcheinander!", sagte er. „Die Frauen bei Fanny's sind so heiß, die setzen sich auf Eisblöcke, um sich abzukühlen, bevor sie ins Geschäft kommen können. Miss Fanny wird ihr Eis doch nicht an Bier verschwenden."

Nun, damit war der Damm gebrochen. John wusste, dass Großvater und MawMaw Abstinenzler waren, die es als ihre heilige Pflicht ansahen, sicherzustellen, dass ich bis zu meinem nächsten Geburtstag nicht einmal in die Nähe eines warmen Bieres kam. Nach einigen Tagen des Unkrautjätens warfen John und Amos schließlich den Fehdehandschuh.

„Du kommst heute Abend zu Fanny, und wir erledigen den Rest", versprach John.

An einem schwülen Abend Mitte August rollte ich also in Großvaters 1953er Chevy vom Farmhaus weg und den Hügel hinunter, zuerst mit ausgeschaltetem Motor, dann ließ ich die Kupplung kommen und fuhr die sechzehn Kilometer nach Corsicana. Meine Unkrautkumpels warteten schon hinter den Gleisen auf mich.

Ich war niemals zuvor ohne Großvater in der Niggerstadt gewesen, deshalb war ich sehr nervös, als wir drei auf den ungepflasterten Wegen zwischen den Flintenhütten entlangliefen, die von keiner Glühbirne erleuchtet wurden. Die meisten Leute saßen einfach vor ihren Häusern und starrten in die finstere Nacht, die nur von einer gelegentlichen Pe-

troleumlampe, einem frisch angezündeten Streichholz oder der orangefarbenen Glut einer Zigarette unterbrochen wurde. Mir kam es vor, als
ob wir durch halb Texas gewandert wären, als uns endlich der Klang
von Gitarrenmusik entgegenwaberte und sich wie in einem Traum ein
niedriges Gebäude in der Finsternis abzeichnete.

Innendrin war Fanny's verraucht, rot und schummerig. Am Ende
der mit Sand bedeckten Tanzfläche gurrte eine Frau mit großem Busen
den Blues, womit sie den Raum zum Kochen brachte wie ein tropischer
Regen heißen Sand. John und Amos stellten mich ihren Freunden vor,
die mich begrüßten, als sei ich eine örtliche Berühmtheit, mir ein Papst
Blue Ribbon gaben – warm wie versprochen – und dann verschwanden.

Während der nächsten Stunde saß ich die meiste Zeit an einem
Ecktisch und fixierte die Silouetten von schweißgetränkten Männern
mit freiem Oberkörper und Frauen in Kleidern, die an ihrem Körpern
klebten, eng ineinander verschlungen in einem langsamen, sexuell sehr
aufgeladenen Tanz, den ich noch nie gesehen hatte. Natürlich hatte ich
vorher auch schon Bluesmusik gehört, sogar live, gesungen von Menschen mit Namen wie Lightning Hopkins und Big Fat Sarah, die von
Wolfman Jack um Mitternacht über knisternde Radiowellen live aus
Laredo übertragen worden waren.

Ich tat so, als würde ich an meinem Bier nippen. Als ich mir jedoch
sicher war, dass niemand zusah, schüttete ich es unter dem Tisch auf
den Sandboden, denn ich hatte entdeckt, dass der Geruch des Bieres
mir die Sinne trübte, weil er Erinnerungen daran wachrief, wie ich
meinen Vater in der Tailless Monkey Lounge gesucht hatte.

5

Es hat nicht lange gedauert, dann war Big Mamas Haus runterge-
brannt und nur noch 'n rauchender Haufen roter Kohlen. Wie die
Flammen aufgehört haben, hab ich mich danebengesetzt und nur noch
geflennt. Ich hab einfach nicht kapiert, warum Gott die Person wegnehmen musste, die ich am meisten geliebt habe.

Nach einer Weile ist irgendwer gekommen und hat mich und Thurman mitgenommen. Wir sind dann nach Grand Bayou zu meinem
Papa BB gezogen. Ich hab ihn nicht besonders gut gekannt und weiß
bis heute nicht, wovon er gelebt hat, nur dass er irgendwie in der Stadt
gearbeitet hat. In Shreveport war das, wenn ich mich nicht irre, irgendwo hinter der Gegend, wo meine Tante Pearlie Mae gewohnt hat.
Vielleicht hat er bei der Eisenbahn geschuftet und sich ein bisschen
Papiergeld verdient. Jedenfalls hatte er genug Kohle, um sich ein Auto
zu kaufen, eine große, alte Karre mit zwei Türen, ein Pontiac oder so.

BB war ein großer Kerl. Er war zwar keine einsachtzig groß, aber er
sah so aus, und schon als kleiner Kerl, der von so was keine Ahnung
hatte, hab ich kapiert, dass er mit den Frauen gut konnte. BB mochte
die Frauen, er hatte immer drei oder vier von ihnen gleichzeitig, wie
Perlen auf einer Schnur. Aus dem Grund hat er sonntags keinen Fuß
in die New Mary Magdalene Baptist Church gesetzt. Eine oder zwei
von seinen Frauen waren nämlich verheiratet, und sie und ihre Männer
waren da in der Gemeinde.

Das soll nicht heißen, dass BB Jesus nicht lieb hatte – er musste nur
andere Wege finden, wenn er Ihn am Sonntag besuchen wollte. Er und
ich und Thurman sind also am Sonntag in die Kirche gefahren, so wie
wenn sie so eine Art Autokino wäre. Die Kirche war gleich neben der
Straße. Sie war weiß angestrichen und hatte einen großen Pecannussbaum davor, der über dem dürren Gras ein bisschen Schatten warf.
Anstatt nun das Auto zu parken und den Hintern durch die großen
Türen zu schwingen, wie das andere Leute tun, hat BB seinen Pontiac

direkt neben die Kirche gefahren. Die müssen irgendwie geahnt haben, dass wir kommen, denn jedes Mal, wenn BB angefahren kam, ist der Prediger rübergekommen und hat ein Fenster direkt neben dem Auto aufgemacht, sodass wir bequem in dem Pontiac sitzen konnten und das Wort Gottes hören.

Ich habe nicht sehen können, wie's in der Kirche ausgesehen hat, aber ich hab den Chor und die Gemeinde diese Spirituals singen hören. Ein paar davon waren meine Lieblingslieder, und dann habe ich mitgesungen.

Er hält die Flüsse und die Berge in Seiner Hand
Er hält den Ozean und die Meere in Seiner Hand
Er hält auch dich und mich in Seiner Hand
Er hält die ganze Welt in Seiner Hand.

Ich hoffte, dass Er auch Big Mama und Chook in Seiner Hand hatte. Ich war mir ziemlich sicher, dass Er das tat.

Nach dem Singen hat der Pastor mit der Predigt angefangen. Der hatte so einen besonderen Stil, er hat immer leise angefangen, so wie wenn er ein Schlaflied singen würde. Aber es hat nie lange gedauert, dann hat er sich in heiligen Schweiß geredet. Ich weiß noch ganz genau, wie er „Gott" gesagt hat – irgendwie lang und gedehnt, es hat sich angehört wie „Goo-ad".

Und er *liebte* es, über Sünde zu reden.

„Also, *Sünde* ist, wenn du das Ziel nicht triffst, von dem Goo-ad möchte, dass du es *triffst*", sagte er zum Beispiel. „*Faul* sein ist eine Sünde, denn Goo-ad will, dass wir *fleißig* sind. *Töricht* sein ist eine Sünde, denn Goo-ad will, dass wir *weise* sind. Und *wollüstig* sein ist eine Sünde, denn Goo-ad will, dass wir *keusch* sind. Könnt ihr das bezeugen?"

„Amen!", hat dann die ganze Gemeinde gebrüllt. „Preist den Herrn!"

Ich konnte überhaupt nie jemanden sehen, von da, wo ich saß, habe ich nicht über's Fensterbrett linsen können. Aber ich erinnere mich gut, dass sich die Leute da drin jedes Mal ziemlich begeistert angehört haben. Nach der Predigt hat dann immer irgendeiner den Klingelbeutel aus dem Fenster gehalten und BB hat ein paar Münzen reingeworfen und ihn zurückgegeben.

Ich und Thurman, wir beide waren vielleicht ein paar Wochen bei

BB, da ist er eines Abends weggegangen und nicht mehr wiedergekommen. Nach der einen Geschichte, die ich gehört habe, hatte er auf dem Highway 1 'ne Autopanne. Andere sagen, jemand hat an dem Auto rumgefummelt. Wie dem auch sei, er ist jedenfalls von der Straße runtergefahren und hat vor dem Grand Bayou Social Club gehalten. Da kam ein Mann aus dem Wald gerannt und hat ihn erstochen. Die Leute sagen, dass der Kerl, der ihn auf dem Gewissen hat, der Ehemann von einer von den Frauen gewesen ist, mit denen BB rumgemacht hat. Ich hab nie rausgefunden, ob der Mann einer von den Leuten gewesen ist, die sonntags in der Kirche gesungen haben.

* * *

Am nächsten Tag ist mein Onkel James Stickman vorbeigekommen und hat mich und Thurman mit seinem Wagen abgeholt, vor den ein paar Maultiere gespannt waren. Wir sind dann auf die Farm gezogen, auf der Onkel James und Tante Etha Sharecropper waren.

Eine Menge Leute nennen Sharecropping eine neue Form der Sklaverei. Ein Haufen Cropper (auch Weiße, von denen gab es in Lousiana aber nur eine Handvoll) hatten nicht nur einen Massa – sie hatten zwei. Der eine Massa war der Mann, dem das Land gehört hat, auf dem du gearbeitet hast. Der andere Massa war der Kerl, dem der Laden gehört hat, wo du all dein Zeug auf Kredit gekauft hast. Manchmal waren beide Massas derselbe Mann; manchmal waren's zwei verschiedene.

Der *Mann*, dem das Land gehört hat, wollte von dir immer, dass du noch weniger zum Essen anbaust und mehr und mehr Baumwolle pflanzt, die er dann gegen Geld verkauft hat. In Red River Parish hieß das, dass wir überall, von unserer Türschwelle bis an den Straßenrand, Baumwolle gepflanzt haben. Doch der *Mann* war immer dein Massa, weil es egal war, wie du es angestellt hast, wie viele Ballen Baumwolle du geerntet hast, am Ende bist du immer im Keller gewesen. Das erste Jahr, wo wir bei Onkel James und Tante Etha gewohnt haben, haben ich und Thurman drei Ballen Baumwolle geerntet, glaube ich. Im nächsten Jahr sind es fünf Ballen gewesen, aber wir sind im Keller geblieben. Wir haben nie auch nur einen Geldschein gesehen, das Einzige, was wir dafür bekommen haben, war das Vorrecht, noch ein Jahr auf dem Land zu bleiben, damit wir unsere Schulden bezahlen können.

Ich war damals nur ein kleiner Kerl und hab mich trotzdem immer gefragt, wie man jedes Jahr so hart arbeiten kann und trotzdem am Ende immer nur Schulden hat.

Ich hab immer gewusst, dass die weißen Leute damals nicht viel von uns Farbigen gehalten haben – sie haben gedacht, wir wären faul und unterbelichtet. Doch erst viel später habe ich rausgefunden, dass sie geglaubt haben, die farbigen Cropper hätten noch eine besondere Macke, so ähnlich wie Baumwollkapselkäfer – sie sind einfach ruinös. Irgendwer hat mir mal erzählt, ein Farmer hätte gesagt, ein Cropper hat nichts, will nichts, erwartet nichts und versucht auch nicht, irgendwas zu kriegen, sondern verschwendet und zerstört alles.

Der Farmer hat nie meinen Onkel James kennengelernt. Der hat sich krumm gearbeitet, um die ganze Baumwolle reinzubringen für den *Mann*, und er wollte dafür bezahlt werden, damit er für uns sorgen konnte. Und er war auch einer von den Männern, die ihren Mund nicht halten können. Keiner hat sich mit ihm angelegt – nicht mal der *Mann*. Nach ungefähr drei Jahren hatte Onkel James die Nase voll davon, im Keller zu sein, und er hat dem *Mann* gesagt, dass er die Nase voll hat und dass er mit uns allen auf eine von den großen Plantagen ziehen würde, von denen man gesagt hat, dort bekommt man richtig Geld. Ich schätze mal, der *Mann* hat nicht viel rumdiskutiert oder sich Sorgen gemacht, wie er an das Geld rankommen soll, das Onkel James ihm noch geschuldet hat, jedenfalls ist er nie hinter uns hergelaufen.

Die Plantage, auf die wir gezogen sind, war riesig. Endlos weit lag ein Feld neben dem anderen, dazwischen lange Reihen von Pecannussbäumen. Und jedes einzelne dieser Felder war nur König Baumwolle geweiht. Wie wir angekommen sind, war die Baumwolle gerade am Blühen, ich erinnere mich an endlose Reihen, ein Hektar neben dem anderen, voller weißer und roter Blumen. Es sah aus, als ob sie rundherum bis an den Himmel reichen würden.

Der *Mann* auf der Plantage hat Onkel James und Tante Etha angestellt, damit sie für ihn Baumwolle pflücken. Big Mamas Schwester, also meine Großtante, hat da auch gelebt. Ich weiß nicht mehr, wie wir sie genannt haben, für mich hat sie immer nur Tantchen geheißen. Vielleicht hatte ich einfach Angst vor ihr und dem ganzen Zauber, den sie mit den Pulvern angestellt hat, die sie selbst aus Blättern und Wurzeln gemahlen hatte. Vor allem ab dem Tag, wo sie es hat regnen lassen.

Onkel James hat zum Pflügen immer ein Maultier genommen, das hat Ginny gehießen. Weißt du, in dieser Zeit gab es immer große Diskussionen darüber, was nun das bessere Arbeitstier ist, ein Pferd oder ein Maultier. Bei uns war das nie eine Frage, ich bin als Maultier-Mann groß geworden. Maultiere leben länger wie Pferde, werden nicht so oft krank, und zicken auch im Sommer nicht rum, wenn es so heiß ist. Und vor allem kannst du ein Maultier dazu bringen, dass es dir gehorcht. Wenn du „Gee" sagst, dreht es sich nach rechts, bei „Haw" läuft es links herum, und wenn du pfeifst, kommt es angelaufen. Bei einem Pferd kannst du so was vergessen, die sind immer ein bisschen eigen, wenn's darum geht, dass sie machen sollen, was du sagst. Ein Maultier trampelt dir auch nicht auf deinen Baumwollpflanzen rum, anders wie ein Pferd mit seinen großen, tapsigen Hufen. Beim Maultier brauchst du dich noch nicht mal ums Füttern zu kümmern. Ginny ist einfach in den Wald gegangen und hat sich selbst geholt, was sie gebraucht hat.

Wenn Onkel James nun mit seinem Maultier aufs Feld gegangen ist, sind ich und Thurman hinterhergelaufen, immer hinter dem Pflug her. Manchmal haben wir nur Blödsinn gemacht, so Sachen wie uns mit Erde beschmeißen. Aber nur, wenn Onkel James grad nicht hingeguckt hat. Wenn er *hingeguckt* hat, dann haben wir natürlich so getan, wie wenn wir uns furchtbar abrackern würden, haben im Frühjahr Baumwollsamen in die Furchen gestreut und im Sommer nach Ungeziefer Ausschau gehalten. Wenn wir ruhig waren und alle Hände voll zu tun hatten, dann musste ich oft an Big Mama denken und hab Bauchschmerzen gekriegt.

Tante Etha hat auch mit uns auf dem Feld geschafft. Sie war 'ne ziemlich tolle Frau, groß und nett. Sie schuftete zusammen mit Onkel James, hat die Baumwolle beschnitten, Unkraut rausgekratzt und auch gepflückt. Aber wenn die Sonne hoch stand, hat sie immer ihre Röcke gerafft und ist zum Haus zurück, weil sie kochen musste.

Vielleicht denkst du, dass damals nur die Frauen gekocht haben, aber das ist nicht wahr. Nur das Kochen im Haus haben die Frauen gemacht, das Kochen im Wald war dagegen reine Männersache.

Die Prohibitionszeit, wo man keinen Alkohol kaufen durfte, ist damals zwar schon vorbei gewesen, aber man hat trotzdem in keinem Laden in Red River Parish einen Whiskey kriegen können. Doch ich sage dir, in den Wäldern sind die Schwarzbrennereien wie Pilze aus dem Boden geschossen. Jeder hat seinen Whiskey aus Mais selbst gebrannt.

Eine Menge Leute glauben, dass Schwarzbrenner ein Haufen Idioten und Proleten sind, die vor ihren Häusern rumhängen und am helllichten Tage Einmachgläser voller Fusel in sich reinkippen. Die hat es sicher auch gegeben. Onkel James hat mir einmal von irgendeinem weißen Cropper erzählt, der den lieben langen Tag kaum was anderes gemacht hat, wie mit 'ner Kanne Whiskey hinterm Haus bei den Schweinen rumzuliegen, und der war dabei so glücklich wie sie. Onkel James hat keine besonders gute Meinung von ihm gehabt.

Aber auch eine Menge ziemlich respektabler Leute sind Schwarzbrenner gewesen. Ich habe ein paar Farbige gekannt, die auf anderen Farmen und Plantagen gearbeitet haben, die weißen Männern gehört haben – Leute, die Banker waren und so was. Unter denen gab's nicht einen, der nicht irgendwo ein bisschen Whiskey gebrannt hat. Einer von denen hatte also auch irgendwo im Wald seine Destille versteckt, damit er sich dann und wann ein Schlückchen brennen konnte. Wie ich älter geworden bin, hat er mich ein-, zweimal mitgenommen.

„Kletter mal da hoch und sag mir, wenn jemand kommt", hat der *Mann* dann zu mir gesagt, und ich bin dann auf den Baum gekrabbelt und hab geguckt, ob der Sheriff in der Nähe ist.

Wie auch immer, Tante Etha hat bei Onkel James das ganze Kochen erledigt. Egal, was wir von der Jagd mit nach Hause gebracht haben, Tante Etha hat daraus ein Essen machen können – Opossums, Waschbären, Karnickel, alles egal. Die größten Probleme gab's mit den Opossums, denn du musst wissen, wie du damit umgehen musst. Zuerst nimmst du's und wirfst es draußen ins Feuer, damit das Fell verbrennt. Dann musst du ihm die Haut abziehen und es in einen Topf tun und richtig kochen; du kannst es auch mit dem Kopf in eine Pfanne tun und ordentlich durchbraten. Wenn du das nicht tust, kriegst du das Fett nie raus.

Tante Etha hatte auch einen Garten, damals konnte man ja nicht einfach in den Gemüseladen gehen. Der einzige Laden, zu dem du gehen konntest, war der Laden von dem *Mann*, und da sind wir nur hingegangen, um ein bisschen Salz zu kaufen oder Pfeffer und Mehl, weil wir nie rausgefunden haben, wie man so was macht. Fast alles, was wir gegessen haben, ist also aus dem Wald gekommen oder von unserm

Boden. Tante Ethas Garten war voll von guten Sachen, so was wie Erbsen, grünen Bohnen, Zwiebeln, Süßkartoffeln und anderen Kartoffeln. Ich weiß noch genau, wie gut es gerochen hat, wenn sie einen Haufen wilder Pfirsiche oder Birnen geschnitten hat und sie mit Zucker eingemacht hat. Wenn sie morgens ihre Bisquits mit Marmelade gemacht hat, so richtig klebrig und süß, dann war das mitten im Sommer wie ein Stück Himmel.

Wir haben unser eigenes Grünzeug gezogen – Kohl, Steckrüben und Senf – und sie alle mit ein bisschen Fett und 'ner Prise Salz köcheln lassen, dann gab's eine große Schnitte Maisbrot dazu. Das Maismehl haben wir beim *Mann* im Laden gemacht, dort gab's 'ne kleine Getreidemühle. Wenn wir es zu ihnen gebracht haben, haben uns die Weißen im Laden immer den Mais gemahlen und das dann auf die Rechnung geschrieben. Ich hab nie rausgefunden, wie viel das eigentlich gekostet hat.

Der *Mann* hat uns aber umsonst Milch gegeben, weil wir auf die Kühe aufgepasst haben. Natürlich haben wir dann auch den Ärger gekriegt, wenn eine von ihnen keine Milch mehr gegeben hat.

Weihnachten war immer ein Schlachtfest. Jedes Jahr hat uns der *Mann* zwei Schweine gegeben, die wir mästen durften. Vor Weihnachten haben wir sie geschlachtet und ins Räucherhaus gehängt. Darum musste ich mich dann kümmern, mein Job war es, das Feuer anzumachen und am Brennen zu halten. Das war eine ziemlich gute Sache, weil ich mir so ab und zu ein Stückchen Fleisch stibitzen konnte.

Tante Etha hat gern Cracklinge gemacht, die kennt man heute gar nicht mehr. Sie hat dann ein Feuer angemacht, ihre große eiserne Waschschüssel drübergehängt und Stücke von dem Schweinefett reingetan, bis sie voll war. Die haben dann gekocht, bis die Schüssel voll war von blubberndem Fett, auf dem knusprige, kleine Flocken von hartem Fett geschwommen sind. Das waren die Cracklinge, und nur ihr Duft war genug, dass die Leute auf dem Feld alles hingeschmissen haben und nach Hause gerannt sind, immer ihrer Nase nach, so wie Ameisen auf 'nem Picknick.

An dem Fleisch von den zwei Schweinen haben wir meistens ein Jahr lang gegessen, weil wir nichts weggeworfen haben. Ich weiß, die weißen Leute sind ziemlich etepetete, wenn's darum geht, was man von so einem Schwein alles essen kann. Wir nicht. Wir haben die Schnauze gegessen und den Schwanz und alles dazwischen – alles Drum und Dran!

Du kannst einfach nichts wegschmeißen, wenn du weißt, dass das alles an Fleisch ist, was du im nächsten Jahr essen wirst. Und auch dann musst du es natürlich etwas strecken, ein bisschen anderes Fleisch dazwischentun. Ich glaube, außer Stinktieren haben wir so ziemlich alles gegessen. Einmal hab ich im Haus ein Stinktier vergiftet, und wie Tante Etha das gesehen hat, hat sie rumgebrüllt: „Junge, schmeiß das Stinktier aus meinem Haus!"

Onkel James hat mich dafür versohlt, aber nicht gleich, weil ich ziemlich übel gestunken hab. Ich musste erst runtergehen zum Fluss und mich mit Laugenseife waschen, *dann* konnte ich zurückkommen und hab meine Prügel gekriegt.

Ich habe einen Haufen Prügel gekriegt, meistens mit 'nem Zweig von 'nem Pecannussbaum. Manchmal bin ich ein Stück zu weit die Straße runtergelaufen, weiter als ich gehen durfte, um mit 'nem Mädchen zu reden. Dafür habe ich jedes Mal eine Abreibung gekriegt, aber das Mädchen war's wert. Ich glaube, die meisten Prügel habe ich wegen ihr eingesteckt.

„Torheit steckt dem Knaben im Herzen", so hat Onkel James dann immer die Bibel zitiert. „Aber die Rute der Zucht wird sie fern von ihm treiben."

Manchmal, wenn ich Ärger gemacht hab, dann hat er so'n Lächeln um die Augen gehabt. „Diesmal kriegst du keine Abreibung", hat er dann gesagt. „Aber wehe, du machst das noch mal. Dann haue ich dich richtig durch!" An einem Tag hatte ich so viermal Prügel zusammengespart. Onkel James war ein guter Christ.

So wie er sich um unsre Torheit gekümmert hat, so hat sich Tante Etha um unsere Körper und Seelen gekümmert. Wir sind eigentlich fast nie krank gewesen, aber wenn doch, dann hatte Tantchen ein Allheilmittel: ein Zeug, das sie „Kuhlippentee" genannt hat.

Dieser Kuhlippentee war braun und dünn, irgendwie so wie der Lipton-Tee, den der *Mann* in seinem Laden verkauft hat, aber ein ziemlich starkes Gebräu. Den Kuhlippentee hat sie aus den weißen Pilzen gemacht, die in Kuhfladen wachsen. Ihr Spezialrezept war, dass sie die Pilze *und* die Kuhfladen dazu benutzt hat. So hat der Tee auch seinen

Namen gekriegt: „Kuh" kam von Kuhfladen und „Lippen" von Lipton. Jedenfalls ist das das, was Tante Etha mir erzählt hat.

Wenn du also Kuhlippentee machen willst, dann nimmst du die Pilze und ein bisschen getrockneten Kuhfladen und mahlst das Ganze in einem Sieb. Natürlich kannst du keine frischen Kuhfladen nehmen, weil du die ja nicht kleinmahlen kannst. Du nimmst also getrocknete Fladen, mahlst sie zu einem feinen Pulver und packst das in einen Lappen, den du oben zubindest. Dann holst du dir einen Topf mit kochendem Wasser, tust ein bisschen Honig rein, wirfst das Bündel dazu und lässt es kochen, bis die Brühe schön braun ist. Dann hast du deinen Kuhlippentee.

Immer wenn ich krank war, hab ich eine Kanne voll davon trinken müssen, Tante Etha hat darauf bestanden.

„Jede gute Medizin schmeckt scheußlich!", hat sie immer gesagt, dann hat sie mich ins Bett gesteckt und einen Haufen Decken drübergelegt, egal ob es Sommer oder Winter war. Am Morgen danach war ich immer verschwitzt wie ein Ochse und das Betttuch war gelb, aber ich war gesund. Ich war übrigens fast erwachsen, wie ich rausgefunden habe, was ich da trinke.

6

Ich verbrachte jeden Sommer bei Großvater und MawMaw bis zum Jahr 1963, als ich mich beim East Texas State College einschrieb, das damals das billigste in Texas war. Zu dieser Zeit bildeten Mädchen – und wie man an sie herankommt – das eigentliche Zentrum meines Universums. Doch das kleine College, das meine Eltern sich leisten konnten, besuchten in der Regel nur Bauernmädchen. Im Unterschied dazu gab es an der Texas Christian University, rund hundertfünfzig Kilometer westlich von Fort Worth, praktisch nur reiche Mädchen, das hatten mein Kumpel Scoot Cheney und ich jedenfalls gehört.

In unseren Fantasien bewegten sich reiche Mädchen nur in schnittigen Sportwagen der neuesten Generation durch die Gegend, waren Mitglieder in Country Clubs und lebten in Häusern, die man nicht einfach auf einen Tieflader packen und wegfahren konnte. Wir waren uns auch sicher, dass sie um Klassen besser aussahen als Bauernmädchen.

Obwohl ich noch nie eins getroffen hatte, hatte ich also ein Bild im Kopf, wie so ein reiches Mädchen aussehen würde. Als wir zehn oder zwölf Jahre alt waren, hatten mein Bruder John und ich ein Lieblingsspiel, das so ähnlich ging wie Klatsch-Memorie. Wir saßen also auf MawMaws Veranda, blätterten langsam im Katalog des Versandhauses Sears und versuchten, als Erster mit der Hand auf das schönste Mädchen auf jeder Seite zu schlagen, die dann in unseren Träumen unsere Freundin wurde. Später war ich mir ziemlich sicher, dass die Mädchen an der TCU genauso aussahen wie die im Searskatalog.

Wie sich herausstellte, kam das der Wahrheit ziemlich nahe. Doch meine erste Begegnung mit dem schönen Geschlecht endete in einem Kleiderschrankdesaster.

Meine Mutter Tommye hatte stets all unsere Kleidung selbst gemacht. Als ich also meine Koffer packte, um aufs College zu gehen, waren sie voller Hemden, die sie liebevoll aus Futtersäcken genäht hatte. Beim East Texas State College angekommen, fiel mir jedoch auf, dass die meisten anderen Jungen Khakihosen und Madrasshirts trugen, diese indischen Hemden, die mit Naturfarben gefärbt waren. Offensichtlich waren Futtersäcke aus der Mode gekommen.

Besorgt rief ich also meine Mutter an. „Hier sind alle ganz anders angezogen als ich. Sie haben alle Madrasshirts an."

„Was ist Madras?", fragte sie.

Ich rang mit einer Erklärung. „Na ja, es ist irgendwie kariert."

Mama meinte es gut mit mir, aber für sie war kariert schlichtweg kariert. Sie fuhr also zu Hancocks Stoffladen, kaufte einige Meter karierten Stoff und schneiderte mir eine kurze Hose und ein passendes Hemd.

In der Zwischenzeit war es Scoot und mir gelungen, ein Treffen mit zwei TCU-Mädchen auszumachen, die wir noch nie gesehen hatten. Sie gehörten zur Studentenverbindung Tri Delta. Wir wollten sie ins Amon Carter Stadion ausführen, wo die Football-Mannschaft der TCU, die Horned Frogs, spielte. Es war ein Heimspiel einer guten Mannschaft, im Grund konnte also nichts schiefgehen. Unser Freund, der das Treffen für uns arrangiert hatte, sagte mir, dass meine Partnerin, ein Mädchen namens Karen McDaniel, aussähe wie Natalie Wood.

Nun, so ein Treffen verlangte nach einem neuen Aussehen. Scoot und ich fuhren also auf unserem Weg vom East Texas State einen kleinen Umweg, um bei meiner Mutter meine neue Kleidung abzuholen. Sie strahlte geradezu vor Stolz, als sie mir die Stücke überreichte: ein Paar etwas zu lange kurze Hosen und ein kurzärmeliges, geknöpftes Hemd, beides in Blau mit schwarzen und grünen Streifen, die so breit waren wie die Mittellinie auf der Autobahn. Ich wusste, dass das kein Madras war, vermutete allerdings, dass es immer noch besser war als Futtersäcke. Als ich beides für meine Mutter anzog, lobte sie mein gutes Aussehen über den grünen Klee.

Scoot und ich stiegen also wieder ins Auto und fuhren zum Mädchenwohnheim der TCU.

„Ein Filmstar", dachte ich, als Karen McDaniels aus dem Haus kam: Sie hatte dunkle Haare, die aufreizend hochgesteckt waren, und große blaue Augen, die blitzten wie ein Stroboskop. In Haltom City hatte ich noch nie jemanden getroffen, der auch nur annähernd so gut ausgesehen hatte. Und wie sich herausstellte, hatte auch Karen noch nie jemanden gesehen, der so aussah wie ich. Niemals.

Ich hatte die kurzen Hosen, die meine Mutter mir genäht hatte, mit einem Paar knielanger schwarzer Strümpfe zur Geltung gebracht, die in hochgebundenen Schuhen steckten. Als ich die Treppe zum Eingang des Mädchenwohnheims hinaufeilte, um mich vorzustellen, kam gerade eine andere gut aussehende Brünette durch die Tür und als die meine Kleidung sah, blieb sie so ruckartig stehen, als ob sie einen zwei Tonnen schweren Anker geworfen hätte. „Hey, schaut euch den mal an!", prustete sie in einer Lautstärke los, dass sich im Umkreis von fünfzig Metern alle Köpfe umdrehten. „Da ist Bobo, ganz in kariert!" Bobo war ein berühmter Clown.

Wie sich herausstellte, handelte es sich bei dem Mädchen um Jill, Scoots Partnerin, eine elfenhafte Tri-Delta-Studentin mit Augen wie ein Bambi. Nachdem sie ihr Urteil über Mutters Handarbeit verkündet hatte, warf sie einen Blick auf meine Schuhe und rümpfte dabei die Nase, als ob sie ein totes Tier am Straßenrand betrachtete. „Was für Schuhe sind *das* denn?"

Ich zuckte mit den Schultern, während sich auf meinem immer röter werdenden Gesicht Schweißtropfen bildeten. „Ich weiß nicht ... einfach Schuhe halt."

„Also, die Jungs an der TCU tragen *Weejuns*", sagte Jill.

Scoot hielt das für ein ziemlich exotisches Wort. „Was sind denn ‚Weejuns'?", flüsterte er mir zu.

„Ich habe keine Ahnung", sagte ich skeptisch. „Vielleicht sind das diese spitzen Dinger, die die Schwulen tragen."

„Das sind sie nicht", protestierten die empörten Mädchen wie aus einem Mund. „Es sind Penny Loafers!"

Wir gingen also zwei Querstraßen weiter zum Stadion, und obwohl die meisten Pärchen Hand in Hand gingen, wahrte Karen eine kränkende Distanz. Im Stadion selbst schien mich die dort versammelte Studentenschaft anzuglotzen, als ob ich das Opfer eines üblen Streichs geworden wäre. Ich kann mich nicht mehr erinnern, welche Mannschaft das Spiel damals gewonnen hatte, geschweige denn, gegen wen die Horned Frogs überhaupt gespielt hatten. Ich weiß nur noch, dass ich mich fühlte, als sei Bobo der Clown gestorben und hätte mir seine Klamotten hinterlassen.

7

Meinen ersten Baumwollsack habe ich gekriegt, da war ich vielleicht sieben oder acht Jahre alt. Es war ein großer, weißer Mehlsack. Du hast vermutlich keine Ahnung vom Baumwollpflücken, deshalb will ich dir erzählen, wie das so gewesen ist: vor allem heiß. Allmächtiger, war das heiß. Heiß genug für den Teufel und seine Dämonen. Dann waren da noch die Moskitos und das andere Ungeziefer. Die sind von dem sumpfigen Fluss zu uns rübergeschwirrt und es hat ausgesehen, wie wenn sie so groß wie Gänse gewesen wären, nur doppelt so bösartig.

Jeden Tag sind wir ganz früh aufgestanden. An den Rändern der Felder hat man gerade einen rosa Strich erkennen können, aber die Sterne waren immer noch am Himmel. Ich hab den ganzen Tag gepflückt und aus jeder Kapsel, die ich sehen konnte, vier oder fünf Stücke Baumwolle herausgeholt. Wenn die Baumwollkapseln aufbrechen, sind sie hart und irgendwie knistrig. Nach 'ner Weile bekommst du ganz raue Hände davon. Die Baumwolle ist zwar leicht wie 'ne Feder, aber der Sack wird trotzdem ziemlich schnell unheimlich schwer. Jeden Tag hat der *Mann* gesagt, ich hätte so ungefähr zehn Kilo in meinem Sack. Irgendwie war's egal, wie lange ich gepflückt hab oder ob sich der Sack an dem Tag besonders schwer angefühlt hat, der *Mann* hat immer gesagt, es sind zehn Kilo.

Manchmal hat er uns einen Gutschein gegeben, von dem wir uns in seinem Laden was kaufen konnten. Dann bin ich hingegangen und hab mir eine Zuckerstange geholt oder ein Stück Käse.

So hab ich auch Bobby getroffen. Der Laden von dem *Mann* war ziemlich weit vorn auf der Plantage, auf dem Heimweg zu Onkel James bin ich immer an seinem Haus vorbeigelaufen. Das war ein großes, weißes Haus mit einem schwarzen Dach und so einer großen, alten, schattigen Veranda, die einmal ums ganze Haus rumlief. An dem einen Tag bin ich den roten Feldweg runtergelaufen, der bei dem Haus vorbeigeht, und da kommt dieser weiße Junge raus und fängt an, neben mir herzulaufen. Der war ungefähr in meinem Alter und hatte einen Overall an wie ich.

„Hey", sagt er zu mir, wie er so neben mir herstolpert.

„Hey", sage ich.

„Wo gehst'n du hin?"

„Heim."

„Wo is'n das?"

„Da hinten", hab ich gesagt und mit dem Kinn grob in die Richtung gezeigt.

„Haste Lust Fahrrad zu fahren?"

Nun ja, da bin ich auf der Stelle stehen geblieben. Ich hab mich umgedreht und mir den Kerl genau angesehen. Er sah irgendwie normal aus, ungefähr so groß wie ich, mit Sommersprossen auf der Nase und einem lockigen Gestrubbel von braunen Haaren auf dem Kopf mit ein bisschen Rot drin, so als ob irgendeiner einen Zimtstreuer über seinem Kopf ausgeleert hätte. Wie ich ihn so angesehen habe, habe ich mir überlegt, was er wirklich wollte und warum er sich mit so einem wie mir überhaupt beschäftigt.

Nach 'ner Weile hab ich ihm geantwortet: „Ich hab kein Fahrrad", hab ich gesagt und bin weitergelaufen.

„Haste statt dem vielleicht Lust, ein bisschen mit 'nem Luftgewehr rumzuballern? Du kannst meins haben."

Aber hallo, wenn das keine Einladung war. Ich hatte kein Luftgewehr, aber ich hätt so gern eins gehabt, denn dann hätte ich in den Wald gehen und mir ein paar Amseln oder vielleicht ein Oppossum holen können.

„Au ja, ich geh mit dir Luftgewehr schießen. Biste sicher, dass deine Mama nichts dagegen hat?"

„Nö, der ist es egal, solange ich zum Abendessen wieder daheim bin. Bleib hier, ich geh meine Wumme holen."

Von dem Tag an waren ich und Bobby wie Pech und Schwefel. Wie sich rausstellte, war er der Neffe von dem *Mann* und war auf Besuch da. Hatte keine Ahnung, dass er sich eigentlich nicht mit mir anfreunden durfte.

Wenn ich nichts zu tun gehabt habe, bin ich zu der hinteren Veranda von dem Haus von dem *Mann* geschlichen und hab gepfiffen. Bobby hat sich dann aus dem Haus gestohlen und wir haben was zusammen gemacht. Wir waren echt eng miteinander. Wenn er was zu essen hatte, habe ich es auch bekommen. Manchmal hat er beim Abendessen nicht alles gefuttert, sondern ein bisschen was von seinem Essen in die Tasche gesteckt und sich aus dem Haus gemacht. Dann sind wir ein Stück die Straße runtergegangen, sodass der *Mann* uns nicht hat sehen können, und ich hab einen Hähnchenschenkel gegessen oder ein Sandwich oder irgendwas anderes, was er mir mitgebracht hat.

Seine Leute haben ziemlich schnell rausgekriegt, dass wir Freunde waren, aber sie haben nichts gemacht, um uns auseinanderzubringen, sicher, weil ich in seinem Alter der einzige Junge weit und breit gewesen bin. Er brauchte halt jemanden, mit dem er spielen konnte, sonst hätte er nur Unsinn angestellt. Wie sie gemerkt haben, dass er mir Essen bringt, haben sie einen kleinen Holztisch hinterm Haus aufgestellt, da konnte ich essen. Nach 'ner Weile ist Bobby sogar gleich mit seinem Essen rausgekommen, so wie er es auf seinem Teller hatte, und wir haben an dem Tisch zusammen gegessen.

Wenn ich nicht gearbeitet habe, hatte ich's mit Bobby zu tun, wir sind Fahrrad gefahren, schwimmen gegangen oder haben uns Zwillen aus Zweigen und alten Schläuchen gemacht. Manchmal war Thurman mit dabei, aber meistens waren es nur ich und Bobby.

Wir sind auch zusammen auf die Jagd gegangen und haben mit seinem Daisy Rider Luftgewehr Vögel geschossen. Ich war 'n ziemlich guter Schütze, ich hab sie einfach so vom Himmel geholt. Ich hatte so ein Seil als Gürtel um meinen Overall, und jedes Mal, wenn ich eine Amsel geschossen hatte, habe ich sie mit den Füßen unter den Gürtel gehängt, sodass sie da mit dem Kopf nach unten hing. Immer wenn ich ein paar davon zusammenhatte, habe ich sie zu Tante Etha gebracht und die hat Pastete draus gemacht.

Wie Bobby dann ein Jahr später wieder auf die Plantage gekommen ist, habe ich all meinen Mut zusammengenommen und den *Mann* gefragt, ob ich runtergefallene Baumwolle zusammenlesen kann, um mir ein Fahrrad zu verdienen. Bis dahin war ich nur auf Schrotträdern unterwegs gewesen, die ich und Bobby aus Teilen vom Müll zusammengebaut hatten. Die hatten noch nicht mal Reifen, ich bin immer auf den Felgen gefahren. Wenn Bobby und ich ernsthaft Fahrrad fahren wollten, dann brauchte ich was, auf dem man auch richtig fahren konnte.

Die Baumwolle, um die es ging, das waren die kleinen Stückchen, die noch in den Büschen hingen, oder die, die in den runtergefallenen Kapseln im Dreck gelegen haben, wenn die Arbeiter fertig waren mit dem Pflücken. Und weil Onkel James und Tante Etha kein Geld verdient haben, musste ich die runtergefallene Baumwolle auflesen, wenn ich ein Fahrrad haben wollte.

Ich war bereit, so lange wie es nötig war, die Baumwolle aufzulesen, aber Bobby hatte 'ne bessere Idee. Er kam mit und hat mit mir die Baumwolle gepflückt, die letzten Reste aus den Kapseln gekratzt und dabei so getan, als würde er was davon für sich behalten. Dabei hat er all die Baumwolle, die er gepflückt hat, auch in meinen Sack getan. Und wenn der *Mann* gerade nicht hingeguckt hat, ist Bobby in den Schuppen geschlichen und hat seinen Sack mit *gepflückter* Baumwolle aufgefüllt, der guten Baumwolle, und den hat er dann in meinen ausgeleert. Wir haben sie dann unter unserer Baumwolle versteckt.

Jeden Sommer hatten ich und Bobby andere Sachen vor, aber diese Baumwollaufleserei dauerte *ewig*. Jedes Jahr haben wir die Felder abgesucht und der *Mann* hat das, was wir zusammengekratzt hatten – und was Bobby gestohlen hatte – gewogen, und jedes Jahr hat mir der *Mann* gesagt, dass das immer noch nicht für ein Fahrrad reicht. Das ging so drei Jahre lang und dann kam irgendwann um Weihnachten 'rum der *Mann* zum Haus von Onkel James und Tante Etha und hat gesagt, ich soll mal zu seinem Haus kommen, er hat aber nicht gesagt, warum.

„Komm einfach, dann wirst du es sehen", hat er gesagt.

Wir sind also zusammen hochgelaufen, und wie wir in die Nähe kommen, konnte ich es sehen. Es war da auf der großen Veranda und glänzte wie ein Traum: ein nagelneues Schwinn-Rad, rot und weiß mit einer Hupe mit so einem Gummiball dran.

Ich hab mich umgedreht und den *Mann* angeguckt. Er hat so ein bisschen gelächelt.

„Ist das *meins*?", habe ich ihn gefragt. Ich habs einfach nicht glauben können.

„Es gehört dir, Little Buddy", hat er gesagt. „Los, geh hin und nimm's mit nach Hause."

„Danke, Sir! Danke, Sir!" Ich bin losgerannt, als wäre der Teufel hinter mir her, hab mich auf dieses tolle Rad geschwungen und bin die

Straße runtergedüst, um es Onkel James und Tante Etha zu zeigen. Das war das erste neue Ding, was ich jemals in meinem Leben bekommen hatte. Damals war ich elf Jahre alt.

8

Am 22. November 1962 zog ich ein in einem Geschäft gekauftes Madrasshirt, Khakihosen – und ja, *Weejuns* an. Scoot, ich und zwei meiner Kumpel stiegen in meinen babyblauen, viertürigen 1961er Chevy Biscayne und machten uns bereit für unser zweites Abenteuer mit Mädels aus einer Studentenverbindung. Das jährliche Abschlussfest der TCU war die Gelegenheit und Elvis plärrte den ganzen Weg aus dem Radio.

Damals gab es noch keine Umgehungsautobahn, deshalb führte uns unsere Route von Commerce, Texas, zur TCU durch die Innenstadt von Dallas. Während ich mit meinem Biscayne durch die Elm Street fuhr, kam der Verkehr plötzlich zum Erliegen. Wir hielten neben dem Schulbücherdepot an der Kreuzung von Elm Street und Houston Street direkt hinter einem weißen Kombi an – das letzte Auto, das mir den Weg auf die Ausfallstraße versperrte.

Der weiße Kombi fuhr an, aber als wir gerade in die Kreuzung einfahren wollten, trat uns ein Polizist in den Weg und blies auf einer Trillerpfeife, den einen Arm gehoben wie ein Verteidiger im Footballspiel.

„Mist!", sagte Scoot und sah auf seine Uhr. „Jetzt kommen wir zu spät!"

Es sah aus, als würden wir dort noch eine Weile warten müssen. Ich machte also den Motor aus, wir verließen das Auto und setzten uns auf die Motorhaube. Zuerst hörten wir von rechts Sirenen und Motorräder, deshalb drehten wir uns alle in die Richtung, um zu sehen, was da los war. Rundum schwoll Jubel an, so als ob eine Ozeanwelle langsam auf den Strand zurollte. Dann sahen wir es auch: ein großes Lincoln-Cabrio mit scharfäugigen Bodyguards, die auf den Trittbrettern und der Stoßstange mitfuhren.

Obwohl das Ganze nicht einmal zehn Sekunden dauerte, kommt es mir heute wie in Zeitlupe vor. John Connelly, der Gouverneur von Texas, auf dem vorderen Sitz. Präsident John F. Kennedy winkend auf der Rückbank, auf unserer Seite. Und Jackie, umwerfend schön, wie sie mit ihrem puderrosa Pillenschachtel-Hut neben ihm sitzt.

Dann im Zeitraffer: Die Menge explodiert plötzlich, ohne Vorwarnung, wie ein Heringsschwarm, in den ein Hai fährt. Wir wussten nicht, warum. Alles, was wir sahen, war unsere Chance, durch die Kreuzung zu schießen und uns auf den Weg zur TCU zu machen. Wir vier sprangen also von der Motorhaube und stiegen in den Biscayne.

Wir rasten durch die Kreuzung auf die Auffahrt zu, die sich direkt hinter der Präsidentenlimosine befand. In diesem Augenblick hatten wir keine Ahnung, dass wir gerade Teil einer größeren Geschichte waren. Dann verkündigte ein Sprecher im Radio: „Die Polizei berichtet von Schüssen in der Nähe des Präsidentenkonvois in Dallas."

Augenblicke später kam eine andere Ansage: „Der Präsident wurde von Schüssen verletzt."

„Mein Gott!", schrie ich. „Er ist direkt vor uns!" Ich trat das Gaspedal durch und folgte dem Präsidenten auf der Ausfallstraße an den Markthallen vorbei, wo eine Menge von mehreren Tausend Menschen auf eine Rede von ihm wartete, bis zum Parkland Hospital, wo ich den Biscayne auf einem Parkplatz direkt neben der leeren Limosine abstellte.

Ich schaltete den Motor aus. Wir saßen dort, völlig geschockt. Im Radio kamen immer mehr Meldungen: Die Schüsse schienen aus dem Schulbuchdepot gekommen zu sein ... eine massive Menschenjagd in der Innenstadt von Dallas ... noch nichts Neues über den Zustand des Präsidenten. Wir standen vielleicht zwanzig Minuten dort, bis ein Geheimdienstmitarbeiter, aufrecht und Furcht einflößend, aus der Tür zur Notaufnahme direkt auf uns zu kam.

Er steckte seinen gescheitelten Kopf durch das Seitenfenster und ich konnte in seiner Sonnenbrille mein Spiegelbild erkennen. „Was macht ihr Jungs hier draußen?", fragte er todernst.

Dann hörte er sich unsere Erklärungen an und sagte schließlich: „Also, wenn ihr nicht wollt, dass Polizeifotos von euch geschossen und eure Fingerabdrücke genommen werden, dann verschwindet ihr besser hier."

„Ja, Sir", sagte ich.

Zögernd startete ich den Wagen und rollte langsam vom Parkplatz des Krankenhauses. Wir waren noch nicht einmal zehn Minuten auf der Autobahn, da verkündete der Ansager die traurige Nachricht: „Der Präsident ist tot."

Wir brauchten nicht lange, um zu erkennen, dass wir zu den letzten Zivilisten gehört hatten, die ihn noch lebend gesehen hatten.

9

Jeden Sonntag ist ein Farmarbeiter mit einem Maultierwagen die Feldwege auf der Plantage abgefahren und hat die Leute eingesammelt, damit die den Herrn preisen konnten. Bei dem *Mann* haben ungefähr zwanzig Familien gearbeitet. Sie sind alle auf den Maultierwagen gestiegen, die Männer haben den Frauen geholfen, dann haben sie die Babys hochgereicht, dann sind sie selbst reingeklettert und der Farmarbeiter hat sie alle zur New Glory of Zion Baptist Church gefahren. Wenn ich ehrlich bin, habe ich keine Ahnung mehr, wie die Kirche wirklich geheißen hat, aber damals hießen alle Kirchen „New" hier und „Glory" da, und mit Sicherheit waren alles Baptisten.

Jede Plantage hatte eine Kirche für die Farbigen, und woanders hat man sich auch kaum getroffen. Die kleine Bretterkirche, die zu unserer Plantage gehört hat, stand mitten auf einem weiten Feld und hatte ein Kreuz über der Tür, das nie einen Tropfen Farbe gesehen hat. Das Dach sah aus, wie wenn Gott es als Nadelkissen benutzt hätte, es war voller Löcher, durch die das Sonnenlicht fiel, sodass die Bänke aussahen, wie wenn sie Pockennarben hätten. Manchmal hat's auch geregnet und dann hat der Pastor die ganze Suppe mit einem Besen durch die Tür gekehrt.

Der Pastor, Bruder Eustis Brown, war auch nur ein Farmarbeiter. Aber außer Onkel James war er der einzigste Mann, von dem ich weiß, dass er die Bibel lesen konnte. Ich habe einen Haufen Bibelverse gelernt, einfach nur, weil ich ihm zugehört habe. Das lag daran, dass er jede Woche immer dieselbe Predigt gepredigt hat, *monatelang*.

Nehmen wir mal an, er hat über die bösen Seiten der Lust gepredigt. Bruder John hat dann vielleicht gesagt: „Jetzt hört mal gut zu, ihr in der Gemeinde: Der erste Johannesbrief sagt, dass wir die Lust des Fleisches kennen, die Lust der Augen, und das hoffärtige Leben – all das ist nicht von *Gott*, es ist von der *Welt*! Aber diese Welt *vergeht*! Und ihre Lust *vergeht*! Aber wenn ihr den Willen Gottes tut, dann bleibt ihr in *Ewigkeit*!"

Jede Woche hat er uns dieselben Verse erzählt, hat sie uns wieder und wieder reingehämmert, wie wenn du einem störrischen Pferd Eisen unter die Hufe nagelst. Dann und wann haben die Leute angefangen, sich zu beschweren.

„Bruder Brown, wir haben diese Predigt schon hundertmal gehört", hat dann vielleicht eine von den älteren Frauen gesagt, eine mit einem Kropf wie meine Tante, die Schwester von Big Mama. „Wann denkst du dir mal was Neues aus?"

Bruder Brown hat dann einfach nur zu dem löchrigen Dach raufgeguckt und den Kopf geschüttelt, irgendwie traurig. „Ich arbeite da draußen mit euch in den Baumwollfeldern, und der Herr zeigt mir jede Woche, was bei euch in der Gemeinde so läuft, sodass ich weiß, was ich am Sonntag predigen soll. Wenn ich mitbekomme, wie sich da draußen was ändert", hat er gesagt und auf die Plantage gedeutet, „dann ändere ich auch meine Predigten hier."

So habe ich die Bibel gelernt, obwohl ich gar nicht lesen kann.

Wie ich so ungefähr zwölf Jahre alt war, hat mich Tante Etha ganz weiß angezogen und runter zum Fluss gebracht, damit ich untergetaucht werde. An dem Sonntag waren da vier oder fünf Leute, die alle getauft werden wollten, und alle Familien auf der Plantage hatten Kisten und Körbe mit Essen mitgebracht, das auf Decken ausgebreitet worden ist, es war das, was wir „Mittagessen auf dem Boden" genannt haben. Bei weißen Leuten hieß das Picknick.

Mein Tantchen hatte einem Huhn den Hals umgedreht und es besonders gebraten. Sie hat auch ihren berühmten Brombeerkuchen mitgebracht und eine Kanne kalten Tee mit Pfefferminzblättern, die sie von meiner Großtante bekommen hatte. (Wenigstens glaube ich, dass das Pfefferminzblätter gewesen sind. Bei meinen Tantchen konntest du nie so genau wissen, was für Puder und Pülverchen du kriegst.)

Wir haben natürlich nicht gegessen, bevor Bruder Brown nicht mit seiner Predigt fertig gewesen ist. Er hat über Johannes den Täufer geredet, wie der Jesus selbst untergetaucht hat und wie Gott vom Himmel gesagt hat, dass Er sich ziemlich darüber freut, was für 'n toller Kerl Sein Sohn geworden ist. Wie Bruder Brown mit seiner Predigt fertig gewesen ist, ist er in den kühlen, grünen Fluss gestiegen, bis er zur Hälfte im Wasser stand in seiner besonderen weißen Robe, die er nur zum Taufen angezogen hat. Ich bin ihm barfuß hinterhergelaufen, über

Kieselsteine, glatt und glänzend nass, runter durch den warmen, weichen Schlamm, ins Wasser.

Ich und Bobby, wir waren oft in einem Tümpel und sind geschwommen, aber meistens splitternackt. Also hat es sich ein bisschen komisch angefühlt, ins Wasser zu gehen und dabei Klamotten anzuhaben, die um dich herumgewirbelt sind wie eine weiche, weiße Wolke. Trotzdem bin ich zu der Stelle gewatet, wo Bruder Brown auf mich gewartet hat. Der Schlamm von dem Fluss hat zwischen meinen Zehen gequatscht und ich hab dabei ständig aufgepasst, ob ich nicht irgendwo einen Alligator sehe.

Ich stand also seitlich vor Bruder Brown und der hat seine linke Hand hinter meinen Rücken gelegt. Ich hab gehört, wie irgendein Vogel gezwitschert hat, das Wasser hat geplätschert, und irgendwo weiter unten, weit weg, hab ich ein paar weiße Leute beim Fischen gesehen. „Little Buddy", hat der Pastor gesagt, „glaubst du, dass Jesus für deine Sünde am Kreuz gestorben ist, dass er begraben wurde und am dritten Tag auferstanden ist?"

„Ja, Sir, das glaub ich", hab ich gesagt und dabei gefühlt, wie irgendwas mein Bein berührt. Ich hab gehofft, dass es ein Wels ist.

„Ich taufe dich im Namen des Vaters, des Sohnes und des Heiligen Geistes!", hat Bruder Brown gesagt, und schnell wie der Blitz, vielleicht weil er Angst hatte, ich könnte meine Meinung ändern, hat er mir die Nase zugehalten und mich nach hinten ins Wasser gestoßen.

Dummerweise hat er dabei irgendwie seinen Griff gelöst, jedenfalls bin ich bis auf den Boden runtergesunken. Ich hatte keine Ahnung, dass ich eigentlich sofort wieder auftauchen soll, also hab ich mich im Fluss treiben lassen, hab Luftblasen gemacht und mit offenen Augen durch das grüne Wasser die Wolken über mir angestarrt. Tante Etha hat mir hinterher erzählt, dass die ganze Gemeinde in Panik ausgebrochen ist und ins Wasser gerannt ist. Sie haben immer noch im Wasser rumgeplatscht und meinen Namen gerufen, wie ich ein bisschen flussabwärts hochgepoppt bin wie der Korken an 'ner Angelschnur, nur ein bisschen blasser und voll von Heiligem Geist!

Wie sie mich schließlich gesehen hat, hat sich mein Tantchen so sehr gefreut, dass ich an dem Tag zwei Portionen von ihrem Brombeerkuchen bekommen habe.

10

Die Dinge haben sich geändert. Onkel James ist krank geworden und gestorben, und Tante Etha ist weggezogen. Das letzte Mal, wie ich sie gesehen habe, hat sie geweint. Ich konnt mir nicht erklären, warum Gott immer die Leute weggenommen hat, die ich am meisten geliebt habe. Ich und Thurman sind getrennt worden, und ich bin auf eine andere Plantage gezogen, zu meiner Schwester Hershalee. Ich glaube, Thurman ist bei ein paar von BBs Leuten geblieben, aber ich bin mir nicht sicher. Ich war wohl so dreizehn, vierzehn Jahre alt. Ich krieg die Jahre in meinem Hirn nicht mehr auseinander. Und wir haben nie einen Kalender gehabt, wir hatten nicht mal 'ne Uhr. Du hast auch nie eine gebraucht: Wenn du nichts anderes zu tun hast, wie für den *Mann* Baumwolle zu pflücken, dann musst du ja auch nirgendwo hin.

Ich hab Bobby vermisst und mir gewünscht, wieder so 'nen Freund zu haben. Der neue *Mann* hatte ein paar Töchter, die so alt waren wie ich, aber natürlich hätte ich mich nie mit weißen *Mädels* angefreundet. Es wär auch kaum gegangen, weil die weißen Kinder den ganzen Tag in die Schule gegangen sind, wenn sie alt genug waren. Ein paar von den farbigen Kindern haben das auch gemacht, aber ich nicht. Und ziemlich oft hat der *Mann* die farbigen Kinder von der Schule geholt, weil sie in den Feldern arbeiten mussten.

Es war nicht so, dass nur die Erwachsenen eine Mauer gebaut haben zwischen den weißen und den farbigen Leuten. Vor Jahren hab ich von einer Geschichte in South Carolina gehört, wo fünf oder sechs weiße Kinder immer zusammen zur Schule gelaufen sind. Jeden Tag mussten sie über so einen kleinen Fluss laufen, der sich da durch so ein kleines Wäldchen geschlängelt hat. Nun war das so, dass auch die farbigen Kinder auf dem Weg zur Farbigen-Schule über den Fluss mussten. Aber eines Tages haben die weißen Kinder gemeint, dass das nicht in Ordnung ist, wenn die Neger auf denselben Brettern über den Fluss gehen wie sie. Also haben sie sich mit Stöcken und Holzknüppeln bewaffnet und sich an die Bretter gestellt, die über den Fluss geführt haben, und auf die farbigen Kinder gewartet.

„Diese Bretter gehören den Weißen!", hat ein Großmaul gebrüllt, wie die farbigen Kinder zum Fluss gekommen sind. „Wenn ihr Nigger über den Fluss wollt, dann müsst ihr durchwaten!"

Na ja, die farbigen Kinder haben sich das nicht bieten lassen und dann ging's los mit Stöcken und Steinewerfen. Dummerweise haben die Weißen die Schlacht gewonnen, sie haben genug Steine geworfen, um die Bretter zu verteidigen, und die farbigen Kinder mussten durch den Fluss zur Schule waten.

Ich hab die Geschichte erst gehört, wie ich schon erwachsen war, aber mir tun die Kinder immer noch leid. Nicht so sehr, weil sie mit nassen Füßen in die Schule laufen mussten, sondern weil ich weiß, wie das ist, wenn du nur deshalb Prügel kriegst, weil du mit 'ner anderen Hautfarbe auf die Welt gekommen bist. Und ich weiß, wie du dich fühlst, wenn du rumläufst mit den Augen auf dem Boden, weil dir so was nicht wieder passieren soll.

Genauso hab ich es nach dem Rumgezerre gemacht.

Ich bin vielleicht fünfzehn oder sechzehn Jahre alt gewesen und bin die Straße bei der Plantage runtergelaufen, auf dem Heimweg von Tantchens Haus. Das war, wo ich die weiße Frau neben dem blauen Ford gesehen habe. Sie hat sich ein bisschen runtergebeugt, so wie wenn sie hinten unter ihr Auto gucken wollte, aber so wie das Frauen tun, sie hat dabei aufgepasst, dass ihr weißer Rock nicht dreckig wird. Ihr Hut war auch weiß, es war nur ein kleiner, der gerade so auf ihren Kopf passte, mit einem braunen Band drumrum, das aussah wie aus Schokolade. Wie ich dir schon erzählt habe, hat sie ausgesehen, wie wenn sie in die Stadt wollte.

Ich hab also gefragt, ob sie Hilfe braucht, und sie hat Ja gesagt. Ich hab den Wagenheber aus dem Kofferraum geholt und ihn unters Auto gestellt, natürlich habe ich mir den festesten Boden gesucht, den ich finden konnte. Dann habe ich den Hebel rauf- und runtergedrückt und das Auto ist nach oben gegangen, bis es so hoch war, dass ich das Rad runtertun konnte.

Ich war grade dabei, die Muttern wieder festzuschrauben, wie diese drei Jungen aus dem Wald geritten sind und die Lady gefragt haben, ob sie Hilfe braucht. Natürlich war der rothaarige Kerl mit den großen Zähnen der Erste, der mich gesehen und Nigger genannt hat. Und das Nächste, woran ich mich erinnern kann, war das Seil um meinen Hals und die schwarze Angst, die durch meinen Magen gerutscht ist wie ein Schuh im Wasser.

„Wir werden dich lehren, wie man weiße Ladys belästigt", hat der mit dem Seil gesagt.

Ich hab sie aber gar nicht belästigt, ich hab ihr nur geholfen, das Rad zu wechseln. Aber sie hat gar nichts dazu gesagt, und ich hab auch nichts gesagt, die hätten mir ja doch nicht geglaubt. Ich schätze mal, wenn ich was gesagt hätte, wäre alles nur noch schlimmer gekommen.

Ich hab also den Kerl mit dem Seil im Auge behalten, und wie er es an seinem Sattel festgemacht hat, wusste ich, was jetzt passieren würde, und da habe ich richtig Angst gekriegt. Mit beiden Händen habe ich hochgegriffen und versucht, das Seil loszukriegen. In dem Augenblick haben sie ihren Pferden die Zügel gegeben und sind lachend losgetrabt.

Zuerst sind die Pferde nur getrabt, es ging gerade so langsam, dass ich noch mitrennen konnte. Ich bin also hinterhergestolpert mit den Händen an der Schlinge und hab versucht, meine Füße unter mir zu halten. Die Pferde waren nur drei Meter vor mir, ich konnte hören, wie ihre Hufe in dem Dreck getrampelt haben. Der Staub hat mir in den Augen wehgetan. Und er hat eklig geschmeckt.

Dann hab einen Peitschenknall und ein Brüllen gehört. Mich hat es von den Füßen gerissen und ich bin in den Dreck gefallen, meine Knie und Ellenbogen sind über den Feldweg geschliddert. Die Pferde sind gerannt und gerannt und ich hab die Schlinge festgehalten wie ein Lenkrad und versucht, meine Finger reinzubekommen, damit sie nicht noch enger wird. Wegen dem Staub hab ich kaum noch was sehen können und wäre fast erstickt. Die Ärmel von meinem Hemd waren längst weggerissen und die Knie von meinen Hosen durchgescheuert. Die Haut hat sich abgeschält, wie wenn du ein Karnickel abziehst. Ich hab kein Lachen mehr gehört, nur das furchtbare Donnern von den Pferden, von denen ich zu Tode geschleift wurde.

Ich glaube, ich wäre längst tot, wenn nicht Bobby und seine Tante, die Frau von dem *Mann* von der anderen Plantage, zufällig auf der Straße unterwegs gewesen wären. Ich bin in dem Augenblick fast ohnmächtig gewesen und kann mich nicht richtig erinnern, was dann passiert ist. Ich weiß nur, dass das Zerren plötzlich aufgehört hat. Ich hab mit den Augen geblinzelt, die waren nur noch zu schmalen Schlitzen zusammengeschwollen, und hab gesehen, wie Bobbys Tante da auf der Straße steht mit einer Schrotflinte in der Hand, die sie auf die Jungs auf den Pferden gerichtet hat.

„Schneidet das Seil durch!", hat sie gebrüllt. Ich hab gespürt, wie das Seil schlaff geworden ist, und hab gesehen, wie das ausgefranste Ende auf den Boden gefallen ist, wie eine Schlange, aus der plötzlich all das Böse rausgekommen ist. Dann hab ich gehört, wie die Kerle lachend weggeritten sind.

Bobby und seine Tante haben mich in ihr Auto geladen und zu meinem Tantchen gefahren. Die hat mich mit Wurzeln und Brühen gepflegt und mir eine Salbe auf die Augen geschmiert, damit die Schwellung weggeht. Ich bin eine Woche bei ihr im Bett geblieben, bis die Schwellung ziemlich weg war und ich wieder gut sehen konnte. Es hat noch mal so lange gedauert, bis meine Haut wieder so weit war, dass ich ein Hemd und 'ne Hose anziehen konnte.

Ich wusste genau, wer das gewesen war. Und ich schätze mal, dass ihre Väter beim Klan gewesen sind. Aber in Red River Parish war es für die farbigen Männer besser, wenn sie die Klappe gehalten haben, wie wenn sie den Mund zu weit aufgerissen haben. Du weißt nie, was die mit deiner Familie machen. Und du willst nicht mitten in der Nacht in einem brennenden Haus aufwachen.

Wenn ich zurückgucke, dann hat mich das, was die weißen Jungs mit mir gemacht haben, etwas aus der Bahn geworfen. Und mit Sicherheit habe ich so schnell keiner weißen Lady mehr geholfen.

11

Als ich Deborah zum ersten Mal sah, wollte ich sie entführen. Es ging dabei nicht um mich, sondern um Sigma Chi, die Studentenverbindung, der ich mich im zweiten Studienjahr nach meinem Wechsel von East Texas State an die TCU angeschlossen hatte. Es war im Frühjahr 1965, und ich war in der akademischen Probezeit. Deborah war auch im zweiten Studienjahr und hatte ein Stipendium. Als ich sie traf, war sie Mitglied von Tri Delta und der „Schatz" von Delta Tau Delta, einer Studentenverbindung, die mit unserer rivalisierte. Ich hatte vor, sie mehr oder weniger korrekt auf unsere Seite zu locken und zum Schatz von Sigma Chi zu machen, was den angenehmen Nebeneffekt gehabt hätte, dass damit zum ersten Mal ein intellektuelles Mädchen am Tisch unserer Verbindung gesessen hätte.

Deborah war in Snyder aufgewachsen, einer Stadt in Westtexas, durch die die Steppenläuferbüsche rollen und wo die Gegend so flach ist, dass man von einem Haufen Holzschnitzel aus New Mexico sehen kann. Es war einer von den Orten, wo jeder jeden kennt und wo die Schulkinder davon träumen, einmal eine so exotische Stadt wie Lubbock oder Abilene zu sehen. Außer der Gemüseecke im Supermarkt gab es dort kein Grün. Snyder ist übrigens auch der Ort, wo zum letzten Mal ein weißer Büffel gesichtet wurde, und heute hält ein Riesenexemplar aus Gips Wache vor der Kreisverwaltung am Marktplatz.

Deborah hat zwei Schwestern: Gretchen, die schon einmal am Miss-Snyder-Schönheitswettbewerb teilgenommen hat; und Daphene, die nur in der Hinsicht ihre Zwillingsschwester ist, dass sie am selben Tag geboren wurde. Groß und mit üppigen weiblichen Reizen ausgestattet war schon die junge Daphene ein Partygirl, das nie mit einem Jungen zu tun hatte, den sie nicht mochte, oder mit einem Buch, das sie mochte. Deborah war ihr krasses Gegenteil: ein Bücherwurm und adrett wie die Frau des Pastors am Sonntag. Als Teenager hatte Deborah die Figur eines Strohhalms, und weil sie eher schüchtern war, stopfte sie sich im

Kino immer den Mund voll Popkorn aus Angst, die Jungen neben ihr könnten sie küssen. Doch mit ihren dunklen Haaren und den leicht schräg geschnittenen Augen sah sie sehr gut aus. Sie redete in diesem singenden texanischen Tonfall, wohlklingend wie eine Aristokratin aus den Südstaaten.

Mit dieser Waffe fesselte sie mich zuerst. An einem warmen Herbstabend des Jahres 1966 kam Sigma Chi zu einem „Woddy" zusammen, einem informellen Treffen, bei dem die ganze Studentenverbindung mit Kühltaschen voller Bier bewaffnet in den Wald ging, um sich dort mit ihren Freundinnen zu treffen.

Nur leider hatte ich keine Freundin. Diese Tatsache teilte ich gerade meinem Studienkollegen Glenn Whittington mit, als Deborah das Haus der Studentenvereinigung betrat.

Glenn war einer von den Kerlen, die man einfach mögen muss – witzig, umgänglich, der perfekte Kuppler. Als er Deborah entdeckte, winkte er sie an unseren Tisch. Nach einigem Smalltalk kam er zur Sache: „Deborah, kennst du eigentlich meinen Freund Ron? Er braucht für heute Abend ein Mädchen, das mit ihm zu dem Woody geht."

Deborah starrte Glenn mit einem bohrenden Blick an. „Wenn dein Freund mit mir ausgehen möchte", verkündigte sie in der kompromisslosen Weise einer Frau aus dem Süden, „dann kann er mich ja anrufen." Dann drehte sie sich auf dem Absatz um und marschierte davon. Sie hatte nicht einmal einen Blick in meine Richtung geworfen.

Bis zu diesem Zeitpunkt hatte ich mich nur für reiche, blonde Partygirls interessiert, die genau das geboten hatten, was ich in dem Moment gebraucht hatte. Ich war noch nie mit einer akademischen Stipendiatin ausgegangen, also mit jemandem, der tatsächlich für Klausuren lernte. Das machte mich neugierig. Das und dass sie sehr, sehr gut aussah. Ich rief sie also tatsächlich an.

Sie ging auch tatsächlich mit mir zu dem Woody, aber wir kamen einander nicht näher. Ich erfuhr, dass sie sich gerade von ihrem Freund getrennt hatte, einem Delta-Tau-Delta-Schrank namens Frank. Aber schon am Montag danach waren die beiden wieder zusammen. Ich nahm es nicht persönlich, deshalb trafen wir eine Verabredung: Falls sie sich wieder von dem Kerl trennen würde, sollte sie mich anrufen. Ein paar Wochen später tat sie es wirklich.

Wir gingen am Freitagabend wieder miteinander aus. Am Montag danach war sie erneut mit Frank zusammen. Das lief über mehrere Wochen so – sie trennte sich von ihm und rief mich für ein Treffen am Wochenende an. Am Montag gab es dann die große Versöhnung. Vielleicht denken Sie, dass diese ständigen Niederlagen mein Ego beschädigt hätten, aber dem war nicht so. Deborah und ich waren vor allem gute Freunde. Wir dachten, die ganze Geschichte sei unglaublich witzig.

Unsere gelegentlichen Treffen endeten jedoch im Frühjahr meines letzten Studienjahres, als ich einen offiziell aussehenden Briefumschlag öffnete, in dem ich eine Einladung zum Vietnamkrieg fand. Das brachte mich in das Ausbildungscamp nach Fort Polk in Lousiana; dann nach Albuquerque, wo ich einmal Marihuana rauchte und neben einem dicken Mädchen aufwachte; und dann schließlich zum dauerhaften Einsatz nach Fort Carson in Colorado.

Kurz nachdem ich Fort Polk verlassen hatte, verpasste ich um Haaresbreite einen Posten als Schütze einer Infanterieeinheit, die auf dem Weg nach Indochina war. Ich hatte gerade die Grundausbildung und das weiterführende Training abgeschlossen und zeltete mit ungefähr fünfundzwanzigtausend frischgebackenen Soldaten auf einem Flugfeld in Colorado Springs.

„Hall! Ronald R.!", bellte die messerscharfe Stimme eines zweiten Leutnants. „Nimm dein Zeug und steig ein." Er zeigte auf eine lange Reihe von Transportflugzeugen des Militärs. Ich wusste, dass ich mit einer von ihnen mitten ins Kriegsgebiet fliegen würde.

Aus welchem Grund auch immer fragte er mich vorher aber noch ein paar Dinge, und als er herausfand, dass ich dreieinhalb Jahre auf dem College verbracht hatte, überdachte er meinen Einsatz.

„Ich habe eine gute und eine schlechte Nachricht für dich", sagte er. „Die gute Nachricht ist, dass bei den Nuklearstreitkräften in Albuquerque eine Stelle frei ist. Die schlechte ist, dass du dafür eine Unbedenklichkeitsbescheinigung für die höchste Sicherheitsstufe brauchst. Wenn du die nicht bekommst, sitzt dein Hintern schneller in so einem Flieger, als du denken kannst."

Ich schwor dem Leutnant, dass ich eine völlig weiße Weste hatte. Er verfrachtete mich also nach Albuquerque, wo ich tatsächlich die Sicherheitsfreigabe bekam. Natürlich wusste damals niemand in der Armee, dass ich einmal Marihuana geraucht hatte und neben einem dicken Mädchen aufgewacht war.

* * *

Während meiner zweijährigen Wehrdienstzeit wechselten Deborah und ich ein paar Briefe. Keine heißen und parfümierten, sondern nur ein paar Informationen, um einander auf dem Laufenden zu halten, so wie man das heute per E-Mail oder Handy tut. Meine Militärzeit endete im Dezember 1968 und ich ging nach Texas zurück, um an der Abendschule meinen Abschluss nachzuholen. Um mir etwas Geld zu verdienen, wurde ich Vertreter für Dosensuppen, die ich an Lebensmittelhändler verkaufte. Ich hasste es, in einem dreiteiligen Anzug mit einem Staubwedel in der Hand in einen Supermarkt zu gehen. Meine Aufgabe war es nicht nur, die Manager davon zu überzeugen, exotische Produkte wie eine Soße aus Innereien in ihre Regale zu räumen, ich sollte auch den Staub von Ladenhütern wie Erbsensuppe wischen.

Ich rief Deborah an, um Hallo zu sagen. Sie brachte mich in punkto TCU auf den neusten Stand – wer abgebrochen und wer Examen gemacht hatte und, natürlich, wer wen geheiratet hatte. Damals suchten sich die Mädchen ihre künftigen Ehemänner im letzten Studienjahr aus und heirateten sie – wenn alles gut lief – im Frühjahr. Ich hatte die Tri-Delta-Mädchen immer für die bestaussehenden der ganzen Universität gehalten. Also fragte ich Deborah zum Spaß: „Gibt es denn noch irgendein Tri-Delta-Mädchen, das nicht verheiratet ist?"

„Nur mich", sagte sie. „Und ich bin so *hübsch* geworden. Du musst mich einfach lieb haben."

Sie hatte recht. Die reizende, etwas kampfeslustige Stipendiatin, die ich zu dem Woody mitgenommen hatte, gehörte der Vergangenheit an. An ihre Stelle war eine umwerfende, gebildete Frau getreten, selbstbewusst und unglaublich witzig. Wir begannen wieder uns regelmäßig zu treffen, und innerhalb eines Monates trafen wir niemand anderen mehr außer einander.

Im Frühjahr 1969 kehrte Deborah von der Hochzeit einer Collegefreundin aus San Antonio zurück und sagte zu mir: „Da unten meint jeder, dass wir beide heiraten sollten."

Ich lächelte. „Was denkst denn du?"

„Ich glaube auch, dass wir es tun sollten."

„Also gut, warum tun wir es dann nicht?"

„Du musst zuerst um meine Hand anhalten."

Ich gab ihr einen Kuss und sagte ihr, dass ich daran arbeiten würde.

Im Juli lieh ich mir von meinem Vater Geld, um einen Ring zu kaufen. Aber ich hatte keine Ahnung, wie man um eine Hand anhält, deshalb weihte ich meinen Zimmergenossen, Kelly Adams, in mein Dilemma ein.

„Möchtest du, dass ich das für dich tue?", fragte er.

Wenn es bei Cyrano de Bergerac funktioniert hatte, dachte ich mir, dann könnte ich es ja auch einmal versuchen. Ich gab Kelly also meinen Ring und wir machten uns auf zu Deborahs Appartement, wo wir drei in ihrem Wohnzimmer in einem etwas komischen Stuhlkreis zusammensaßen.

„Ronnie möchte dich etwas fragen", sagte Kelly, während er Deborah meinen Ring überreichte. „Er möchte wissen, ob du ihn heiraten willst."

Deborah verdrehte ihre Augen. „Vielleicht sollte *er* mich dann selbst fragen."

Ich grinste. „Möchtest du?"

Sie hätte mich auf der Stelle hinauswerfen und auffordern sollen, es noch einmal richtig zu versuchen. Stattdessen anwortete sie Ja. „Ach übrigens", fügte sie hinzu, „das war der schlechteste Antrag, den ich *jemals* bekommen habe."

Wir heirateten im Oktober 1969. Deborah bekam eine Stelle als Grundschullehrerin, während ich mich in die Welt des Investmentbankings aufmachte. Ich hatte mittlerweile an der Abendschule meinen Abschluss gemacht und war dort noch ein Jahr länger geblieben, um mit einem Master in Betriebswirtschaft abzugehen. 1971 begann ich nebenbei Bilder zu verkaufen. Zwei Jahre später wurde unsere Tochter Regan geboren.

1975, ein Jahr bevor unser Sohn Carson zur Welt kam, verdiente ich doppelt so viel Geld mit meinem Kunsthandel wie mit dem Bankgeschäft. Also begann ich nach einer Möglichkeit Ausschau zu halten, wie ich mich in diesem Bereich selbständig machen könnte. Schon nach kurzer Zeit tat sich dazu die Gelegenheit auf, und zwar in Form von *The Signal*, einem Gemälde von Charles Russell, einem der bekanntesten Maler des Westens. Das Gemälde war von ihm 1910 als Hochzeitsgeschenk für eine prominente Familie in Montana, die Crowfoots, gemalt worden, deren Nachkommen später nach Puerto Rico übersiedelten. Durch einen Kontakt in Santa Fee im Bundesstaat New Mexico erfuhr ich, dass ein Erbe der Crowfoots das Bild verkaufen wollte.

Aus meinem Büro in der Bank rief ich also Mr Crowfoot in San Juan an und sagte ihm, dass ich das Bild kaufen wollte. Ich erzählte ihm, dass ich viel zu beschäftigt sei, um nach Puerto Rico zu fliegen, und versuchte ihn davon zu überzeugen, selbst nach Texas zu kommen und das Bild mitzubringen. Um ehrlich zu sein, ich konnte mir den Flug nach Puerto Rico schlichtweg nicht leisten, erst recht nicht, wenn ich dafür ein paar Tage unbezahlten Urlaub nehmen musste, obwohl ich sicher mehr verdiente als andere Männer in meinem Alter.

Mr Crowfoot kam also nach Fort Worth, wo ich ihn mit texanischer Gastfreundschaft überschüttete, also mit großen Steaks und einer Menge Alkohol. Während des Nachtischs einigten wir uns auf $ 28.000 als Preis für den Russell. Aber das war noch nicht alles: Er überließ mir das Bild auch schon vor der Bezahlung, die erst in neunzig Tagen fällig sein sollte. Es war eine unglaubliche Gelegenheit, zum ersten Mal war ein fünfstelliger Profit zum Greifen nahe. Ich inserierte den Russell also für $ 40.000 und machte mich auf die Suche nach einem Käufer.

Aber drei Monate vergehen wie im Flug, wenn man nur neunzig Tage Zeit hat. Nach fünfundvierzig Tagen begann ich zu schwitzen. Dann hatte ich eine Idee: Als am sechsundvierzigsten Tag noch kein potenzieller Käufer erschienen war, fuhr ich zum Flughafen und kaufte mir ein Ticket nach Los Angeles. Aus der Abflughalle rief ich in meiner Bank an und meldete mich krank und hatte genau in dem Augenblick meinen Boss an der Strippe, als über den Lautsprecher hinter mir verkündet wurde, dass mein Flugzeug bereit zum Einsteigen sei.

Nach der Landung bezahlte ich fünf Dollar für ein Mietauto und fragte die junge Frau hinter dem Schalter, wie ich nach Beverly Hills käme. Eine kurze Fahrt auf der Interstate 5 brachte mich zum Sunset Boulevard, wo ich die Autobahn verließ und in das verheißungsvolle Land der Palmen, hohen Mauern und Villen einbog. Die Straße wand sich mit ihren berühmten Kurven bis zum Rodeo Drive, dem Mekka der Kunstgalerien. Dort hielt ich an und ging mit meinem Russell unter dem Arm in die erstbeste Galerie und bot ihnen *The Signal* zum Kauf an.

Nicht interessiert, hieß es dort. Aber sie hatten einen Kunden, der es sein könnte, und so riefen sie einen Mr Barney Goldberg an, um ihm mitzuteilen, ich wäre mit etwas, das ihm gefallen könnte, zu ihm unterwegs. Mr Goldberg lebte gleich um die Ecke und wohnte überraschenderweise nicht in einer Villa. Trotzdem sah das große Haus im Hacienda-Stil schwer nach Geld aus. Als ich die Einfahrt betrat, schwang die Eingangstür auf.

„Poopsie!", rief mir ein glatzköpfiger Mann entgegen, der aussah wie eine Mischung aus Liberace und Moshe Dayan. Der Mann streckte zwei diamantenbewehrte Hände nach mir aus und umarmte mich wie ein Bär, als würde ein lange vermisstes Familienmitglied nach Hause zurückkehren.

„Nein, Sir", sagte ich und schüttelte den Kopf. „Ich bin nicht Poopsie. Mein Name ist Ron Hall."

„Nein, das bist du *nicht*!" Er schimpfte mich aus wie eine altersschwache Tante, die darauf bestand, dass ein sattes Kind seine zweite Portion Kuchen aufaß. „Du bist *Poopsie*! Und du kannst *mich* Snookems nennen!" – „Scheißerchen" und „Ausgekochter", was waren das denn für Spitznamen?

Während mein neuer Bekannter so etwas von sich gab, nahm ich das glitzernde Ensemble seiner Person in mich auf: Hinter der goldenen Pilotensonnenbrille trug Mr Goldberg eine schwarze Klappe über seinem linken Auge, zudem ein Cowboy-Hemd mit Perlenknöpfen und Jeans, dazu weiße Schlangenleder-, Küchenschaben-Killer-Schuhe mit goldenen Spitzen und Verzierungen an den Fersen, sowie eine massivgoldene Gürtelschnalle in Form eines Büffels, der Rubine als Augen hatte und überall sonst Diamanten. Diamanten von jeweils mindestens drei Karat zierten auch jeden seiner Finger, abgesehen von den Ringfingern – auf denen hatte er zehn Karat große Diamanten.

Mr Goldberg – Snookems – führte mich in sein lodgeartiges Macho-Haus, in dem jede Ecke mit Sammlungen antiker Feuerwaffen, Cowboy-Souvenirs und Navajo-Decken gefüllt war. Am meisten interessierten mich jedoch die Wände: Jede von ihnen war von der Decke bis zum Boden mit der teuersten Kunst des Westens bedeckt: Remingtons, Boreins und Russells.

Ich bin gerettet, dachte ich, und sah im Geiste schon Mr Goldberg einen Scheck ausstellen. Ich war mir sicher, dass Snookems der perfekte Käufer für *The Signal* war. Nach einer kleinen Tour durch sein Haus lud er mich ein, vor dem Essen noch ein Gläschen Wein mit ihm zu trinken – *lange* vor dem Essen. Ich saß praktisch auf der Stuhlkannte und wartete darauf, dass er mir endlich ein Angebot für den Russell unterbreitete.

Er nahm noch einen Schluck Wein und fing an: „Wie du sehen kannst", sagte er und gestikulierte zu seinen kunstbehangenen Wänden hinüber, „brauche ich die Kleinigkeit nicht, die du mir mitgebracht hast."

Das Herz fiel mir in die Hose.

„Aber du bist *so* ein süßer Kerl ...", fuhr er fort, „dass ich den Russell für dich an einen meiner Freunde verkaufen werde und dir dann das Geld schicke!"

Snookems strahlte entzückt, als hätte er mir gerade Tahiti für nur einen Dollar angeboten. Aber weil ich keine andere Möglichkeit hatte, akzeptierte ich sein Angebot. Wir aßen übrigens nie zusammen Mittag, sondern tranken nur noch mehr Wein und besprachen dabei die Eckpunkte unseres Geschäftes. Ich unterstrich ihm gegenüber noch einmal, dass ich das Geld in vierundvierzig Tagen unbedingt *brauchte*, sonst würde Mr Crowfoot kommen und meinen Skalp verlangen.

„Ja, ja, ich verstehe", säuselte er, lächelte und schwankte ein bisschen, als er mich zur Haustür begleitete. „*Vertraue* mir."

Wieder auf dem Flughafen angekommen, rief ich Deborah an. „Große Neuigkeiten!", sagte ich. „Ich habe einen Sammler getroffen, der den Russell für mich verkauft und uns das Geld schickt."

Deborah hörte sich zurückhaltend an. „Was für ein Typ ist das denn?"

Ich zögerte, weil ich mir nicht sicher war, ob eine der Wahrheit entsprechende Beschreibung hilfreich gewesen wäre. „Na ja ... sein Name ist Barney Goldberg –"

„Hast du eine Quittung bekommen oder einen Vertrag?"

„Nein ..."

„Du hast das Gemälde aber versichert, oder?"

„Nein ..."

„Bist du verrückt geworden?", entlud sie sich ins Telefon. „Das hört sich wie ein Betrug an! Du fährst da sofort wieder hin und holst das Bild!"

„Dafür ist es zu spät", sagte ich und fühlte mich plötzlich erschöpft. „Ich habe kein Geld mehr und mein Flugzeug hebt in ein paar Minuten ab."

Ich legte auf und flog mit Magendrücken nach Fort Worth zurück. Am nächsten Tag versuchte ich, Goldberg anzurufen, um wenigstens eine Quittung zu bekommen. Doch jedes Mal, wenn ich seine Nummer wählte, schien mich über die Entfernung hin das langgezogene Tuten eines nicht abgehobenen Telefons zu verspotten. Dreiundvierzig Tage lang versuchte ich jeden Tag, ihn anzurufen, und erreichte ihn nie. Als sich die Neunzig-Tage-Frist ihrem Ende näherte, rief mich dafür Mr Crowfoot beinahe täglich an, um mich daran zu erinnern, dass ich ihm noch einen Scheck senden müsse. Ich war so nervös, dass ich zehn Kilo abnahm.

Am vierundvierzigsten und letzten Tag rief ich Snookems wieder an, diesmal von der Bank aus, und diesmal hob er ab.

„Wo sind Sie gewesen, warum sind Sie nicht ans Telefon gegangen!", brüllte ich in die Muschel.

„*Poopsie* ...", sagte er mit mildem Tadel in der Stimme. „Ich war auf *Hawaii*." Er sprach es „Hei-wah-ja" aus.

„Erzählen Sie mir nicht diesen Poopsie-Mist! Wo ist mein Geld?"

„Das müsste längst auf deinem Konto sein", sagte er ruhig. „Ich habe es bereits vor ein paar Tagen überwiesen."

Ich hielt das Gespräch und rief Jean in der Buchhaltung an, die mich darüber informierte, dass ich $ 40.000 auf meinem Konto hatte, die von einem Mr Barney Goldberg überwiesen worden wären.

Über alle Maßen erleichtert holte ich mir Snookems wieder ans Ohr, dankte ihm, legte auf und hatte einen von diesen Schweißausbrüchen, die man hat, wenn man gerade so einem schweren Autounfall entgangen ist. Und trotzdem – an einem einzigen Bild hatte ich so viel verdient wie mit einem Jahr Arbeit in der Bank. Innerhalb weniger Tage plante ich ein neues Geschäft mit Snookems. Ein paar Wochen später kündigte ich bei der Bank. Und wieder ein paar Monate später fing der Zaster so richtig an zu rollen.

12

Als frisch verheiratetes Ehepaar waren Deborah und ich die üblichen Sonntags-Methodisten. Wir ließen uns an den meisten Sonntagen in den Kirchenbänken nieder, auf jeden Fall aber an Weihnachten und Ostern, denn es wurde allgemein angenommen, dass nur Heiden auf dem Weg zur Hölle – und vermutlich Anwälte – Weihnachten und Ostern nicht in die Kirche gehen. Wir lebten nach diesem Muster bis ins Jahr 1973, als uns ein paar Freunde aus einer evangelikalen Gemeinde zu einer sechswöchigen „Diskussionsrunde" zu sich nach Hause einluden.

Wie sich herausstellte, hielt man uns für „verloren", „ungläubig" und „nicht gerettet", vermutlich deshalb, weil wir keine Fischaufkleber auf unseren Autos hatten. (Was mich an eine gute Bekannte erinnert, die auch als „Wiedergeborene" an ihrer schlechten Angewohnheit festhielt, anderen Fahrern ihre Meinung deutlich zu machen, während sie mit ihrem Suburban-Geländewagen die Autobahn hinunterraste. Selbst mit ihrer neu gefundenen Religion hatte sie also keine Kontrolle über ihren Mittelfinger, allerdings leitete sie der Heilige Geist wenigstens dahingehend, ihren Fischaufkleber wieder abzukratzen, bis auch der Finger bekehrt war. So erzählte es jedenfalls ihr Ehemann.)

Meine Frau und ich schlossen uns also, ohne Verdacht zu schöpfen, der Diskussionsrunde in dem im Kolonialstil erbauten Haus von Dan und Patt McCoy an. Dan war ein Ex-Football-Spieler der TCU. Er war über einen Meter achtzig groß und wog fast hundertvierzig Kilo – als er uns in sein Haus einlud, traute ich mich also nicht abzusagen. An diesem ersten Sonntagabend trafen wir dort zu unserer Überraschung genau vierzig Menschen an – zwanzig Paare, wie wir später herausfanden, zu gleichen Teilen „bekehrt" und „nicht bekehrt". Patt hatte ein leckeres Buffet aufgetischt – Brownies, Zitronenriegel, Eistee – aber komischerweise schien niemand auch nur einen Blick darauf zu werfen. Seitdem ist mir klar, dass es sich immer um eine Falle handelt, wenn man das Essen bis nach dem Vortrag verschiebt.

Wir stellten uns einander vor und hörten eine Stunde lang zu, wie ein frisch gewaschener Mann mit Kurzhaarschnitt, sein Name war Kirby Coleman, die ganze Gruppe vor die grundlegenden Fragen der menschlichen Existenz stellte: Warum sind wir hier? Was ist unser Sinn? Was passiert, wenn wir sterben? Ehrlich gesagt, sah Kirby etwas zu jung aus, um auch nur eine der Antworten zu kennen.

Nach der Gesprächsrunde suchte er uns am Buffet auf. „Sind Sie Christ?", fragte er Deborah.

Er hätte sie genauso gut fragen können, ob sie ein Mensch wäre. „Ich wurde schon als Christ *geboren*", antwortete sie tödlich beleidigt.

„Aber sind Sie *gerettet*?", insistierte er weiter. „Sind Sie sich sicher, dass Sie in den Himmel kommen, wenn Sie sterben?"

Deborah stemmte eine Hand in ihre Hüfte und zeigte mit der anderen auf Kirbys Gesicht. „Aber hallo", sagte sie. „Mein *Vater* hat den Parkplatz der Methodistenkirche von Snyder geteert, und mehr brauche ich nicht!"

Deborah Hall hatte von Mr Kirby Coleman einfach die Nase voll – so sehr, dass wir gleich nächste Woche wieder hinfuhren, um uns erneut mit ihm anzulegen. Und die Woche darauf. Und die darauf. Jeden Sonntag wurden die Themen ein wenig eingegrenzter, von allgemeinen Lebensfragen wanderten wir in den Bereich der persönlichen Evangelisation. Nach fünf Wochen fiel es mir wie Schuppen von den Augen: Wenn du nicht bis zum sechsten Sonntag Jesus in dein Herz eingeladen hattest, würdest du vermutlich am darauffolgenden Montag zur Hölle fahren. Bevor wir also an diesem letzten Sonntag nach Hause fuhren, eröffnete ich Deborah, dass ich das Übergabegebet sprechen würde, von dem uns Kirby erzählt hatte.

„Ich weiß nicht, was das bringen soll", sagte sie. „Warum soll ich das tun? Ich bin mein ganzes Leben lang in die Kirche gegangen. Es macht einfach keinen Sinn. Abgesehen davon scheint es zu leicht zu sein."

Also betete ich ohne sie, bat Gott, mir im Namen Seines Sohnes Jesus die Sünden zu vergeben. Deborah nahm dagegen die Evangelien ins Kreuzverhör wie ein Staatsanwalt den Entlastungszeugen. Und schließlich stieß sie auf die Bücher von C. S. Lewis und Josh McDowell, die sie davon überzeugten, dass das Christentum ihrem intellektuellen Eifer gewachsen war. So betete sie schlussendlich auch das Übergabegebet.

Auf diese Weise hatte die Jesus-Welle, die in den 60er-Jahren durch die Universitäten und Colleges geschwappt war, auch uns in der Vorstadt erreicht, bevor sie schließlich im Meer verschwand. Ich schätze, dass wir in dieser Sache mit dem christlichen Glauben ziemlich heftig drauf waren – oder vielleicht einfach nur nicht schlecht – denn es ist uns gelungen, viele alte Collegefreunde zu vergraulen. Mit unseren neuen geistlichen Augen sahen wir, dass sie auch keine Fischaufkleber hatten, und machten uns mit der Sensibilität eines Football-Anfängers auf, sie vor der ewigen Verdammnis zu bewahren. Im Rückblick betrachtet tun mir die Wunden leid, die wir uns in den Gefechten mit den „Unbekehrten" gegenseitig zugefügt hatten. Ich habe in der Tat gelernt, diesen speziellen Ausdruck aus meinem Vokabular zu streichen, ebenso musste ich lernen, dass ich selbst mit meiner $ 500 teuren europäischen Designerbrille nicht ins Herz eines Menschen sehen kann, um seinen geistlichen Zustand herauszufinden. Alles, was ich tun kann, ist, ihm von dem gewundenen Pfad meiner eigenen geistlichen Reise zu erzählen und zu erzählen, dass mein Leben besser geworden ist, seit ich Christus folge.

13

In der Gegend, wo Hershalee gelebt hat, waren drei oder vier Plantagen, die zueinandergehört haben wie die Flicken auf einer Patchworkdecke. Für uns hieß das, dass da drei oder vier Männer waren, die die scharzen Leute beschäftigt haben, auf jedem Baumwollfeld ein anderer. Aber für uns waren sie alle der *Mann*. Wie ich achtzehn oder neunzehn Jahre alt war, hat einer von denen mir mein eigenes Haus gegeben, ein Stück die Straße runter von der Ecke, wo Hershalee gelebt hat. Ich war mächtig stolz darauf, weil ich endlich ein Mann war und so, obwohl mein Haus nicht mehr war wie 'ne Hütte mit zwei kleinen Räumen. Ich hab es einfach nicht anders gekannt. Mir kam's vor, wie wenn ich jetzt endlich die ersten Sprossen einer Leiter geschafft hatte. Die Hütte stand unter einem Maulbeerbaum, was im Sommer ziemlich nett war, weil's dann ein bisschen Schatten gab. Ich hatte ein Bett, einen Tisch, zwei Stühle und ein gußeisernes Öfchen, alles nur für mich. Hatte sogar mein eigenes Plumpsklo. Mir kam's vor, wie wenn ich ziemlich Schwein gehabt hätte.

Ich hab immer geglaubt, in Red River Parish gäb's nichts Niedrigeres als einen Sharecropper. Das gab's aber, und das war ich. Es gab da eine Ritze, und durch die bin ich gefallen und andere mit mir, nur dass ich das damals nicht geahnt hab. Weißt du, da gab es die Cropper und die Kinder von den Croppern. Aber manche von denen, vor allem die, die keine Ahnung vom Lesen und Schreiben hatten, sind einfach auf dem Land geblieben und haben weitergearbeitet, eigentlich für nichts außer 'nem Dach überm Kopf und Essen auf'm Tisch. Wie Sklaven. Ich hab gewusst, dass der *Mann* immer noch im Laden seine Bücher hatte und alles aufgeschrieben hat, was ich dort auf Kredit gekriegt habe. Ich konnte es aber nicht abzahlen, weil der *Mann* die Baumwolle gar nicht mehr gewogen hat. Ich hab gewusst, dass ich ihm was schulde, und er hat gewusst, dass ich ihm was schulde, und so isses immer geblieben.

Da sind wir bei dem, was so verdammt an der Sache war: Bevor Abe

Lincoln die Sklaven befreit hat, wollten die weißen Leute, dass ihre Plantagen sich selbst versorgen. So kam es, dass es dort Schmiede gab und Zimmerleute, Schuster und Frisöre und Sklaven, die weben konnten und nähen und Wagen bauen, Schilder malen und so weiter. Wie ich geboren wurde, war das lange her. Damals sind im Süden all diese Jobs schon lange nur noch von den weißen Leuten gemacht worden, und die einzigste Arbeit, die ein farbiger Kerl kriegen konnte, das war in den Baumwollfeldern.

Aber nach 'ner Weile hat selbst das aufgehört. Wie ich so drei oder vier war, haben die weißen Pflanzer angefangen, sich Traktoren zu kaufen, was hieß, dass sie nicht mehr so viele farbige Leute auf den Feldern gebraucht haben. Dann haben sie angefangen, sie von den Feldern zu vertreiben. Ganze Familien mit kleinen Kindern. Papas und Mamas, die nie 'n anderes Leben gekannt haben, die nichts konnten außer für 'nen anderen die Ernte reinbringen, einfach vertrieben, manchmal mit 'ner Schrotflinte in der Hand. Ohne Geld. Ohne irgendwas, wo sie hingehen konnten. Ohne Job. Und ohne die Chance, einen zu kriegen.

Wie ich schon erzählt hab, waren so um die zwanzig farbige Familien bei dem *Mann* auf der Plantage, vielleicht hundert Leute, und jede von ihnen hat auf 'nem kleinen Flecken Land gearbeitet. Aber nach und nach, über die Jahre, da hat der *Mann* sie vertrieben, bis nur noch drei oder vier Familien übrig gewesen sind.

Ich hab nur mein Leben gekannt, nichts anderes: Fast dreißig Jahre lang hab ich in der Sonne Lousianas geschwitzt, Schlangen verjagt, den Boden bis zur Ernte bearbeitet und dann die Baumwolle gepflückt, eine Kapsel nach der anderen, bis meine Hände rau gewesen sind, hab mein eigenes Essen selbst angebaut und jedes Jahr den ganzen Winter lang Holz gehackt, damit ich nicht erfriere, dann im Frühjahr wieder von vorn angefangen. Das ist kein schlechtes Leben, wenn du auf deinem eigenen Land schuftest. Aber es war ja nicht meins. Ich schätze, es wär auch nicht schlecht, wenn du auf dem Land eines anderen arbeitest, wenn du dafür bezahlt wirst. Aber ich hab ja nie was bekommen. Die meisten Leute heute haben keine Ahnung, wie das ist, wenn man arm ist. Ich und die andern Leute auf der Plantage, wir sind so tief unten gewesen, uns hat nichts gehört, nur die Blechdose, mit der wir uns was zu trinken geschöpft haben. Uns haben nicht mal die Klamotten gehört, die wir auf dem Leib getragen haben, weil wir auch die in dem

Laden von dem *Mann* bekommen und nie dafür bezahlt haben, jedenfalls wenn du ihn gefragt hast.

Wie mein Onkel James gestorben war und Tante Etha weggezogen war, hab ich keine nahen Verwandten mehr in der Gegend gehabt, nur meine Schwester Hershalee. Und wie der, mit dem sie verheiratet war, gestorben ist, hat sie bei ihrem *Mann* nichts mehr gehalten und mich auch nichts mehr bei meinem *Mann*. Er hat mich in die kleine Hütte gesteckt und mir ein Schwein im Jahr gegeben – nur eins, keine zwei mehr – und ich hab für ihn dreihundert Morgen bearbeitet. Hat nie die Baumwolle gewogen. Ich hab auch nie einen Scheck gesehen. Ab und zu hat mir der *Mann* ein paar Dollar zugesteckt, aber das war vielleicht fünf- oder sechsmal in den ganzen Jahren.

Das muss irgendwann in den 60ern gewesen sein. Die ganzen Jahre hab ich auf der Plantage geschuftet und der *Mann* hat mir nie gesagt, dass es Schulen für Farbige gibt, wo ich hingehen könnte, oder dass ich irgendein Handwerk lernen könnte. Er hat mir nicht gesagt, dass ich zur Armee gehen könnte und mich dort hocharbeiten, mir ein bisschen Geld verdienen und ein bisschen Respekt. Ich hab nicht gewusst, dass es einen Zweiten Weltkrieg gegeben hat, einen Krieg in Korea oder den in Vietnam. Und ich hab auch nicht gewusst, dass überall in Lousiana die farbigen Leute schon seit Jahren aufgestanden sind und eine bessere Behandlung gefordert haben.

Ich hab nicht gewusst, dass ich anders bin.

Für dich ist das vielleicht schwer zu glauben. Aber geh heute nach Lousiana und fahr ein bisschen durch die Seitenstraßen in Red River Parish, und dann kannst du dir vielleicht vorstellen, wie ein farbiger Mann, der nicht lesen kann, kein Radio hat, kein Auto, kein Telefon, nicht mal Strom, in so eine Zeitspalte reinfallen und dadrin stecken bleiben kann, so wie 'ne Uhr, die einfach stehen bleibt, wenn sie keiner aufzieht.

Seit ich ein kleiner Junge war, hab ich im Haus von dem *Mann* elektrisches Licht gesehen, aber ich hab immer mit 'ner Öllampe in einer Flintenhütte ohne fließendes Wasser gewohnt. Was mit mir gewesen ist, ist Folgendes: Ich war furchtbar entmutigt. Hab mich gefühlt, wie wenn ich nichts wert bin und nichts daran tun kann.

Ich hab gewusst, dass es andere Gegenden gibt. Ich hab gehört, dass mein Bruder Thurman nach Kalifornien gegangen ist und dort richtiges Geld verdient hat.

An irgendeinem Tag hab ich mich also entschieden, das auch zu machen. Ich hab nicht großartig darüber nachgedacht, sondern bin einfach zu den Eisenbahnschienen runtergelaufen und hab auf 'nen vorbeifahrenden Zug gewartet. Da habe ich so 'nen anderen Kerl getroffen, der bei den Gleisen rumhing, es war ein Hobo, der schon seit 'ner Menge Jahre auf den Schienen unterwegs gewesen ist. Er hat gesagt, er würde mir den Zug nach Kalifornien zeigen. Als der langsamer geworden ist, weil er durch die Stadt gefahren ist, sind wir beide draufgesprungen.

Ich schätze, ich war damals sieben- oder achtundzwanzig Jahre alt. Ich hab keinem erzählt, dass ich abhaue, ich vermute also, dass ich dem *Mann* immer noch was für die ganzen Overalls schulde, die ich auf Kredit gekauft hab.

14

Ich war zweiunddreißig Jahre alt, als ich $ 275.000 für ein Haus im Kolonialstil in einem gehobenen Viertel von Fort Worth bezahlte. 1977 war das eine Menge Geld und auch eine Menge Haus – vor allem in Texas. Dunkelrot mit weißen Säulen, die einen ausladenden Balkon zur Geltung brachten und den Mercedes, der davor geparkt war. Meine Karriere als Kunsthändler war ins Rollen gekommen, und wir begannen ein Leben wie aus dem Gesellschaftsroman zu führen. Ich baute mein Geschäft auf, und Deborah war die unterstützende Ehefrau.

Große Wohltätigkeitsorganisationen gaben sich bei uns die Klinke in die Hand. Ich stiftete oft Bilder im Wert von $ 5000 oder spendete großzügig Gutscheine, die auf Wohltätigkeitsveranstaltungen versteigert wurden, in der Hoffnung, dass das meine Galerie für wohlhabende Kunden attraktiver machen würde. Wir besuchten Wohltätigkeitsbälle, bei denen man in Abendgarderobe auftauchen und $ 1000 pro Nase Eintritt zahlen musste, und in den Zeitungen erschienen Fotos, die Deborah und mich zeigten, wie wir unter festlicher Beleuchtung unsere Champagnergläser erhoben.

Doch sie verstand nie so wirklich die Logik hinter dieser Form von Philanthropie.

„Wir bezahlen $ 2000, um überhaupt hineinzukommen, und die Hälfte davon geht in die Saaldekoration“, sagte sie. „Und das *Kleid*, das ich anhatte, kostete $ 2000. Warum spenden wir nicht einfach gleich $ 4000 und bleiben zu Hause? Die Wohlfahrt hätte jedenfalls mehr davon.“

„Es ist gut für das Geschäft“, sagte ich.

„Tatsächlich? Wie viel hast du denn verdient?“

„Na ja … bisher nichts.“

Während dieser Jahre verbrachte ich eine Woche pro Monat in New York, wo ich eine enge Partnerschaft mit einem Kunsthändler namens Michael Altmann aufbaute, die bis heute besteht. Ungefähr viermal pro Jahr reiste ich nach Paris, dazwischen machte ich Tripps nach To-kio, Hong Kong und Florenz, alles in Erster-Klasse-Flügen und Fünf-Sterne-Hotels. Ich kaufte und verkaufte teure Kunst, traf verschwiege-ne Kunden, schmeichelte mich bei Galeriebesitzern und Einkäufern von Museen ein, und schaffte es sogar, ein paar Ski-Wochenenden mit Weinproben und edlen Unterkünften dazwischenzuschieben.

Wir blieben bis 1986 in Fort Worth. Dann dachte ich, ich wäre aus dem Ort herausgewachsen, und so zogen wir nach Dallas, von dem ich glaubte, dass ich dort noch mehr Geld mit der schönen Kunst verdienen könnte. Wir kauften ein perfekt ausgestattetes Haus in den Park Cities für eine Million Dollar, rissen es ab und bauten eines in einer Farbe, die zu dem roten Jaguar-Cabriolet in der Einfahrt pass-te. Die Park Cities waren eine Enklave der Reichen, in der die Lokal-zeitung, *Park Cities People*, in regelmäßigen Abständen eine Liste der bestangezogenen Ladys publizierte, von denen die meisten mindestens $ 200.000 pro Jahr für ihre Garderobe ausgaben. Mich störte das nicht, und ich wäre vermutlich sogar stolz gewesen, wenn ich es auch auf die-se Liste geschafft hätte. Deborah war natürlich abgestoßen.

Unsere Kinder gingen auf Privatschulen. Regan wurde schon in jun-gen Jahren religiös und gelobte, niemals Rockmusik zu hören. Zu die-sem Zeitpunkt war sie wie ihre Mutter ziemlich gut angezogen, aber in ihren Teenagerjahren verbannte sie alles, was nach Reichtum aussah. Mit sechzehn zog sie die Klamotten aus dem Second-Hand-Laden der Heilsarmee allem feineren Stoff vor und sehnte sich danach, als Frei-heitskämpferin nach Südafrika zu gehen.

Carson hatte schon als Kind ein weites Herz, das immer auf Gott ausgerichtet war. Wir liebten seine Kindersprüche, wie zum Beispiel den, mit dem er seine Müdigkeit beschrieb. „Mami", sagte er, „meine Kraft ist leergelaufen." In der Highschool war er ein über fünfzig Kilo schwerer Ringer. Er war eigentlich immer ein Musterkind, wenn man von dem einen Mal absieht, wo er – nachdem er etwas zu viel dem Al-kohol zugesprochen hatte – fast sein ganzes Zimmer zerstörte.

In Dallas gab ich mich ganz der Arbeit hin, reiste noch mehr und versuchte alles, um meinen internationalen Marktanteil zu vergrößern. Ich wechselte die Autos wie Armani-Anzüge und wurde jedes neuen Spielzeugs so schnell überdrüssig wie ein Kleinkind am Weihnachts-morgen.

Deborah arbeitete in dieser Zeit an ihrer Gottesbeziehung. Während ich dem Materiellen nachjagte, tauchte sie ins Geistliche ein. Während ich mein Leben dem Geld widmete und nur sonntags ein paar Minuten die Kirchenbank drückte, verbrachte sie Stunden in Brian's Haus, einer Hilfsorganisation, die sich um Aids-kranke Babys von Obdachlosen kümmerte. Während ich Europa stürmte, um Milliardäre mit meinem Kunstverstand zu beeindrucken, stürmte sie den Himmel, indem sie für die Notleidenden betete. Meine Leidenschaften waren Anerkennung und Erfolg. Ihre Leidenschaft war es, Gott kennenzulernen.

Und so verfolgte jeder eine andere Liebe. Es dauerte nicht lange, bis in unseren unterschiedlichen Leben kaum noch Platz für den anderen war.

* * *

Billy Graham schaffte es, über Jahrzehnte integer zu bleiben, indem er sich an einen Katalog von engen und festen Regeln hielt, die einen Mann davon abhalten sollten, etwas Dummes anzustellen. Eine von Billys Regeln lautet: Sei niemals allein mit einer Frau zusammen, mit der du nicht verheiratet bist.

Ich hätte auf Billy hören sollen.

1988 war ich auf einer Geschäftsreise und irgendwie geschah es, dass ich im Hard Rock Café von Beverly Hills einer Vertreterin der Sorte Frauen gegenübersaß, die anscheinend genauso zu Kalifornien gehören wie die Palmen: gertenschlank und blond, blaue Augen, eine Künstlerin und um einiges jünger als ich.

Wenn wir während des Mittagessens über das Thema gesprochen hätten, hätte ich vermutlich eine lieblose Ehe als Grund für meinen Aufenthalt in dem Café genannt. Deborah und ich hatten fünf Jahre lang alle recht gut getäuscht: das wohlhabende christliche Ehepaar, immer noch schrecklich verliebt. Deborah, so fand ich später heraus, war sich sicher, dass ich die Kunst und das Geld liebte, aber darüber im Unklaren, ob ich sie immer noch liebte. Ich war mir sicher, dass sie Gott und unsere Kinder liebte, und ziemlich fest davon überzeugt, dass sie mich gerade so ausstehen konnte.

Aber wir sprachen nicht beim Mittagessen über Deborah und die

Kinder und die schöne Fassade unserer Ehe. Stattdessen gab es gekühlten Wein – weiß und zu viel davon. Wir tanzten auf den Abgrund zu und versuchten, die Distanz bis dahin abzuschätzen.

Ich glaubte nur zu gern, dass mir diese Frau deshalb leichten Herzens in ein Hotelzimmer folgte, weil ich so geistreich war und so gut aussah. Doch in Wahrheit war sie eher an dem interessiert, was ich für ihre Künstlerkarriere tun konnte. Wenn es nicht sie gewesen wäre, dann wäre es vermutlich eine andere in Paris oder Mailand oder New York gewesen, irgendeine, die mir einen zweiten Blick zugeworfen hätte, weil ich sie ebenfalls angesehen hatte – weil ich einen Ausweg suchte. Das ist die traurige Wahrheit.

Ich erinnere mich, dass ich mir drei oder vier Jahre lang heimlich wünschte, Deborah würde die Scheidung einreichen, denn ich hatte dazu nicht den Mut, weil das das „Mr Wunderbar"-Bild zerstört hätte, das mir viele unserer Freunde übergestülpt hatten wie eine weihnachtliche Fensterdekoration.

Insgesamt sah ich die Künstlerin nur zweimal, einmal in Kalifornien und einmal in New York, dann beichtete ich Deborah alles – mit ein wenig Unterstützung durch Freunde. Ich hatte einmal einen Freund ins Vertrauen gezogen, der darüber ganz im Vertrauen mit seiner Frau gesprochen hatte, und die wiederum hatte mich „ermutigt", Deborah alles zu offenbaren. Wenn ich es nicht täte, hatte sie gesagt, dann würde sie es selbst tun.

Ich hatte keine Lust, am Ende wie der reumütige Ehemann dazustehen, der alles falsch gemacht hatte und nun zu seiner Frau zurückkroch. Ich rief die Künstlerin also eines Tages von meinem Büro aus an und sagte ihr, dass wir uns nicht mehr treffen könnten. Dann fuhr ich nach Hause und gestand Deborah alles. Dabei hätte ich ihr gern das Gefühl vermittelt, dass ihr Desinteresse mich in die Arme einer anderen Frau getrieben hatte, eben einer, die mich so angenommen hatte, wie ich war – mit Geld und allem.

„Was!", schrie sie, die Zornesröte im Gesicht. „Neunzehn Jahre! Neunzehn Jahre! Was hast du dir eigentlich dabei gedacht? Wie konntest du mir das antun?"

Schuhe, Vasen und Nippesfiguren flogen durch die Luft, manche von ihnen trafen auch tatsächlich. Als keine Wurfgeschosse mehr greifbar waren, machte sich Deborah selbst zur Waffe und schlug mit ihren bloßen Fäusten auf mich ein, bis ihre Arme müde geworden waren und schlaff neben ihrem Körper herunterhingen.

Die Nacht drehte sich in einem einzigen Wirbel aus schlaflosem Ärger. Am nächsten Morgen riefen wir unseren Pastor an, fuhren dann in sein Büro und verbrachten fast den Rest des Tages damit, unseren Müll auszubreiten. Am Ende entdeckten wir, dass keiner von uns wirklich aufgeben wollte. Wir hatten einander immer noch lieb, allerdings in der kümmerlichen Weise von Paaren, die sich aneinander abgearbeitet haben. Wir einigten uns darauf, dass wir einen gemeinsamen Weg finden wollten.

Zu Hause angekommen, zogen wir uns an diesem Abend in unser Schlafzimmer zurück und redeten. Dabei bat mich Deborah um etwas, was mir beinahe das Herz stehen bleiben ließ. „Ich möchte mit ihr reden. Kannst du mir bitte ihre Telefonnummer geben?"

In diesem Moment strahlte Deborah die Entschlossenheit eines angehenden Fallschirmspringers aus, der, ohne nach unten zu schauen, aus der Flugzeugtür springt, um die Schmetterlinge im Bauch unter Kontrolle zu bekommen. Sie nahm den Hörer unseres Schlafzimmertelefons ab und tippte jede Zahl, die ich ihr vorsagte.

„Hier ist Deborah Hall, die Frau von Ron", sagte sie ruhig ins Telefon.

Ich versuchte mir das geschockte Gesicht am anderen Ende der Leitung vorzustellen.

„Ich möchte, dass Sie eines wissen: Ich werfe Ihnen die Affäre mit meinem Ehemann nicht vor", fuhr Deborah fort. „Ich weiß, dass ich nicht die Ehefrau gewesen bin, die Ron gebraucht hätte, und ich übernehme dafür die Verantwortung."

Sie machte eine Pause und hörte zu.

Dann: „Ich vergebe Ihnen, ich möchte, dass Sie das wissen", sagte Deborah. „Ich hoffe, Sie finden jemand anderen, der sie nicht nur von ganzem Herzen liebt, sondern auch ehrt."

Ihre Barmherzigkeit machte mich sprachlos. Aber es kam noch besser: „Ich werde daran arbeiten, die beste Ehefrau zu sein, die Ron sich jemals wünschen könnte, und wenn ich meine Sache gut mache, dann werden Sie nie wieder von meinem Mann hören."

Deborah legte sanft den Hörer auf die Gabel, seufzte erleichtert und sah mir geradewegs in die Augen. „Wir beide werden jetzt die Zukunft unserer Ehe umschreiben."

Sie wolle ein paar Monate in die Seelsorge gehen, sagte sie, damit wir verstünden, was schiefgelaufen sei, wie das passieren konnte und wie wir es wieder in Ordnung bringen könnten. „Wenn du das mit mir zusammen tust", sagte sie, „dann vergebe ich dir. Und ich verspreche dir, dass das Thema nie wieder auf den Tisch kommt."

Es war ein großzügiges Angebot, wenn man bedenkt, dass ich und nicht Deborah unsere Ehe verraten hatte. Schneller als man „Scheidungsverfahren" sagen kann, sagte ich Ja.

15

Wie der Zug das erste Mal gestoppt hat, waren wir in Dallas. Ich bin nie vorher aus Red River Parish raus gewesen; und jetzt war ich in einem ganz anderen Bundesstaat. Die Stadt war groß und eng. Angst machend. Dann war die Bahnpolizei hinter uns her, ich und der Hobo sind also schnell in 'nen Waggon von 'nem anderen Zug geklettert und sind so noch'n bisschen auf den Schienen herumgefahren. Nach 'ner Weile wollte ich wissen, wie's mir in Fort Worth gehen würde. Da bin ich ein paar Jahre geblieben, dann bin ich weiter nach Los Angeles und bin da auch ein paar Jahre geblieben. Da hab ich auch 'ne Frau kennengelernt, bei der ich 'ne Weile geblieben bin. Zwischen mir und dem Gesetz gab's da aber ein paar Probleme. Irgendwie hab ich ständig ein Gesetz nach dem anderen gebrochen, so bin ich also zurück nach Fort Worth.

Ich hab versucht, dort Arbeit zu finden, Gelegenheitsjobs und so, aber ich habe ziemlich schnell herausgefunden, dass es für einen Baumwollpflücker in 'ner Großstadt nicht viel zu tun gibt. Ich bin eigentlich nur deshalb dageblieben, weil Fort Worth das war, was die Penner einen „Hobohimmel" genannt haben. Wer gerade auf der Durchreise war, konnte immer irgendwo ein warmes Essen und ein Bett kriegen, weil es da so viele Hilfsorganisationen gab. Und es gab auch eine Menge netter Christen, die dir irgendwas geben wollten, selbst dann, wenn du gar nicht darum gebeten hast, so was wie 'ne Tasse Kaffee oder 'nen Dollar.

Wenn du jetzt glaubst, dass obdachlose Leute nur dadurch an Geld kommen, dass sie sich in irgendeine Ecke stellen und ärmlich aussehen, dann hast du keine Ahnung. Ich und mein Kumpel, wir haben einen anderen Kerl getroffen, der uns gezeigt hat, wie man aus nichts Geld macht. Das Erste, was er uns beigebracht hat, war der „Hamburger-Trick", eine ziemlich gute Sache, wenn du ein bisschen Kohle brauchst.

Zuerst brauchst du natürlich ein bisschen Kleingeld, normalerweise reicht ein Dollar oder so. Das kriegst du ziemlich schnell zusammen, wenn du zum Beispiel in den Teil der Innenstadt gehst, wo die ganzen schlauen Leute arbeiten, also Leute, die einen Anzug anhaben. Einige von diesen feinen Herren drücken dir gleich am Ausgang 'nen Dollar in die Hand, wenn du nur hungrig genug aussiehst. Manche von denen machen das richtig schnell und hauen gleich ab, sodass sie nicht so lange deinen Gestank riechen müssen. Andere sehen so aus, wie wenn sie dir wirklich gern helfen würden – sie gucken dich an und lächeln vielleicht sogar. Ich habe mich immer schlecht gefühlt, wenn ich von solchen Leuten einen Dollar geschnorrt hab, damit ich den Hamburger-Trick machen kann.

Aber egal, ich wollte dir ja erzählen, wie der geht. Wenn ich also meinen Dollar zusammenhatte, bin ich rüber zu McDonald's gelaufen und hab mir 'nen Hamburger gekauft, hab dann zweimal reingebissen und ihn wieder eingepackt. Dann hab ich mir einen von den großen, hohen Bürotürmen gesucht, wo ein Mülleimer auf dem Bürgersteig davor steht. Wie grad keiner hingeguckt hat, hab ich dann den Hamburger im Müll versteckt und gewartet.

Ziemlich bald ist dann jemand vorbeigekommen, und ich habe so getan, wie wenn ich im Mülleimer rumwühlen würde. Dann hab ich den Hamburger rausgeholt und noch ein paarmal reingebissen. Von denen, die vorbeigelaufen sind, hat immer einer gesagt: „He, das kannst du doch nicht essen!" – und dann hat er dir Geld gegeben, weil er gedacht hat, du musst aus dem Mülleimer essen. Die haben dich echt bemitleidet, weil sie ja keine Ahnung gehabt haben, dass du den Hamburger selbst im Mülleimer versteckt hast!

Natürlich kannst du den Trick nicht dauernd an derselben Stelle machen, du musst also immer ein bisschen rumlaufen. Und du musst aufpassen, dass da nicht einer vorbeikommt, dem du schon ein paar Straßen weiter unten begegnet bist. Wenn du so einen siehst, dann versteckst du dich am besten und wartest, bis er vorbei ist.

Wenn wir einen Tag lang unseren Hamburger-Trick gemacht haben, hatten ich und mein Kumpel genug Kohle beisammen, dass wir irgendwo hingehen und uns ein richtiges Essen kaufen konnten. Und wenn wir an dem Tag *echt* viel Geld zusammengekriegt haben, dann hatten wir noch genug für 'ne Flasche Jim Beam, das Zeug, was wir das „Frostschutzmittel der Obdachlosen" genannt haben.

Wenn du das nächste Mal in Fort Worth bist und dort die Obdachlosen siehst, dann fällt dir vielleicht auf, dass ein paar von denen ziemlich dreckig sind und ein paar gar nicht. Das liegt daran, dass auch die Leute auf der Straße 'nen Weg gefunden haben, sauber zu werden. Nur weil du obdachlos bist, musste ja nicht leben wie'n Schwein. Ich und mein Kumpel, wir haben zwar immer dieselben Klamotten angehabt, haben sie getragen, bis es nur noch Lumpen gewesen sind, aber wir haben rausgekriegt, wie sie nicht stinken. Derselbe Kerl, der uns den Hamburger-Trick beigebracht hat, hat uns auch gezeigt, wo wir ein gutes Bad kriegen können: in den Fort Worth Water Gardens.

Die Water Gardens sind ein Park in der Stadt, wo in der Mitte ein großer, alter Brunnen ist, mit so 'nem Becken, das aussieht wie'n Stadion, mit Steinen, die wie Stufen oder Sitze aussehen. Das Wasser fließt da an den Seiten runter und in der Mitte ist ein großer Teich, fast so wie'n Schwimmbad, außer dass es nicht blau ist oder so. Da gibt's 'ne Menge Bäume und damals haben die Leute, die in der Gegend gearbeitet haben, ihr Mittagessen mit in den Park genommen, haben sich da im Schatten hingesetzt und gehört, wie das Wasser rauscht und singt.

Da gab's auch eine Menge Touristen, weil die Leute von außerhalb gern dasitzen und zusehen, wie das Wasser die Wände runtertanzt. Ich und mein Kumpel, wir haben immer so getan, wie wenn wir Touristen wären. Wir haben bis zum Nachmittag gewartet, wo da nicht so viel los war, und sind dann zu den Water Gardens gegangen, das Hemd halb aufgeknöpft, mit 'nem Stück Seife in der Tasche und 'nem Handtuch. Wenn dann die Luft rein war, hat einer von uns so getan, wie wenn er den anderen reinschubsen würde. Dann hat der im Wasser den anderen auch reingezogen, und wir haben gelacht und rumgealbert, so wie wenn wir hier auf Urlaub wären.

Es war natürlich verboten, ins Wasser zu gehen, und sicher auch, die Klamotten auszuziehen. Wir haben uns also unter Wasser eingeseift, sodass niemand es sehen konnte, und haben die Socken und die Klamotten gleich miteingeseift, so wie du deinen Körper. Wenn wir mit dem Einseifen und dem Auswaschen fertig waren, sind wir die hohe Mauer hochgeklettert, die auch zu dem Park gehört hat, und haben uns in die Sonne gelegt, bis wir trocken waren. Wie wir im Wasser waren, haben wir die ganze Zeit gelacht, aber es hat eigentlich keinen Spaß gemacht. Wir waren wie die Tiere im Wald und wollten einfach nur überleben.

Über die Jahre habe ich ein paar Jobs gekriegt und zwar durch was, was man „Arbeitsbeschaffung" genannt hat. Immer wenn du in eine Stadt fährst und da auf dem Bürgersteig schon am frühen Morgen 'nen Haufen abgerissener Kerle siehst, dann hast du die Arbeitsbeschaffung gesehen. Ich war einer von denen, bin da frühmorgens hin, weil ich auf 'ne Arbeit gehofft hab, die kein andrer tun wollte – so was wie Müll auflesen, ein altes Lager ausräumen oder nach 'ner Parade den Pferdemist wegmachen.

Ich kann mich erinnern, dass sie uns eines Tages alle nach Dallas gefahren haben, weil wir dort das Stadion von den Cowboys sauber machen sollten. Wir haben sogar noch einen Teil von dem Spiel mitgekriegt.

Ich hätte gern einen normalen Job gehabt, aber ich konnte nicht lesen und nicht schreiben. Ich hab auch nicht richtig ausgesehen, weil ich nur ein paar Klamotten hatte, die ich Tag und Nacht getragen hab. Und selbst wenn das alles keinen interessiert hat, dann ging's nicht, weil ich keine Papiere hatte, keine Sozialversicherungskarte oder Geburtsurkunde oder so was.

Bei der Arbeitsbeschaffung musst du denen noch nicht mal deinen Namen sagen. Irgendjemand kommt einfach mit 'nem Pickup angefahren und brüllt irgendwas aus dem Fenster, so was wie: „Wir brauchen ein paar Leute, da muss eine Baustelle aufgeräumt werden." Und die ersten zehn Kerle, die auf der Ladefläche sitzen, haben den Job.

Wie der Tag zu Ende war, haben wir alle $ 25 bar auf die Hand gekriegt, von denen $ 3 für das Mittagessen abgezogen worden sind, weil das die Arbeitsbeschaffung dir vorgestreckt hat. Dann musst du $ 2 dafür berappen, dass sie dich zu deiner Arbeit hingefahren haben. Am Ende von dem Tag hast du also vielleicht $ 20, und das reicht nicht mal, um dir ein Zimmer zu mieten. So, und jetzt frag ich dich: Was sollst du mit $ 20 anfangen, außer dir was zu essen kaufen und vielleicht ein Sixpack von dem Zeug, was dir hilft zu vergessen, dass du auch in dieser Nacht wieder unter der Brücke schlafen musst?

Manchmal landen Leute auf der Straße, weil sie trinken oder Drogen nehmen. Aber selbst wenn sie das vorher nicht gemacht haben, fangen die meisten Leute wie ich damit an, wenn sie auf der Straße gelandet sind. Nicht, weil das so toll ist. Sondern weil dir das hilft, das alles zu ertragen. Weil du vergessen willst, dass du immer allein bist, egal wie viele Kumpels du auf der Straße kennenlernst.

16

Ich beendete meine Beziehung zu der Künstlerin aus Beverly Hills nur, um eine neue zu beginnen – diesmal mit meiner Frau. Mit der Seelsorge im Rücken ging jeder von uns in Riesenschritten auf den anderen zu. Ich arbeitete weiterhin mit vollem Einsatz im Kunstgeschäft, aber ich reiste weniger und verbrachte mehr Zeit mit Deborah, Regan und Carson. Ich fing auch an, die geistlichen Dinge ernster zu nehmen. Deborah verfolgte weiterhin ihr ehrenamtliches Engagement und ihre Suche nach Gott, aber sie räumte auch den Dingen, die mich interessierten, mehr Zeit ein.

Die in dieser Hinsicht oberste Priorität bekam Rocky Top, eine 350-Morgen-Ranch, die wir 1990 als „Zweitwohnung" gekauft hatten. Auf einer hundert Meter hohen Anhöhe sitzend, mit Blick auf eine in der Sonne glänzende Schleife des Brazos-Fluss, wurde das Ranchhaus der Rückzugsort unserer Familie. Wir dekorierten es im Cowboystil, vom Büffelkopf am Kamin, über Stiefel mit Autogrammen von Roy Rogers und Dale Evans bis hin zu einem in der Küche aufgebockten Riesentisch, an dem fünfzehn hungrige Rancharbeiter Platz nehmen konnten. Architektur und Dekoration des Hauses waren in der Tat so authentisch, dass darüber Artikel in Stilmagazinen erschienen, Filmregisseure Geld für Drehgenehmigungen zahlten und Neiman Markus dort die Bilder für seinen Weihnachtskatalog schoss.

Doch für Deborah, die Kinder und mich war Rocky Top der Ort, an dem wir dem Lärm der Stadt entfliehen konnten. Adler kreisten über dem Brazos und erschreckten mit ihren Schreien das Wild, das zum Trinken ans Flussufer gekommen war. Auf der grünen Weide unter dem Haus hielten wir achtundzwanzig Longhornrinder. (Jedes Jahr gab Deborah ihren Kälbern furchtbar uncowboyartige Namen wie Sophie, Sissy und so weiter, und ich hatte nichts dagegen.) Und im Frühjahr bedeckte ein üppiges Dickicht von Kornblumen das wogende Unterholz wie eine violette Decke.

Carson und Regan waren Teenager, als wir uns in Rocky Top niederließen, und verbrachten ihre letzten Jahre vor dem College damit, ganze Wagenladungen von Freunden einzuladen, zu jagen, zu fischen und Kilometer um Kilometer verschlungener Pfade auf Pferderücken zu erkunden.

Auf der Ranch festigten Deborah und ich unsere Beziehung als beste Freunde und leidenschaftliche Liebhaber. Wir wuchsen so sehr zusammen, dass wir Witze über die „Klettverschüsse an unseren Herzen" machten. Die Ranch wurde unser geografischer Anker, der Ort, den wir immer Zuhause nennen würden, egal, wohin wir ansonsten zogen.

Wie sich herausstellte, zogen wir tatsächlich um. 1998 hatten wir Park Cities und die Tretmühle von Dallas und das, was Deborah später die „zwölf Jahre unseres Exils im ‚fernen Osten'" nennen würde, satt und zogen zurück nach Fort Worth. Wir mieteten bei einem Golfplatz ein Haus mit einer französischen Mansarde und begannen, in einer abgeschiedenen Ecke in der Nähe eines Naturreservates am Trinity-Fluss unser neues Heim zu bauen. Dann fingen wir damit an, das zu planen, was uns zu diesem Zeitpunkt als die zweite Hälfte unseres Lebens erschien.

Wir waren vielleicht erst ein paar Tage in Fort Worth, als Deborah im *Star-Telegram* einen Artikel über die Obdachlosen der Stadt entdeckte. Darin wurde eine Organisation mit Namen Union Gospel Mission erwähnt. In diesem Augenblick teilte eine innere Stimme Deborah mit, dass dies der Ort wäre, an den sie gehörte. Nur kurze Zeit später bekamen wir einen Brief von Debbie Brown, einer alten Freundin, die uns dazu einlud, uns den „Freunden der Union Gospel Mission" anzuschließen, einem Verein von philanthropischen Spendern. Deborah sagte mir sofort, dass sie nicht nur dort Mitglied werden, sondern auch fragen wolle, ob sie bei der Mission ehrenamtlich mitarbeiten könne.

„Ich hoffe, du kommst mit", sagte sie, lächelte und neigte ihren Kopf in so unwiderstehlicher Weise, dass ich schon oft gedacht habe, sie sollte sich das patentieren lassen.

Ich lächelte zurück. „Natürlich komme ich mit."

Die Mission war in der East Lancaster Street, in einer der übelsten Gegenden der Stadt. Während überall in Texas die Mordrate gefallen war, war ich davon überzeugt, dass alle, die jetzt noch mordeten, irgendwo dort in dieser Gegend wohnten.

Insgeheim hoffte ich, dass Deborah, wenn sie einmal schmierigen Pennern wie den Kerlen, die meine Galerie beraubt hatten, nahe genug gekommen war, es zu unheimlich, zu *authentisch* finden würde, in East Lancaster zu arbeiten. Dann könnten wir uns darauf einigen, nur ab und zu ein paar alte Kleidungsstück oder Möbel dort abzugeben – oder wenn ihr das schwerfallen sollte, mehr Geld.

Ich hätte es besser wissen sollen, denn außer vor Wespennestern und schwarzen Skipisten hatte Deborah nur vor einer Sache Angst.

17

Ob du es glaubst oder nicht, auch im Hobo-Dschungel hat's so was wie 'nen Ehrenkodex gegeben oder eine Einheit zwischen uns. Wenn es da einer geschafft hatte, eine Dose Wiener Würstchen aufzutreiben und da waren noch fünf andere Kerle, dann hat er jedem von ihnen ein Würstchen gegeben. Das war auch bei den Sixpacks so, bei dem Whiskey und bei den Drogen. Du weißt ja nie, wer morgen was hat, was du unbedingt brauchst.

Einer von den Leuten, die ich kannte, hatte ein Auto, wo er drin gelebt hat, einen goldenen Ford Galaxy 500. Ich und er, wir sind ziemlich eng miteinander geworden. Wie er sich also mal vor der Polizei verstecken musste und deshalb 'ne Zeit lang nicht in der Stadt war, hat er mich gefragt, ob ich auf sein Auto aufpassen kann. Das war kein neues Auto, aber ich habs gemocht und es lief auch ziemlich gut. Ich bin nicht viel damit rumgefahren, weil ich außer 'nem Traktor noch nie was gefahren hab. Aber er hat drin gewohnt, und deshalb dachte ich, dass ich das auch könnte.

Da hab ich 'ne Idee gehabt: In dem Auto war viel mehr Platz wie einer zum Schlafen braucht. Ich hab also angefangen, zwei Plätze auf der Rückbank zu vermieten – für $ 3 die Nacht. Die Leute haben gesagt, dass das besser ist, als auf'm Bürgersteig zu pennen. Ich hatte also für 'ne Weile mein eigenes Galaxy Hilton, bis die Polizei kam und es abgeschleppt hat, weil sie gesagt haben, die Strafzettel wären nicht bezahlt worden und das Auto hätte keine Versicherung.

Die normalen Leute, die in Häusern wohnen und jeden Tag arbeiten gehen, wissen gar nicht, wie dieses Leben ist. Wenn du einen normalen Kerl nehmen und ihn im Hobo-Dschungel oder unter irgend 'ner Brücke absetzen würdest, hätte er keine Ahnung, was er tun soll. Obdachlos sein musst du lernen. Du ziehst nicht einfach einen Anzug an und bindest dir eine Krawatte um und machst dann den Hamburger-Trick.

Ich hatte also für 'ne Zeit lang ein paar Kumpel. Aber nach ein paar

Wintern hab ich angefangen, mich von ihnen zurückzuziehen. Ich bin irgendwie still geworden. Weiß selber nicht, warum. Vielleicht musste ich einfach den „Kopf klarkriegen" oder so was. Oder vielleicht bin ich wirklich ein bisschen verrückt geworden. Für 'ne ziemlich lange Zeit jedenfalls hab ich mit keinem geredet und wollte auch nicht, dass einer mit mir redet. Das ging so weit, dass ich gewalttätig geworden bin, wenn ich mich bedroht gefühlt habe. Ich habe ein bisschen Geld von dem Hamburger-Trick genommen und mir 'ne Pistole gekauft, Kaliber 22. Hab gedacht, dass ich die zu meinem Schutz brauche.

Du kriegst so einen Geist, der in dich reinkommt, so'n Geist, der dir das Gefühl gibt, dass sich niemand auf der Welt für dich interessiert. Dass es egal ist, ob du lebst oder stirbst. Wenn ein Kerl so'n Geist hat, wird er böse und gefährlich. Dann lebt er nur noch nach dem Gesetz des Dschungels.

Ich hab mir mit meinen Fäusten Respekt verschafft. Wie ich einmal in einer Telefonzelle telefoniert hab, kam so'n Kerl, der nicht mehr warten wollte, und hat einfach die Gabel runtergedrückt, wie ich noch geredet habe. Ich hab den Hörer genommen und ihn ihm auf seinem Kopf kaputtgehauen. Er ist auf den Boden gefallen, hat rumgebrüllt und sich den Kopf gehalten, zwischen seinen Fingern ist Blut gespritzt. Ich bin einfach weggegangen.

Ein anderes Mal hab ich unter 'ner Eisenbahnbrücke geschlafen und da kamen ein paar Rapper aus 'ner Sozialwohnungssiedlung in den Hobo-Dschungel gekrochen und haben den Obdachlosen das bisschen gestohlen, was sie noch hatten. Das waren junge, schwarze Kerle die sich immer so aufführten, wie das manche jungen Kerle machten, die immer so taten, wie wenn ihnen keiner was anhaben könnte, wenn sie zusammenblieben und laut genug rumfluchten. Es war dunkel und ich hab wach in meiner Pappkiste gelegen, und da hab ich gehört, wie sie sich flüsternd angeschlichen haben.

Jetzt kann ich dir hier natürlich nicht sagen, wie ich die Kerle damals genannt habe, sagen wir einfach, ich hab ein paar Schimpfwörter benutzt. Ich bin mit 'nem abgesägten Eisenrohr aus meinem Karton gesprungen und hab damit um mich gehauen: „Ihr wollt den Falschen beklauen! Ich *bring* euch *um*! Glaubt ihr mir nicht? Ich mache euch kalt!"

Es waren drei Kerle. Aber wenn ein wahnsinnig aussehender Obdachloser mit 'ner Eisenstange nach ihren Köpfen schlägt und sie kalt-machen will, dann sind drei nicht genug. Sie haben die Beine in die Hand genommen und ich bin auch losgerannt: ich bin sofort zu dem goldenen Ford Galaxy gerannt, den mein Freund von der Polizei zu-rückgekriegt hatte. Ich bin reingesprungen und hab den Schlüssel aus dem Sitzkissen gefummelt, wo er ihn versteckt hat. Dann hab ich den Motor angemacht und bin zur Sozialsiedlung gefahren, um mich zu rächen.

Ich hab die Diebe nicht mehr gesehen, aber ich wusste ja, wo sie herkamen, und die Sozialwohnungen waren nur ein paar Querstraßen weiter. Ich bin ziemlich schnell gefahren und habe ziemlich bald die Backsteinhäuser gesehen, hinter einem langen, niedrigen Müllhaufen, den irgendwer dahingeschüttet hatte, damit da keiner mit dem Auto reinfahren kann. Wie ich zu dem Müllhaufen gekommen bin, bin ich nicht mal langsamer geworden, sondern hab das Gas durchgetreten. Der Galaxy ist den Müllhaufen hochgerast und durch die Luft geflo-gen wie bei so einem Draufgängerfilm im Fernsehen. Ich bin mitten in der kleinen Siedlung gelandet und das Auto hat geraucht wie ein Kohlenzug.

Ich bin aus dem Auto gesprungen, der Motor lief noch, und hab an-gefangen rumzubrüllen. „Los, probiert's doch! Probiert's doch! Kommt raus! Ich bringe euch *um*!" Es war schon spät, aber ein paar Leute waren noch in dem großen Innenhof. Die meisten sind ins Haus gerannt, die Mamas haben ihre Kinder geschnappt und nach drinnen gezogen.

Hat nicht lange gedauert, bis ich die Sirenen gehört habe. Ich hab ge-wusst, dass die wegen mir die Polizei gerufen haben, also bin ich zurück ins Auto gesprungen und weggerast. Ich hatte jetzt ein Riesenproblem und musste für 'ne Weile untertauchen. Die Polizei ist gekommen und hat meinem Freund den Galaxy wieder weggenommen, aber sie hat ihn nicht verhaftet, weil er geschworen hat, dass der von irgendwem ge-stohlen worden war. (Ich schätze mal, das stimmt auch irgendwie, weil ich ihn ja nicht gefragt hab.) Er hat auch gar nicht so ausgesehen, wie die Augenzeugen den Kerl beschrieben haben, der mit 'nem goldenen Auto in ihren Innenhof geflogen kam.

Wenn das alles heute passiert wäre, dann hätte sicher irgendeiner 'ne Waffe gezogen und auf mich geschossen, um mich umzubringen. Aber damals ist nicht einer von den Jungs rausgekommen und wollte kämpfen. Ich schätze mal, dass die alle gedacht haben, wenn ein Kerl wahnsinnig genug ist, um mit 'nem Auto in einen Hof zu springen, wo Frauen und Kinder sind, dann ist er auch wahnsinnig genug, sie alle umzubringen. Die hatten recht. Wenn ich einen von denen gekriegt hätte, hätte ich's getan. Besonders, wenn mir meine Pistole eingefallen wäre.

Ich musste danach, wie gesagt, 'ne Weile untertauchen, also bin ich nach Lousiana verduftet, bis sich der Staub gelegt hat. Meine Pistole hab ich mitgenommen. So bin ich im übelsten Höllenloch gelandet, dass sich die Weißen jemals ausgedacht haben.

* * *

Ich bin bis Shreveport gekommen, aber ich hatte kein Geld. Ich hatte aber die 22er und hab mir gedacht, wenn ich die jemandem mit Geld unter die Nase halte, dann gibt er mir welches. Ich bin heute überhaupt nicht darauf stolz, aber ich hab mich damals entschieden, einen Stadtbus auszurauben. Ich musste nichts anderes tun, wie an einer Bushaltestelle zu warten. Wie dann die Tür aufgegangen ist, bin ich die Treppe hochgesprungen und hab dem Fahrer meine Pistole gezeigt.

„Mach den Kasten da auf und gib mir das Geld!", hab ich gebrüllt. Da waren nur ein paar Leute im Bus und die haben sich alle sofort in ihren Sitzen runtergeduckt. Eine Frau hat zu weinen angefangen.

Die Augen von dem Fahrer sind ziemlich groß geworden. „Ich kann ihn nicht öffnen", hat er gesagt, seine Stimme hat ein bisschen gezittert. „Ich habe keinen Schlüssel. Du musst ihn aufbrechen, wenn du an das Geld willst."

Ich hab runtergeschaut auf die Geldkiste und dann auf die Leute, die sich in ihren Sitzen verkrochen hatten. Ich hab die Frau gehört, sie hat immer noch geweint. Ich hab wieder auf den Fahrer geguckt und gesehen, dass er immer noch auf meine Pistole guckt. Dann bin ich aus dem Bus ausgestiegen. Ich war gemein und böse, aber nicht gemein und böse genug, um 'nen Mann abzuknallen, der einfach nur am falschen Tag zur Arbeit gegangen ist. Aber jetzt hatte ich in Fort Worth *und* Shreveport die Polizei im Nacken, also hab ich mich entschlossen, mich selbst zu stellen. Ich hab der Polizei trotzdem nicht meinen richtigen Namen gesagt. Habe ihnen gesagt, ich wäre Thomas Moore.

Aber dem Richter wär's auch egal gewesen, wenn ich Abraham Lincoln gehießen hätte. Er hat gesagt, ich hätte bewaffneten Raub begangen, und hat mich für zwanzig Jahre ins Angola-Gefängnis gesteckt.

Das war im Mai 1968. Für den Fall, dass du noch nie was von Angola gehört hast, es war die Hölle, an drei Seiten von einem Fluss umgeben. Ich habe das damals nicht gewusst, aber zu der Zeit war Angola das finsterste und übelste Gefängnis von Amerika.

Ein paar Tage nachdem ich da angekommen war, hat mich ein Gefangener gesehen, den ich schon im Gefängnis von Shreveport getroffen hatte. Der hat die Hand ausgestreckt, so wie wenn er mich begrüßen wollte. Aber statt dem hat er mir ein Messer gegeben. „Steck dir das unters Kissen", hat er gesagt. „Du brauchst das."

Ich habe dann wieder in den Feldern gearbeitet, nur bin ich diesmal 'n wirklicher Sklave gewesen, denn so haben sie das Gefängnis aufgezogen – wie 'ne Plantage. Nur waren's die Gefangenen, die in der Bruthitze die Ernte reingebracht haben. Und da gab es nicht genügend Wärter, also haben sie Gefangene zu Wärtern gemacht und denen Waffen gegeben. Denen hat es Spaß gemacht, sie uns bei der Arbeit unter die Nase zu halten. Einige Leute, die mit mir gearbeitet haben, sind vom Arbeitseinsatz nicht wiedergekommen. Und niemand hat sie seitdem gesehen.

Damals war's so, dass jeder, der in Angola kein Messer hatte, entweder vergewaltigt oder umgebracht worden ist. In den Jahren, wo ich da war, sind mindestens vierzig Männer abgestochen worden und ein Haufen anderer, Hunderte von ihnen, sind übel zugerichtet worden. Ich hab getan, was ich konnte, um mich zu schützen.

Ich hatte das, was du eine Zwei-für-eins-Zeit nennen kannst. Der Richter hat mich für zwanzig Jahre eingelocht, aber nach zehn hat er mich wieder rausgelassen. Ich habe mich zu sehr geschämt, um zu meiner Schwester Hershalee zurückzugehen, also bin ich zurück nach Fort Worth gegangen. Ich hab gewusst, dass ich da auch keine Wohnung und keinen Job kriegen kann, aber ich hab mich durchgeschlagen. Auf der Straße ist das Gerücht umgegangen, dass ich in Angola gewesen bin, und dann hat mich keiner auch nur schief angeguckt.

Ich habe aber nicht alle das Fürchten gelehrt. Ich habe einige Jahre lang auf den Treppenstufen von United Way in der Commerce Street geschlafen. Und die ganze Zeit hat mir jeden Morgen eine Lady, die da gearbeitet hat, ein Sandwich vorbeigebracht. Ich wünschte, ich könnte ihr dafür danken. Eigentlich komisch. United Way war gleich neben 'ner Kirche, aber in all den Jahren hat sich nie einer aus der Kirche für mich interessiert.

Ich hab da lange geschlafen, aber dann hat die Polizei von Fort Worth überall diese „Betteln-verboten"-Schilder aufgehängt und mich gezwungen, mir einen anderen Platz zum Schlafen zu suchen. Ich hab später rausgefunden, dass ein paar reiche Weiße die Innenstadt „wiederbeleben" wollten. Abgerissene schwarze Kerle, die auf dem Bürgersteig schlafen, gehörten nicht zu ihrem Plan. Die Polizei hat mir gesagt, ich soll zur Union Gospel Mission runtergehen. Aber nachdem ich so, weiß nicht, fünfzehn, zwanzig Jahre auf der Straße gelebt habe, hatte ich nicht vor, jetzt einfach wieder in so'n Haus einzuziehen. Ich habe also meine Decken auf dem Betonboden von 'nem alten, leeren Gebäude neben der Mission ausgebreitet. Mr Shisler, der Verwalter von der Mission, hat mir wieder und wieder gesagt, dass ich nicht bei jedem Wetter draußen schlafen muss. Nach ein paar Jahren hab ich ihm erlaubt, mir ein Bett zu geben. Dafür sollte ich um die Mission rum alles sauber halten.

18

Als Deborah sechs Jahre alt war, startete sie einen Feuerklub. Wer von ihren Freunden dort Mitglied werden wollte, musste seiner Mutter ein Päckchen Streichhölzer stehlen und Deborah bringen, die ihm dann zeigte, wie sie funktionierten. Während einer dieser Übungsstunden zündete sie beinahe das Ölarbeiter-Camp in Premont an, auf dem sie lebte – eine Beinahekatastrophe, für die sie von ihrem Vater eine solche Tracht Prügel mit einem Ledergürtel bekam, dass sie wochenlang keinen Badeanzug anziehen konnte.

Ein anderes Mal sammelte sie einen Eimer voller Ochsenfrösche und schüttete ihn drei Ladys in den Schoß, die mit ihrer Mutter gerade Bridge spielten, einfach nur, weil sie sehen wollte, was passierte. Was passierte, waren kreischende Frauen, verschütteter Eistee und eine weitere Tracht Prügel.

Nun waren wir also schon über fünfzig Jahre alt, und ich hoffte immer noch, dass sie vor ein paar Pennern in einer zugemüllten Gasse Angst bekommen würde, obwohl die einzigen Dinge, vor denen sie auf dieser Erde wirklich Angst hatte, Wespennester, schwarze Pisten und Klapperschlangen waren. Sie war nicht wirklich ein Mauerblümchen.

Sie kannte allerdings eine andere Furcht, nämlich die Angst, Gottes Ruf nicht zu hören. Und sie fühlte sich zur Arbeit in der Mission berufen. Ich wünschte, ich könnte sagen, Gott habe mir auch diesen Auftrag gegeben. Aber dem ist nicht so. Ich hatte jedoch die Berufung, ein guter Ehemann zu sein, deshalb ging ich mit.

Die Union Gospel Mission befindet sich gerade außerhalb des schönen renovierten Bereiches von Fort Worth, einer Stadt, die durch die Hilfe der Milliardäre, die sie lieben, ein nationales Vorbild für die Wiederbelebung von Innenstädten geworden ist. In diesem Teil der Stadt strahlen die imposanten Glastürme der Hochfinanz. Direkt daneben findet man wärmer aussehende Gebäude aus Back- und Sandsteinen an Bürgersteigen, die mit Blumenkübeln dekoriert sind, kunstvoll gestalteten Bäumen und – schließlich sind wir in Texas – Hecken, die in der Form von Longhornrindern beschnitten wurden. Das Kulturviertel zieht sich über drei Querstraßen hin und beherbergt drei Museen von Weltrang, das Kimbell, das Amon Carter und das Modern. Anderthalb Kilometer weiter östlich gibt es Cafés an kopfsteingepflasterten Plätzen, wo gut aussehende Städter an ihren Latte Macchiatos und Mineralwassern nippen, während sie Cowboys zusehen, die in Stiefeln mit Sporen vorbeiklirren.

Wer sich noch weiter östlich bewegt, bemerkt, wie Farben verblassen und Pflanzen verschwinden und Raum geben für Hoffnungslosigkeit und Verzweiflung. Fahren Sie unter der Autobahnkreuzung hindurch, unter einer unmöglichen Brezel verschiedener Autobahnen, die Mixmaster genannt wird, und durch einen Tunnel, der sehr effektiv die Wohlhabenden von den Habenichtsen trennt, und Sie werden keine Plätze, Denkmäler oder Blumenkästen mehr finden und mit Sicherheit keine gut aussehenden Städter. Stattdessen sieht man verfallene Gebäude mit zerbrochenen Fenstern, Wände mit Urinflecken und Graffiti, Rinnsteine voller Bierdosen und gelber Zeitungen. Und leere Baugrundstücke, auf denen das Gras so hoch wächst, dass es ein Meer leerer Wodkaflaschen und ähnlicher Behälter überdeckt.

Wenn sie aus diesem Tunnel herausfahren, sind die meisten Menschen erst einmal erschrocken, weil sie die falsche Abfahrt genommen haben. Doch an einem sonnendurchfluteten Montag im Frühjahr 1998 fuhren Deborah und ich absichtlichlich in diese Gegend. Sie wurde von ihrer Leidenschaft für die Zerbrochenen angetrieben und ich von der Liebe zu meiner Frau.

Als wir aus dem dunklen Tunnel herausfuhren und in die East Lancaster Street einbogen, fanden wir uns mitten in einer seltsamen Menschenkarawane wieder, die sich in östlicher Richtung bewegte. Zur Linken taumelten Männer durchs Gras, zur Rechten liefen Frauen und Kinder, die – in dreckige, bunt zusammengewürfelte Klamotten gehüllt – zum Teil grüne Müllbeutel hinter sich herzogen. Ein Junge, er war vielleicht acht Jahre alt, trug nur ein Männerunterhemd und schwarze Socken.

„Sie gehen in die Mission!", sagte Deborah strahlend, als ob dieser ganze Haufen abgerissener Kreaturen TCU-Absolventen wäre und sie es nicht erwarten könnte, sie wiederzusehen. Für mich sah es eher so aus, als hätten sie irgendwo eine Tür aus dem Mittelalter gefunden und wären hindurchgeschlüpft, um der Pest zu entkommen.

Als wir die Mission erreicht hatten, fuhr ich mit unserem Pickup durch die von Schlaglöchern übersäte Einfahrt bis zu einer rostigen Kette, die von einem fetten Mann in braunen Hosen mit einer Zigarette im Mund bewacht wurde. Ich schenkte ihm mein freundlichstes osttexanisches Lächeln. „Wir kommen, um zu helfen", bot ich ihm an.

Er grinste ein zahnloses Lächeln zurück und ich könnte schwören, dass sich dabei die Zigarette nicht bewegte, sondern an seiner Unterlippe klebte, als sei sie angetackert.

Ich fuhr auf den Parkplatz und überlegte gerade, wann wir wieder verschwinden könnten, als Deborah plötzlich in diesem Ton zu sprechen anfing, von dem man nach ein paar Jahren Liebe weiß, dass man ihn beachten sollte, ein Ton, der sagte: „Hör mir gut zu."

„Ron, bevor wir dort hineingehen, möchte ich dir noch etwas sagen." Sie lehnte sich gegen ihre Kopfstütze und schloss die Augen. „Vor meinem inneren Auge sehe ich diesen Ort anders, als er jetzt ist. Weiße Blumenkästen stehen an der Straße, Bäume und gelbe Blumen. Riesige Mengen gelber Blumen, so wie auf den Wiesen rund um Rocky Top im Juni."

Deborah öffnete ihre Augen und sah mich mit einem erwartungsvollen Lächeln an: „Kannst du das nicht *sehen*? Keine Vagabunden, kein Müll im Rinnstein, einfach ein schöner Ort, an dem diese Menschen erleben können, dass Gott sie genauso liebt wie die Leute auf der anderen Seite des Tunnels."

Ich lächelte, küsste meine Fingerspitzen und streichelte ihr damit über die Wange. „Ja, das kann ich sehen." Und ich konnte es tatsächlich. Ich erwähnte jedoch nicht, dass sie meiner Meinung nach ein wenig überdreht war.

Sie zögerte etwas, dann sagte sie: „Ich habe davon geträumt."

„Von diesem Ort?"

„Ja", sagte sie und starrte mich an. „Ich habe diesen Ort in einer veränderten Weise gesehen. Er war wunderschön, so wie ich es gesagt habe, mit Blumen und allem. Es war ganz realistisch, ich habe hier gestanden und die Zukunft gesehen."

* * *

In der Mission trafen wir den Direktor, Don Shisler. Anfang fünfzig und stämmig, mit einem Dreitagebart und kurz geschnittenen Haaren, wirkte er eher wie ein Banker oder Buchhalter als wie ein Betreuer von Obdachlosen – obwohl ich mir nicht sicher war, wie so jemand aussehen müsste. Don stellte uns Pam vor, die die Ehrenamtlichen koordinierte, sie wiederum zeigte uns die Räumlichkeiten, inklusive der Küche und der Kapelle.

Beide waren dreckig, fensterlos und rochen nach Schweiß, altem Fett und einem undefinierbaren Gestank, wegen dem man am liebsten auf dem Absatz kehrtgemacht hätte. In der Küche schlidderten wir wie auf Rollschuhen über den schmierigen Boden geradewegs in das glühend heiße Büro eines kettenrauchenden Energiebündels namens „Koch Jim".

Jim Morgan war einer von den Leuten, die wie alle anständigen Baptisten das Händeschütteln überspringen und sofort zum Umarmen übergehen. Er schlug seine Arme mit einem Rückenklopfen um mich, als wären wir alte College-Kollegen, und drückte dann Deborah etwas sanfter und freundlicher. Dünn und grauhaarig, sah er aus wie fünfundsechzig, könnte aber auch jünger gewesen sein. Er trug karierte Hosen und einen überraschend fleckenlosen Kochkittel.

Koch Jim schwatzte mit uns voller Begeisterung über Gott, Obdachlose und – wenn auch etwas weniger – über Essen. Er konnte sich extrem gewählt ausdrücken und benutzte Worte, die ich noch nie gehört hatte, deshalb passte er nicht in meine Vorstellung von einem Odachlosen, die zu diesem Zeitpunkt in etwa so aussah: Obdachlose hatten keine Schulbildung oder waren zumindest nicht besonders schlau, sonst wären sie ja wohl nicht da gelandet, wo sie jetzt waren.

Wie sich herausstellte, war Koch Jim tatsächlich ein TCU-Absolvent, dessen Sohn als Teenager bei einem tragischen Ereignis ums Leben gekommen war, was seine Frau wiederum in eine psychatrische Anstalt gebracht hatte. Jim dagegen hatte seinen doppelten Kummer mit Alkohol und Drogen betäubt, was ihn zuerst seinen Job als Chefcaterer einer internationalen Hotelkette und dann sein Haus gekostet hatte. Im Austausch für ein Bett stellte er nun der Mission seine Künste zur Verfügung und versuchte dabei, sein Leben wieder in Ordnung zu bekommen.

Jim erzählte seine Geschichte mit selbstkritischem Humor und ohne ein Gramm Schuldzuweisungen oder Selbstmitleid. Dann lud er uns ein, einmal in der Woche hier vorbeizukommen und das Abendessen für die Obdachlosen auszuteilen.

„Infiziert sie mit Liebe", sagte er.

Er hätte kein passenderes Wort verwenden können, denn Infektionen waren meine größte Sorge. Jede Woche ein paar Stunden in einer Küche gefangen zu sein, die roch, als würden dort verrottete Eier in Reinigungsmitteln gekocht, war schon schlimm genug. Aber um keinen Preis der Welt wollte ich angefasst werden, denn ich hatte Angst vor den Bakterien und Parasiten, die hier vermutlich auf jedem Luftmolekül zu Hause waren.

Koch Jim und Deborah plauderten ein wenig, während ich im Geist abwog, ob ich meiner Frau auch dann einen Gefallen tun sollte, wenn ich dabei in der Gefahr stand, mir eine tödliche Krankheit zuzuziehen. Ich musste zugeben, dass die ganze Sache mit einem recht niederschwelligen Einstieg lockte – wenn wir einmal pro Woche das Abendessen ausgaben, wären wir drei, maximal vier Stunden hier. Hinter der Theke aus rostigem Stahl befänden wir uns auch in sicherer Distanz zu unseren Kunden. Und wir könnten durch die hintere Küchentür hereinkommen und hinausgehen, womit der Kontakt zu denen, die Geld von uns wollten, minimiert wäre. Das ganze Arrangement schien ein guter Weg zu sein, um einerseits Deborahs Bedürfnis, helfen zu können, zu befriedigen, andererseits aber jede Berührung mit den Obdachlosen zu vermeiden.

Ihr helles Lachen holte meine Aufmerksamkeit zurück in den Raum. „Ich glaube, das ist eine gute Idee, Jim!", sagte sie gerade. „Ich wüsste keinen Grund, warum wir nicht morgen anfangen sollten. Ja, ich würde sogar sagen, schreibe uns von jetzt an für jeden Dienstag auf die Liste, es sei denn, wir sagen dir etwas anderes."

„Preis dem Herrn!", sagte Koch Jim und umarmte Deborah nach Baptisten-Art. Für mich hörte sich das nicht besonders gut an, aber Deborah hatte mich ja nicht um meine Meinung gebeten. Sie hielt nicht viel von Palavern.

Auf dem Heimweg dachte sie laut darüber nach, dass Obdachlose von der Gesellschaft in der Regel für faul und arbeitsscheu gehalten würden und manche es vielleicht auch waren. Aber sie hatte den Eindruck, dass sich hinter dieser oberflächlichen Fassade ein anderes Bild verberge: Dysfunktion und Abhängigkeit, ja. Doch verbargen sich dort auch Gaben – wie Liebe, Glaube und Weisheit – die wie versteckte Perlen entdeckt, gereinigt und zur Geltung gebracht werden müssten.

In jener Nacht träumte sie wieder von der Mission – und diesmal von einem Mann.

„Es war wie in diesem Vers im Predigerbuch", erzählte sie mir am nächsten Morgen beim Frühstück. „Ein weiser Mann errettete die Stadt. Ich habe ihn gesehen."

Sie blickte unsicher, so als ob sie Angst hätte, ich würde ihr nicht glauben oder gar denken, sie hätte den Verstand verloren. Ich wusste jedoch, dass sie nicht dieser Träume-und-Visionen-Hokuspokus-Typ war. Also goss ich ihr eine frische Tasse Kaffee ein. „Hast du in deinem Traum den Mann gesehen?"

„Ja", sagte sie vorsichtig. „Ich habe sein Gesicht gesehen."

* * *

Die Gänseblümchenkette verwelkter Seelen, die sich dienstags zum Essen hereinschleppte, machte mich zunächst depressiv. Zuerst kamen die Mütter mit ihren Kindern, von denen die meisten fleckige, viel zu große Klamotten trugen und aussahen, als hätte man ihnen die Haare mit einem Küchenmesser geschnitten. Dann kam eine Reihe Frauen zwischen achtzehn und fünfundachtzig, gefolgt von den „alten" Männern, von denen viele jünger waren als ich, aber mit schmierigen und ausgezehrten Gesichtern, die sie geradzu greisenhaft wirken ließen. Danach kamen die jüngeren Männer, manche waren niedergeschlagen und still, andere versteckten ihre Scham hinter einer lauten, aufgesetzten Fröhlichkeit. Sie alle waren den ganzen Tag auf der Straße und schliefen in der Mission.

Die Letzten, die zum Essen kamen, waren die richtigen Obdachlosen, abgerissen und mit einem beißenden Gestank. Ich brauchte eine Weile, um über den Geruch hinwegzusehen, der sie umgab wie eine giftige Wolke eine Chemiefabrik. Der Gestank schien an den Haaren in meiner Nase festzukleben. Ich schwöre, ich konnte sehen, wie die Haare auf ihren Köpfen hin und her wogten, angestoßen von einer versteckten Armee munterer Läuse. Ein paar der Männer hatten nur noch Stümpfe, wo eigentlich Arme und Beine hätten sein sollen. Ein langhaariger Kerl trug um den Hals eine Kette, die aus Hunderten zusammengenähter Zigarettenstummel bestand. An seinem Gürtel trug er Müllsäcke aus Plastik. Ich wollte gar nicht wissen, was da drin war.

An unserem ersten Tag beobachtete Deborah die Obdachlosen, sah zu mir herüber und sagte: „Wir können sie ‚Gottes Leute' nennen."

Ich fand eher, dass sie aussahen wie die Kerle aus dem Film *Mad Max – Jenseits der Donnerkuppel*.

Jeder, der in der Mission ein Gratis-Abendessen haben wollte, musste zuvor wie ein Toter auf einer harten Bank in der Kapelle sitzen und einem weißhaarigen, fast blinden Prediger namens Bruder Bill zuhören, der über die rettende Gnade Jesu schwafelte und die unerfreulichen Konsequenzen, die den Unbekehrten drohten. Von der Küche neben der Kapellentür – die abgeschlossen wurde, um zu verhindern, dass die Kunden nach hinten hinausliefen, statt dem Aufruf nach vorn zu folgen – konnte ich die Höllen-und-Hagelschlag-Harte-Gnade-Predigten gut verstehen, die durchaus ein paar Hartgesottene knacken konnten. Trotzdem erschien es mir sehr manipulativ, dass die Hungrigen dort erst wie gehorsame Hunde auf ihr Essen warten mussten. Mich erstaunte es jedenfalls nicht, dass selbst dann, wenn Bruder Bill mit seinen aufrüttelnden Predigten die Luft zum Kochen brachte, hinterher nicht eine Seele lobpreisend durch die Tür schritt. Jedenfalls nicht, solange wir dort waren.

Die Männer und Frauen, die wir bedienten, schienen freudig überrascht zu sein, von einem lächelnden Paar mit allen Zähnen im Mund das Essen serviert zu bekommen. Ich bin sicher, dass sie dachten, Deborah hätte Amphetamine genommen oder sich um das Bürgermeisteramt beworben, denn sie hatten wahrscheinlich noch keinen getroffen, der so viel gelächelt oder sich so sehr für sie interessiert hatte.

„Ich bin Deborah, und das ist mein Mann Ron", sagte sie jedes Mal, so als würden wir zu Hause Gäste empfangen. „Wie heißen Sie?" Oft erntete sie nur leere Blicke. Manche starrten sie mit offenem Mund und großen Augen an, so als sei sie gerade mit einem Raumschiff vom Mars auf dem Parkplatz gelandet.

Manche der Leute antworteten ihr jedoch, und von diesem Tag an bestätigte sie wild aussehenden Kerlen mit Namen wie „Metzger" oder „Killer": „Oh, was für ein schöner Name!"

Von den Hunderten, die wir am ersten Tag bedienten, sagte uns nur eine Handvoll, wie die Leute sie nannten. Deborah schrieb sich alle Namen auf: Melvin, Charley, Hal, David, Al, Jimmy – und Kurzer, ein schrankartiger Kerl von einem Meter neunzig, der 250 Kilo wog und Latzhosen trug, zusammen mit blauen Hausschuhen und nichts darunter.

Ein Mann, der uns seinen Namen nicht mitteilen wollte, sagte uns stattdessen, was er von unseren philanthropischen Anwandlungen hielt. Schwarz, bleistiftdünn und deplatziert wirkend, trug er einen mauvefarbenen Haifischanzug mit einer Zuhälterkrawatte, die beide irgendwie frisch gebügelt aussahen. Unter einem cremefarbenen Filzhut hervor beobachtete er sein Terrain durch eine dunkle Brille mit einem goldenen Designerlogo. Wir fanden später heraus, dass er „Mister" genannt wurde.

An jenem Dienstag marschierte Mister in seiner aggressiven, besitzergreifenden Aura auf mich zu, als gehörte der Speisesaal der Mission ihm und ich beträte gerade verbotenerweise sein Grundstück. „Ich habe keine Ahnung, wer ihr seid", grummelte er hinter einer nicht angezündeten Filterzigarre, „doch ihr denkt, dass ihr uns irgendeinen großen Gefallen tut. Aber heute Abend, wenn du mit deiner hübschen kleinen Frau wieder in deinem Häuschen mit fünf Zimmern bist, ihr auf euren Sofas sitzt und fernseht, dann glaubt nicht, dass ihr besser seid als wir. Du musst nur ein paar Gehaltsschecks nicht bekommen, dann verlässt dich deine Frau und du bist obdachlos – so wie wir!"

Ich muss gestehen, dass er – zumindest was mich anging – in Bezug auf das „Gefallen tun" richtiger lag, als ich es zugegeben hätte. Ich wusste nicht, was ich sagen sollte, doch als ich meinen Mund öffnete, kam heraus: „Danke schön. Danke, dass Sie mir helfen, einen anderen Blick auf die Obdachlosigkeit zu bekommen." Unbewegt starrte mich Mister an wie ein Insekt, kaute auf seiner Zigarre herum und ging angewidert weg.

Diese Begegnung machte mich etwas unruhig, allerdings half sie mir auch zu verstehen, wie sich manche dieser Menschen fühlten. Ein Gedanke nagte am Rand meines Gehirns: Vielleicht bestand mein Auftrag gar nicht darin, sie wie irgendein exotisches Ausstellungsstück zu analysieren, sondern darin, sie kennenzulernen.

Währenddessen schienen weder Verachtung, lauernde Blicke noch Stille Deborah auch nur im Geringsten zu stören. Sie wollte diese Menschen *kennenlernen* und ihnen wirklich dienen und nicht nur stolz auf sich selbst sein. Schon am ersten Tag hatte sie sich in jeden von ihnen verliebt. Auf ihr Drängen hin lernten wir die Namen, die wir am ersten Tag herausgefunden hatten, auswendig und beteten an jenem Abend für jeden von ihnen, sogar für den aufmüpfigen Mr Mister, bei dem ich plötzlich hoffte, ich könne zu seiner Veränderung beitragen.

* * *

Nach ein paar Dienstagen hatten wir herausgefunden, dass diese Menschen es nur bei einer Sache eilig hatten: wenn es darum ging, an die Spitze der Essenschlange zu kommen. Wir fanden schnell den Grund dafür heraus: Sie hatten Angst, dass all die guten Dinge – zum Beispiel Fleisch – schon verteilt waren und sie nur noch Suppe oder fade Sandwiches bekamen, weil sie unglücklicherweise in der Kapelle ganz vorn gesessen hatten und damit am weitesten von der Tür entfernt gewesen waren. Wenn die Nachzügler tatsächlich nur noch die Reste bekamen, erzählten ihre Gesichter eine traurige Geschichte: Als Wegwerfprodukt der Gesellschaft mussten sie einfach mit der Tatsache leben, dass sie nur mithilfe von Resten und Ausschussware überleben konnten.

Dabei schien es so einfach zu sein: Man musste schlichtweg ein wenig mehr Essen zubereiten, und die Menschen von der Straße am Ende der Schlange hätten so gut gegessen wie die, die in der Mission schliefen. Deshalb baten wir Koch Jim um diesen Gefallen und er willigte ein. Seit diesem Zeitpunkt begeisterte es uns, den Obdachlosen von der Straße schmackhafte Speisen zu servieren, Essen wie gebratenes Hühnchen, Roastbeef, Spaghetti und Fleischklöße.

Das war das erste Mal, dass ich etwas getan hatte, um das Leben der Menschen zu verbessern, zu denen Deborah mich geschleppt hatte. Ich hatte noch keinen von ihnen angefasst, aber sie berührten bereits mein Herz.

An unserem dritten Dienstag waren Deborah und ich im Speiseraum und halfen Koch Jim, das Extraessen zuzubereiten. Der blinde Bruder Bill hatte gerade seine Predigt über Vergebung beendet und die Kirchenbesucher stellten sich zum Essen an, als wir einen lauten metallischen Krach hörten und einen Mann, der wütend vor der Kapellentür herumbrüllte. Entsetzt drehten wir uns um und sahen, wie ungefähr zwanzig Leute auseinanderstoben, weil ein riesiger, zorniger schwarzer Mann einen weiteren Stuhl durch den Raum warf.

„Ich mach den kalt, der das getan hat!", schrie er. „Wer auch immer meine Schuhe geklaut hat, ich bring ihn um!" Dann stieß er eine Reihe von Flüchen aus und arbeitete sich in die Menge vor, wobei er jedem seine Fäuste unter die Nase hielt, der dumm genug war, nicht rechtzeitig aus dem Weg zu gehen.

Es sah so aus, als ob dort an der Kapellentür gleich ein Kampf zwischen Unterweltgangs losbrechen würde. Während ich den Raum nach Missionspersonal absuchte, um die Sache unter Kontrolle zu bringen, lehnte sich Deborah zu mir hinüber und flüsterte mir ins Ohr.

„Das ist er!"

„Was?", fragte ich ungeduldig. „Worüber redest du?"

„Das ist der Mann, den ich in meinem Traum gesehen habe! Der Mann, der die Stadt verändert. Das ist er!"

Ich drehte mich um und sah Deborah an, als hätte sie den Verstand verloren. Auf der anderen Seite des Raumes waren ein paar Missionsangestellte aufgetaucht und redeten beschwichtigend auf den wütenden Mann ein. Zähneknirschend ließ er sich wegbringen.

„Das ist er", sagte Deborah wieder mit glänzenden Augen. „Ich denke, du solltest versuchen, mit ihm Freundschaft zu schließen."

„Ich?!" Meine Augen weiteten sich vor Unglaube. „Hast du bemerkt, dass der Mann, dessen Freund ich werden soll, gerade gedroht hat, er werde einige Leute über die Klinge springen lassen?"

Sie legte ihre Hand auf meine Schulter und neigte lächelnd den Kopf. „Ich glaube wirklich, dass Gott mir aufs Herz gelegt hat, dich mit ihm zusammenzubringen."

„Entschuldige", sagte ich und versuchte mit aller Macht, ihr Kopfneigen zu ignorieren, „aber ich war bei dem Treffen nicht dabei, an dem du das von Gott gehört hast."

* * *

Ich hatte nicht vor, einen Mörder zum Tee einzuladen. Trotzdem behielten wir den Mann im Blick, den Deborah in ihrem Traum gesehen hatte. Er faszinierte uns beide. Vermutlich war er zwischen sechzig und siebzig Jahre alt, sah aber gleichzeitig jünger und älter aus. Ein Einzelgänger, bei dem das Weiße im Auge ein unheimliches Gelb angenommen hatte. Er lächelte nie und redete nur selten. Auch kannten wir keinen, der ihn wirklich geachtet hätte. Andererseits konnte man auch nicht behaupten, dass ihn die anderen in der Mission gemieden hätten, es war eher so, dass sie eine respektvolle Distanz einhielten, so wie man um einen Pitbullterrier besser einen weiten Bogen macht.

Wenn dienstags die Essensschlange langsam kürzer wurde, tauchte er immer aus dem Nichts auf. Mit ausdruckslosem Gesicht und ohne jeglichen Augenkontakt deutete er an, dass er zwei Teller brauche, den zweiten für einen alten Mann im ersten Stock. Dabei handelte es sich um einen eindeutigen Bruch der Regeln, aber wir waren nicht die Missions-Polizei. Also servierten wir ihm zwei Portionen und segneten ihn, was er mit sturem Schweigen erwiderte. Eines Dienstags erzählte uns jemand in der Küche, sein Name sei Dallas.

Dallas aß immer eine Mahlzeit im Speiseraum, wobei er sich einen Platz in einer abgelegenen Ecke suchte, um jeglichen menschlichen Kontakt zu vermeiden. Wenn es trotzdem jemand wagte, sich neben ihn zu setzen, stand er auf und suchte sich einen anderen Platz. Während er aß, starrte er ernst auf seinen Teller und kaute gewissenhaft mit seinen wenigen guten Zähnen. Er sah niemals nach rechts oder links, sondern schaufelte methodisch das Essen in seinen Mund, bis der Teller leer war. Dann verschwand er. Ich meine genau das – er verschwand. Das war seine seltsamste Eigenschaft: Man sah ihn eigentlich niemals kommen oder gehen. Es war eher so, dass er da war – und dann war er nicht mehr da.

Wenn wir zur Mission fuhren, sahen wir Dallas oft allein im Schatten eines Müllcontainers auf einem Parkplatz auf der anderen Straßenseite stehen, das Gesicht wie aus Stein gemeißelt. Mehr als einmal hörte ich Leute sagen, dieser Mann sei ein Eigenbrötler, mit dem man besser nichts zu tun habe. Deborah schrieb seinen Namen in ihre Bibel, direkt neben Prediger 9,15: „Und es fand sich darin ein armer, weiser Mann, der hätte die Stadt retten können durch seine Weisheit."

Gelegentlich erinnerte mich Deborah daran, dass Gott ihrem Eindruck nach wollte, dass ich Dallas' Freund werde. Aber ich war nicht auf der Suche nach neuen Freunden, und selbst wenn ich es gewesen wäre, hätte Dallas irgendwie nicht in mein Profil gepasst.

Nur weil ich Deborah nicht enttäuschen wollte – um Gott ging es mir im Augenblick noch nicht – begann ich trotzdem ganz zögerlich, mich an die Spuren dieses Mannes zu heften.

„Hallo, Dallas", sagte ich, wann immer ich ihn sah. „Wie geht es dir heute?"

Die meiste Zeit ignorierte er mich. Aber manchmal spießten mich seine Augen mit einem Blick auf, der sagen wollte: „Lass. Mich. Allein." Das hätte ich auch liebend gern getan, wäre da nicht meine Frau gewesen.

Ein paar Monate später hörte jemand in der Mission, dass ich Dallas „Dallas" nannte, und fing an zu lachen, so als wäre ich der Dorfdepp. „Sein Name ist nicht Dallas, Dummkopf. Er heißt Denver."

Vielleicht ist das der Grund, warum er mich jedes Mal angewidert ansieht, wenn ich ihn anspreche, dachte ich und schöpfte plötzlich Hoffnung.

„Hallo, Denver!", rief ich, als ich ihn kurz darauf wieder am Müllcontainer traf. Er sah mich noch nicht einmal an. Der Mann war so nahbar wie ein elektrischer Weidezaun.

19

Eigentlich lief's ganz gut für mich in der Mission – bis das weiße Pärchen mit dem Dauergrinsen auftauchte und dienstags das Essen im Speisesaal austeilte. Jede Woche hat mich diese weiße Frau aufs Korn genommen, als ich da rumstand in der Warteschlange. Mit einem extrabreiten Grinsen wollte sie meinen Namen wissen und wie's mir so geht – also, das muss man sich mal vorstellen: Ohne jeden Grund hat sie mich einfach so angemacht. Ich hab mein Bestes gegeben, um ihr aus der Schusslinie zu kommen.

Und ich hab ihr auch nicht gesagt, dass ich Denver heiße, aber irgendein Holzkopf hat mich auffliegen lassen. Danach hat sie mich dauernd in die Enge getrieben und hat mir mit ihren dürren Fingern ins Gesicht gepiekt und mir erzählt, dass ich eigentlich gar kein übler Bursche sei.

„Denver, Gott hat eine Aufgabe für dich", sagte sie immer.

Hab ihr 'n paarmal gesagt, dass sie mir gefälligst meine Ruhe lassen soll, weil ich ein echt gemeingefährlicher Kerl sei.

„Du bist keineswegs ein gemeingefährlicher Kerl und ich möchte das nicht noch einmal von dir hören!", hat sie dann immer gesagt.

Sie hat's ganz pfiffig angestellt mit mir. Hat nie 'ne Frau gegeben, die das so hingekriegt hat, und auch kein Kerl hat das geschafft ohne 'ne blutige Nase. Aber sie is' mir immer weiter auf die Pelle gerückt und ich hab mir irgendwann gedacht, „Was hab ich der denn getan, dass sie mich einfach nicht in Ruhe lässt und ich nicht ungestört mein Ding machen kann?"

Mag ja so aussehen, als ob man für den Job eines Penners nicht allzuviel in der Birne haben muss, aber ich kann dir sagen – um da draußen zu überleben, sollte ein Obdachloser wissen, mit wem man's machen kann und mit wem nicht. Und das eine haben die Obdachlosen von Fort Worth über mich gewusst: Mir ging man besser aus'm Weg, weil wenn ich einen Mann umgehauen hab, hat er schon geschnarcht, bevor er auf'm Pflaster aufgeschlagen ist.

Aber egal, wie böse und gemein ich mich aufgeführt hab in der Mission, ich hab die Frau nicht abschütteln können. Sie war nach langer, langer Zeit die Erste, die einfach keinen Bammel hatte vor mir. Kam mir vor, als ob sie geistliche Röntgenaugen gehabt hat: Sie konnte einfach durch meine Haut hindurchgucken und den Menschen sehen, der ich in meinem Innersten war.

Ich sag dir mal ganz ehrlich, was ein Obdachloser von den Typen hält, die den Pennern helfen. Wenn du auf der Straße lebst, fragst du dich, warum manche freiwilligen Helfer tun, was sie tun. Was wollen die damit erreichen? Jeder will was. Als zum Beispiel dieses Paar in der Mission aufgetaucht ist, hab ich mir gedacht, dass der Mann ausgesehen hat wie das Gesetz höchstpersönlich. So wie er sich angezogen hat, so wie er sich angestellt hat. Einfach typisch Oberklasse. Am Anfang auch seine Frau. Was sie gemacht hat, wie sie mit den Leuten umgegangen ist – sie sah einfach zu abgehoben aus. Und das lag nicht an der Art, wie sie sich angezogen hat. Es lag daran, wie sie sich verhalten hat. Und alle beide haben einfach viel zu viele Fragen gestellt.

Während die anderen sich restlos verliebt haben in die zwei, bin ich skeptisch geblieben. Ich hab mir dabei nichts Böses gedacht. Es lag wohl daran, dass die beiden einfach nicht wie Typen aussahen, die eben mal reinkamen und sich um die Obdachlosen kümmerten. Leute wie die spüren das gar nicht in sich drin, dass sie was Besseres sind als du, aber wenn du selbst obdachlos bist, dann glaubst du das ganz fest, dass die glauben, dass sie was Besseres sind.

Doch die beiden waren anders. Ein Grund war, dass sie nicht nur in den Ferien anrückten. Die meisten Leute wollen die Obdachlosen nicht allzu nah an sich ranlassen, weil sie meinen, die wären dreckig oder haben irgendwelche Krankheiten oder vielleicht denken sie, dass dieses Leben voller Leid und Plagen irgendwie, irgendwann auf sie selbst abfärbt. Sie tauchen an Weihnachten und Ostern und Erntedank auf und bringen etwas Truthahn in lauwarmer Soße vorbei. Dann hauen sie ab nach Hause und versammeln sich um ihren eigenen Tisch und vergessen dich einfach, bis sie sich nach einiger Zeit etwas unbehaglich fühlen, weil sie einfach so viel haben, für das sie dankbar sein können.

An den Dienstagen hab ich dann angefangen zu warten, bis die Warteschlange verschwunden war, sodass ich das Ganze schnell hinter mich bringen konnte, ohne mit dem Pärchen reden zu müssen. Das heißt aber nicht, dass ich sie nicht genau beobachtet hätte.

20

Es dauerte einige Monate, bis ich eine wirkliche Veränderung in meinem Herzen entdeckte. Mein Herz fühlte sich an, als ob es für kurze Zeit in der Mikrowelle gewesen wäre – außen warm, aber in der Mitte immer noch ein bisschen kalt. Ich war mir ziemlich sicher, dass etwas passiert war, als ich dienstagmorgens, dem Tag in der Mission, mit demselben aufgeregten Schaudern aufwachte wie samstags in Rocky Top. Es war keines von diesen Toten-Auferweckungs-Wundern, nichts in der Art. Doch die Menschen, die mich kannten, hätten es für ein kleines Wunder gehalten. Mindestens.

Meine eigene Sicht der Dinge war, dass Gott sich vielleicht – wirklich nur vielleicht – auch an mich gewandt hatte, als er bei Deborah angerufen hatte. An Tagen, an denen nichts anderes anlag, schaute ich ab und zu in der Mission vorbei. Schon bald kannten die Leute auf der Straße meinen schmutziggrünen Pickup mit Doppelkabine, und wenn sie mich aus dem Tunnel an der East Lancaster Street kommen sahen, versteckten sie die Papiertüten mit den Schnapsflaschen hinter ihrem Rücken und winkten mir zu, so als wäre ich ein Nachbar, der von der Arbeit heimkam.

Manchmal war ich auf den Straßen in der Nachbarschaft unterwegs, an Orten, wo man junge Dinger in hautengen Jeans auf- und abflanieren sieht, die am helllichten Tag Sex für Zigaretten anbieten. Ich wollte ein offenes Ohr für sie haben, ihnen weiterhelfen. Manchmal blieb ich in der Nähe der Mission, saß an sonnigen Nachmittagen im Schatten eines leerstehenden Gebäudes und plauderte. Ein Bursche erzählte mir, dass er schon tausendmal verheiratet gewesen sei, mit tausend schönen Frauen – und alle reich wie Oprah Winfrey. Natürlich, sagte er, hätten sie ihm den letzten Cent gestohlen, deswegen fragte er mich, ob ich eine Zigarette für ihn hätte.

Wenn ich lange genug dort herumhing und mich bemühte einen Kerl zu entdecken, der nicht entdeckt werden wollte, dann sah ich immer Denver. Doch jedes Mal, wenn ich einen Schritt in seine Richtung tat, wich er mir genauso weit aus. Die Tatsache, dass ich ihn jetzt mit seinem richtigen Namen ansprach, schien mehr Schaden als Nutzen zu bringen. Wenn es irgendetwas bewirkte, dann schien er verärgert, so als ob er darüber zornig wäre, dass ich nun den Nagel auf den Kopf getroffen hatte.

Zu dieser Zeit nannten die Leute in der Mission Deborah längst „Mrs Dienstag". Sie mochten sie wahnsinnig gern. Doch sie war davon überzeugt, dass mehr als „mögen" nötig war – und mehr als die Ausgabe von Makkaroni und Fleischklößchen – wenn man ihr Vertrauen gewinnen wollte. Ohne das, so dachte sie, bewirkte unser Engagement zwar volle Mägen am Dienstagabend, aber nur wenig wirkliche Veränderung. Ihr Ziel war es, Leben zu verändern und Herzen zu heilen. Gebrochene Männer und Frauen in die Reihen der Sauberen und Nüchternen zurückzuführen, sodass sie in eigene Wohnungen ziehen und sonntags mit ihren Familien im Park sitzen konnten.

Sie begann sich darüber das Hirn zu zermartern, wie sie etwas Freude in das Leben dieser Menschen bringen könnte. Ihre erste Idee waren die „Schönheitssalon-Abende". Deborah und ihre beste Freundin Mary Ellen Davenport zogen bewaffnet mit Schminkkoffern, Frisiergeräten, Parfümfläschchen, Seifen und allen möglichen Maniküre- und Pediküreinstrumenten in die Mission. Und die obdachlosen Frauen kamen auch. Deborah und Mary Ellen kämmten ihnen die Läuse aus den Haaren, wuschen sie und frisierten sie mit Föhn und Lockenstab. Wenn eine Frau eine Pediküre wollte, dann wuschen Deborah und Mary Ellen ihr die Füße, schrubbten mit Bimsstein die Verhärtungen weg, die durch schlecht sitzende Schuhe entstanden waren, und lackierten ihre Fußnägel in einem femininen Rot oder Pink. Sie machten Gesichtsmasken, schminkten und gaben den Frauen kleine Makeup-Sets, die sie behalten durften. An manchen dieser Abende sah eine obdachlose Frau ihr Spiegelbild, erinnerte sich daran, wie sie ausgesehen hatte, bevor ihr Leben aus der Bahn geworfen worden war, und begann zu weinen.

Danach erfand Deborah den Kinoabend. Mir erschien das zunächst wie eine Schnapsidee, doch schon am ersten Abend erschienen mindestens fünfzig Männer, um sich einen Film über den Brooklyn Tabernacle Chor anzusehen. Am Mittwoch darauf war der Speisesaal bis zum

Rand gefüllt – 150 Menschen. Am dritten Abend geschah ein kleines Wunder: Anstatt zum Ausgang zu drängen, sobald die Leinwand schwarz wurde, begannen erwachsene Männer, bärbeißig und kampferprobt, zu weinen und um Gebet zu bitten. Gott hatte es geschafft, aus dem Speisesaal eine Art Beichtstuhl zu machen. Diese Verwandlung hatte nichts mit den Filmen zu tun. Es war schlichtweg, weil wir uns um sie gekümmert hatten. Die Männer fingen an, uns Geschichten zu erzählen, die sie noch nie jemandem erzählt hatten – und ich muss ehrlich sagen, dass ich manche dieser Geschichten lieber auch nicht gehört hätte.

Das brachte Deborah auf eine neue Idee: Geburtstagsabende. Einmal im Monat brachten wir einen riesigen Kuchen mit leckerem Zuckerguss mit und alle, auch „Gottes Leute", waren eingeladen, davon zu essen. Diejenigen, die in dem entsprechenden Monat Geburtstag hatten, bekamen zwei Stücke. Einige Leute wussten gar nicht, in welchem Monat sie geboren waren, aber wir prüften niemals irgendwelche Ausweispapiere. Der Kuchen war immer ein Hit. So sehr, dass es schien, als hätten die Leute immer öfter Geburtstag – manche sogar jeden Monat. Während des Jahres, in dem wir regelmäßig den Kuchen mitbrachten, wurden ein paar Kerle in der Mission gleich zwölf Jahre älter.

Im Herbst 1998 brachte uns der Briefträger eine Einladung, die auf den ersten Blick wie eines von diesen üblichen Massenwerbeschreiben aussah, sich aber als Schatz entpuppte. Unser Freund Tim Talor organisierte einen „Outreach to the unreached" – das ist einfach nur ein nettes Wort für Evangelisation – in einem Theater in der Innenstadt, das sich im ersten Stock einer berühmten Bar befand, die Caravan of Dreams hieß.

Deborah und ich waren schon einmal im Caravan gewesen, einer verrauchten Jazz- und Blues-Lounge, die dem milliardenschweren Bauunternehmer Ed Bass gehörte, der sich bei der Neugestaltung von Fort Worth hervorgetan hatte. Die Bar war up to date, auch dann noch, als wir es nicht mehr waren, deshalb war es Jahre her, dass wir den letzten Abend dort verbracht hatten. Trotzdem brachte Tims Einladung Deborah auf einen Gedanken: Wir könnten zur Mission fahren und unsere Autos mit Menschen vollladen, die einen alkoholfreien Abend in der Innenstadt verbringen wollten. In Anbetracht der Tatsache, dass

Jesus sich mit Fressern und Weinsäufern getroffen hatte, schien ihr der Ort keine Probleme zu bereiten.

Am nächsten Tag entwarfen wir ein Poster, auf dem ein kostenloses Konzert angekündigt wurde, fuhren in die Mission und hängten es am schwarzen Brett auf, direkt neben einem Plakat, das armen Leuten ein paar Dollars für ihre Blutspende versprach.

Unsere Einladung verriet nicht, welche Band spielen würde, das Caravan war aber auch hier kein unbekannter Ort. Jeder, der einmal in Fort Worth gewesen war, wusste, dass dort hin und wieder auch große Künstler auftraten. Ich bin mir sicher, die Leute in der Mission hofften insgeheim, B. B. King würde kommen.

Regen verwandelte den Straßenrand in Schlamm, als wir an diesem Abend auf das Gelände der Mission fuhren, ich in meinem Suburban- und Deborah in ihrem Landcruiser-Geländewagen. Trotzdem hatten wir Kundschaft: Etwa fünfzehn Männer und Frauen standen auf dem regennassen Bürgersteig im besten Fummel, den Second-Hand-Shops zu bieten hatten.

Inklusive Denver.

Wir erschraken, als wir ihn dort auf den Stufen der Mission stehen sahen, ernst und unbeweglich wie die Statue eines Diktators. Und er hatte wirklich vor, mit uns zu kommen: Er war so sauber geschrubbt, dass seine Ebenholzhaut aus dem dunkelblauen Gebrauchtanzug, der ihm beinahe passte, herausglänzte. Er stand allein – klar – wenigstens zwanzig Meter von jedem anderen entfernt, was uns nicht wirklich überraschte, denn die anderen behandelten ihn immer wie einen bösen Hund an einer langen Kette.

Nachdem ich ausgestiegen war und die Tür zu meinem Suburban geöffnet hatte, setzten sich sechs Männer auf die beiden Rücksitzbänke, nur der Beifahrersitz blieb frei. Niemand wollte neben Denver sitzen, der säuerlich das Einsteigen beobachtete, sich aber nicht vom Fleck gerührt hatte. Fünf Minuten lang stand er einfach nur da und starrte. Ich wartete. Dann ging er, ohne ein Wort zu sagen, zum Suburban und setzte sich auf den Beifahrersitz, nur wenige Zentimeter von mir entfernt.

So nahe war ich ihm noch nie gekommen. Ich fühlte mich wie Billy Crystal in dem Film *City Slickers – Die Großstadthelden*, wo er in der Prairie allein mit seinem unheimlichen Cowboy-Boss kampiert und zitternd zusehen muss, wie dieser sein Messer an einem Streichriemen schärft. Um die Spannung aufzulösen, versuchte ich ein paarmal, ein einfaches Gespräch anzufangen, aber Denver saß nur stocksteif und mucksmäuschenstill da, eine Sphinx auf dem Beifahrersitz.

Als ich losfuhr, schienen die anderen Kerle im Wagen glücklich darüber zu sein, dass sie in einem Auto saßen, auf dessen Türen nicht „Fort Worth Polizei" zu lesen war. Sie wollten alles Mögliche wissen, unter anderem, wie viel mich der Wagen im Monat kostete und ob ich noch andere reiche Leute kenne.

Deborah folgte uns in ihrem Landcruiser mit einer Wagenladung Frauen. In fünf Minuten waren wir durch den Tunnel und am Caravan. Wir parkten ein und unsere Gäste strömten aus den Autos, plappernd und lachend, froh über ihre schicke Kleidung und darüber, dass sie nun im anderen Fort Worth waren. Wir marschierten ins Gebäude und dann die Treppe hinauf zu dem Theater, in dem 250 Sitzplätze auf eine kleine Bühne hin ausgerichtet waren.

Außer Denver. Mir war aufgefallen, dass er nicht mit hineingekommen war. Als alle saßen und kurz bevor die Show begann, stand ich noch einmal auf und ging die Treppe runter. Ich fand ihn auf dem Bürgersteig, wo er eine Zigarette rauchte.

„Das Konzert beginnt gleich", sagte ich. „Möchtest du nicht auch hineingehen?"

Rauch kringelte sich um seinen dunklen Kopf. Ich hörte das Geplätscher des Regens, der durch den Rinnstein floss. Denver sagte kein Wort. Ich postierte mich im Caravan direkt neben der Tür und wartete. Schließlich ging er an mir vorbei und die Treppe hinauf, so als hätte ich nicht mehr Leben in mir als die Indianerstatue in einem Zigarrenladen. Ich folgte ihm, und als er sich an den Rand einer leeren Reihe setzte, setzte ich mich neben ihn.

Dann tat ich etwas Dummes: Ich lächelte herzlich und klopfte ihm aufs Knie. „Denver, ich bin froh, dass du hier bist."

Er lächelte nicht zurück, zuckte nicht einmal, sondern stand einfach auf und ging weg. Zunächst hatte ich Angst mich umzudrehen, aber später, nachdem das Konzert begonnen hatte, sah ich aus dem Augenwinkel, dass er allein in der letzten Reihe saß.

Das war zu viel. *Er ist ein Spinner*, folgerte ich, *meiner Mühen nicht wert.* Dieser Mann sah definitiv einem geschenkten Gaul ins Maul.

Aber auch ein anderer Gedanke nagte an mir. Könnte es sein, dass er etwas in mir sah – etwas, das er nicht mochte? Vielleicht fühlte er sich wie das Ziel eines frisch geföhnten weißen Jägers, der nach einer Beute suchte, mit der er bei seinen Freunden angeben konnte, etwas zum Vorzeigen nach einer viermonatigen Safari in den Problemvierteln der Innenstadt. Was sollte ich überhaupt mit ihm anstellen, wenn ich ihn einmal gefangen hatte? Vielleicht hatten Gott und Deborah seinerzeit Frequenzstörungen? Vielleicht war ich gar nicht dazu bestimmt, sein Freund zu werden?

Das Konzert dauerte knapp zwei Stunden. Als wir danach durch die flachen Regenpfützen zu unseren Autos zurückschlitterten, dankten uns unsere Gäste überschwänglich. Alle außer Denver, der wie üblich zurückblieb. Doch als alle anderen in die Autos einstiegen, kam er zu mir und sagte die ersten Worte, die ich bis dahin von ihm außerhalb des Speisesaals gehört hatte.

„Ich möchte mich bei Ihnen entschuldigen", sagte er. „Sie und Ihre Frau versuchen schon seit einer ganzen Weile, nett zu mir zu sein, und ich bin Ihnen absichtlich aus dem Weg gegangen. Das tut mir leid."

Fassungslos rang ich nach Worten. Ich wollte nicht zu viel sagen, weil ich Angst hatte, er würde gleich wieder wegrennen. Also sagte ich nur: „Das ist schon in Ordnung."

„Wenn Sie das nächste Mal in der Mission sind, versuchen Sie mich zu finden, dann können wir einen Kaffee miteinander trinken und ein bisschen plaudern."

„Wie sieht es morgen früh aus?", war das, was herauskam, als ich meine übereifrige Klappe öffnete. „Ich hole dich ab und wir frühstücken zusammen. Was hältst du davon, wenn ich dich in dein Lieblingsrestaurant einlade?"

„Ich hab kein Lieblingsrestaurant", sagte er, dann fügte er hinzu: „Ehrlich gesagt bin ich überhaupt noch nie in irgend'nem Restaurant gewesen."

„Na gut, dann suche ich eins aus und hole dich um 8:30 Uhr ab. Genau da, wo ich dich heute absetze."

Wir stiegen wieder in den Suburban und ich raste zur Mission zurück. Ich konnte es kaum abwarten, Deborah die Neuigkeiten zu erzählen.

21

Wie ich schon gesagt hab, hab ich Mr und Mrs Dienstag genau beobachtet. Die waren nicht wie diese Freiwilligen an Feiertagen. Die sind jede Woche gekommen und haben mit den obdachlosen Leuten geredet, so wie wenn sie keine Angst vor denen hätten. Haben mit ihnen geredet, wie wenn die was auf dem Kasten hätten. So hab ich langsam angefangen zu denken, dass Mr und Mrs Dienstag es wirklich gut meinen, dass sie nicht nur so'n paar reiche Schnösel sind, die sich besser damit fühlen wollen.

Wie sie also damit angefangen haben, von einer Fahrt zum Caravan of Dreams zu reden, bin ich neugierig geworden. In der Mission gab's 'ne Menge Leute, die mich respektiert haben. Ich habe gedacht, wenn ich gehe, dann haben andere vielleicht auch Lust zu gehen. Dazu kam, dass ich in der Innenstadt gelebt hab, bevor ein paar Milliardäre dort alles neu gemacht haben. Ich hatte 'ne Menge von diesen neuen Häusern noch nie gesehen, also habe ich gedacht, ich kann ja auch hingehen und sie mir mal angucken.

Zu der Zeit hatte ich einen Job im Klamottenladen von der Mission. Das war eigentlich kein richtiger Laden, sondern ein Lagerhaus, das bestimmt hundert Jahre alt war, mit Kisten voller Klamotten und Schuhen, aufeinandergestapelt bis an die Decke, von der die nackten Glühbirnen runterhingen. Wie ich von der Sache mit dem Caravan gehört hab, hab ich mir den besten Anzug geschnappt, der an dem Tag reingekommen ist. Hab ihn mir besonders ausgesucht.

Ehrlich gesagt hatte ich ja irgendwie gehofft gehabt, dass die Autos voll sind und ich nicht mehr reinpasse. Du weißt ja, wie das ist, wenn du versuchst das Richtige zu tun, aber es nicht tun willst. Na ja, mein Glück, Gott hat mir einen Platz reserviert. Alle sind in den großen Suburban reingeklettert, und was meinst du, welcher Platz übrig geblieben ist? Der vorne, direkt neben Mr Dienstag. Ich hab einfach nur auf der Treppe gestanden und gehofft, irgendein anderer würde verspätet aus der Mission rausstürzen und statt mir ins Caravan fahren.

Nun ja, das ist nicht passiert, also bin ich ins Auto gestiegen. Dann hab ich gehofft, dass Mr Dienstag nichts mit mir reden würde. Aber das war so wie zu hoffen, dass die Sonne nicht aufgeht, natürlich hat er gleich losgeplappert. Und dann beim Caravan hat er mich nicht nur nicht in Ruhe gelassen, er ist sogar rübergekommen und hat seine Hand auf mein Knie gelegt! Ich schätze mal, der hatte keine Ahnung, dass ich Leute schon wegen weniger eine reingehauen habe.

Ich wollte nicht, dass er bei mir ist. Ich hab niemanden bei mir gewollt. Ich wollte einfach nur allein sein. Also bin ich aufgestanden und hab mich vom Acker gemacht. Das war so meine Art.

Aber nach 'ner Weile hab ich mich deswegen schlecht gefühlt. Ich hab Mr und Mrs Dienstag beobachtet und ich weiß, dass die den Leuten wirklich helfen wollten. Es wäre ziemlich mies von mir gewesen, wenn ich dafür nicht Danke gesagt hätte. Wie also das Konzert aus gewesen ist, hab ich gewartet, bis alle in die Autos gestiegen sind. Dann bin ich zu Mr Dienstag rübergegangen und hab mich entschuldigt.

Er hat gesagt, es wäre in Ordnung. Dann hab ich gesagt, wir könnten ja mal in der Mission einen Kaffee miteinander trinken.

Allmächtiger, das hat vielleicht 'nen Stein ins Rollen gebracht!

22

Nach dem Konzert im Caravan fuhr ich zunächst zurück zur Mission. Nach den üblichen Dankeschöns und Auf Wiedersehens setzte ich die Männer aus der Mission am Straßenrand ab und rief praktisch in demselben Augenblick, als ich wieder anfuhr, Deborah auf ihrem Handy an.

„Du wirst es nicht glauben!", sagte ich, als sie abnahm. „Er hat mit mir gesprochen!"

„Wer?", fragte sie. „Ich kann dich kaum verstehen." Ich konnte im Hintergrund die Frauen aus der Mission reden hören.

„Denver!"

„Was?!"

„Denver! Nach dem Konzert kam er zu mir und entschuldigte sich, dass er uns die ganze Zeit aus dem Weg gegangen war. Und weißt du was? Morgen werde ich mit ihm frühstücken!"

„Ich wusste es!", sagte Deborah. „Ich wusste, dass ihr eines Tages Freunde werden würdet."

Sie war völlig aus dem Häuschen. Bevor wir an diesem Abend ins Bett gingen, beteten wir miteinander, dass Gott uns zeigen möge, wie wir Denver erreichen könnten, wie wir ihn wissen lassen könnten, dass er uns nicht egal ist. Trotzdem warnte ich Deborah, bevor ich am nächsten Morgen das Haus verließ, sie sollte sich nicht allzu viele Hoffnungen machen.

Als ich um Punkt halb neun Uhr vor der Mission anhielt, wartete Denver an der Treppe auf mich. Zum zweiten Mal sah ich ihn ordentlich angezogen – am zweiten Tag in Folge – dieses Mal in Khakihosen und einem weißen Hemd mit einem Button-Down-Kragen, den er nicht zugeknöpft hatte.

Wir begrüßten uns und fuhren plaudernd zum Cactus Flower Café, einem netten Plätzchen an der Throckmorton Street. Denver bestellte Eier, Waffeln und Buttermilch, und als die Bedienung sagte, sie hätten keine Buttermilch, dankte ich im Stillen Gott. Als ich klein war, fand ich es immer komisch, meinem Vater zuzusehen, wie er dieses dickflüssige Zeug ohne abzusetzen herunterschluckte.

Das Essen kam und mit ihm eine Lektion in Geduld. Mein Teller war schon halb leer, als Denver gerade die Butter auf seinen Waffeln verteilt hatte; ich wischte mit meinem Brötchen das letzte Eigelb vom Teller, noch bevor er den ersten Bissen genommen hatte. Er brauchte zwei geschlagene Stunden für zwei Eier und ein paar Waffeln – ich schwöre, ich war kurz davor, ihm die Gabel wegzunehmen, damit ich ihn füttern konnte.

Die meiste Zeit redete ich natürlich, fragte ihn nach seiner Familie, ohne zu persönlich zu werden, was auch für seine Antworten galt. In einem ruhigen ländlichen Dialekt, manchmal lachend und manchmal vorsichtig um Worte ringend, zeichnete er Szenen aus seiner Vergangenheit nach. Ich erfuhr, dass er auf einer Plantage in Louisiana aufgewachsen war, dass er nicht einen Tag seines Lebens in der Schule gewesen war und dass er irgendwann mit Ende zwanzig – er wusste nicht mehr genau, wann – mit gerade einmal $ 20 in der Tasche auf einen Frachtzug aufgesprungen war. Seitdem war er obdachlos und hatte immer wieder Konflikte mit dem Gesetz.

Plötzlich beugte Denver seinen Kopf und wurde still. „Was ist los?", fragte ich, besorgt, dass ich ihn bedrängt haben könnte. Er hob den Kopf und starrte mir in die Augen, hatte seine braunen Laser auf das Ziel ausgerichtet. In Gedanken begann ich bis hundert zu zählen und war schon über achtzig, als er schließlich zu sprechen anfing.

„Darf ich Sie etwas Persönliches fragen?", sagte er.

„Natürlich. Frag mich, was du wissen möchtest."

„Ich möchte Sie nicht wütend machen und Sie müssen mir auch nichts erzählen, wenn Sie es nicht möchten."

„Frag einfach", sagte ich und bereitete mich vor.

Wieder eine lange Pause. Dann, ganz leise: „Wie heißen Sie?"

„Wie ich heiße? Ist es das, was du mich fragen wolltest?"

„Ja, Sir ...", murmelte er, die Peinlichkeit kroch ihm in die Wangen.

„Da, wo ich lebe, da fragst du niemanden, wie er heißt."

Plötzlich schossen Bilder durch meinen Kopf, ich sah ihn mit verbissenem Blick an unserem ersten Tag in der Mission vor mir stehen. *Da fragst du niemanden, wie er heißt.*

„Ron Hall!", fuhr es aus mir heraus, während ich lächelte.

„Mr Ron", antwortete Denver, wobei er den Namen in die Sprache der Plantagen übersetzte.

„Nein, nur Ron."

„Nein, es ist *Mr* Ron", antwortete er bestimmt. „Wie heißt Ihre Frau?"

„Deborah."

„Miss Debbie", sagte er warmherzig. „Ich glaube, sie ist ein Engel."

„Ich auch", sagte ich. „Sie ist vermutlich wirklich einer."

Seine offensichtliche Zuneigung ihr gegenüber berührte mich, besonders, weil er sie noch nie gegrüßt hatte.

Nun glaubte ich zu wissen, warum. Wenn er sich ihr gegenüber geöffnet hätte, dann hätte er seine Deckung verlassen müssen, und das hätte sein Überleben in einem Dschungel gefährdet, in dem er der Löwe war, der von allen gefürchtet wurde. Nachdem ich seine Geschichte gehört hatte, wusste ich, dass er sich mühsam ein Leben aufgebaut hatte. Nach mehr als dreißig Jahren war er darin ein Experte. Gott mochte eine Berufung für Denver haben, wie ihm Deborah gesagt hatte, aber nach Denvers Überzeugung hätte Gott vielleicht ein bisschen früher an seine Tür klopfen sollen.

Als er endlich mit seinem Frühstück fertig war, war mein Haar ungefähr zwei Zentimeter gewachsen. Ich hatte das Gefühl, dass er mit dem Reden noch nicht fertig war, wusste aber nicht, was ich sagen sollte. Schließlich fragte er mich eine gezielte Frage: „Was wollen Sie von mir?"

Ein direkter Treffer, dachte ich und entschloss mich, ihm in aller Offenheit zu antworten: „Ich möchte einfach dein Freund sein."

Mit einem Ausdruck von neugierigem Unglauben hob er die Augenbrauen und zwischen uns entspann sich ein langer Moment des Schweigens.

„Lassen Sie mich darüber nachdenken", sagte er endlich.

Ich fühlte mich nicht zurückgewiesen, was mich überraschte. Andererseits hatte ich noch niemanden auf eine so formale Weise gefragt, ob er mein Freund werden wollte.

Ich bezahlte die Rechnung. Denver bedankte sich bei mir. Als wir zur Mission zurückfuhren, begann er zu lachen. Ich verstand nicht, was so lustig war, aber sein Lachen wurde ein so robustes Gelächter, dass ihm Tränen in die Augen traten und er anfing zu husten, so als hätte er einen Frosch im Hals und bekäme keine Luft mehr. Ungefähr eine Querstraße weiter fing ich auch an zu lachen, zuerst, weil ich Angst hatte, es nicht zu tun, und dann ganz natürlich, denn sein echtes Gelächter war ansteckend.

„Die Leute in der Mission ...", prustete er, immer noch kichernd und sich die Augen reibend. „Die Leute in der Mission denken, dass Sie und Ihre Frau bei der CIA sind!"

„Bei der CIA?!"

„Ja, Sir ... bei der CIA!"

„Hast du das auch geglaubt?"

„Ja ...", sagte er, nachdem er sich schließlich zusammengerissen hatte. „Die meisten Leute, die in der Mission bedienen, kommen einmal oder zweimal, und dann sehen wir sie nie wieder. Aber Sie und Ihre Frau, ihr kommt jede Woche. Und Ihre Frau fragt immer alle Leute, wie sie heißen und wann sie geboren sind. Sie wissen schon, sie sammelt Informationen. Und nun denken Sie einmal nach: Wer in der Welt interessiert sich schon für den Namen und den Geburtstag eines Obdachlosen, wenn nicht der Geheimdienst?"

* * *

Eine Woche verging, bevor ich Denver an einem wunderschönen Herbsttag wiedersah. Der Himmel war strahlend blau, es war Pulloverwetter. Während ich die East Lancaster Street in meinem Pickup hinunterfuhr, entdeckte ich ihn. Er stand wie eine Statue an der Mülltonne gegenüber der Mission. Der geschniegelte und gebügelte Mann, den wir zu der Show mitgenommen hatten, war verschwunden; Denver war in seinen Komfortbereich als Landstreicher zurückgekehrt.

Ich hielt am Straßenrand und kurbelte das Beifahrerfenster hinunter. „Steig ein. Lass uns ein Tässchen Kaffee trinken."

Ich steuerte das Starbucks auf dem Universitätsgelände an, das von Charles Hodges entworfen worden war, einem in Dallas und Fort Worth bekannten Architekten und Freund von mir. Anstelle von Wasserspeiern zierten die Regenrinne Schädel-Nachbildungen von Longhorn-Rindern. Altehrwürdig texanisch.

Als wir uns anstellten, war Denver zunächst sehr still. Später erfuhr ich, dass er darüber staunte, dass die Menschen anstanden, um zwei oder drei Dollar für eine Tasse Kaffee zu bezahlen, die in einer Fremdsprache bestellt werden musste. Darüber hinaus machte er sich Sorgen, dass zwischen den Angestellten an der Kasse und denen, die den Kaffees zubereiteten, ein tief greifender Konflikt zu schwelen schien.

Er stupste mich mit dem Ellenbogen an und flüsterte energisch: „Hier gibt's gleich 'ne Menge Ärger."

„Ärger?"

„Ja, hören Sie denn nicht, wie die da übereinander herziehen? Der eine sagt: ‚koffeinfreier non-fett Lattee' und der andere brüllt das Gleiche zurück, wieder 'n andrer brüllt ‚Frappee' und dann brüllt noch einer ‚Frappee'. So geht's ab unter Straßenbanden. Auf der Straße bringen sie dich um, wenn du ihnen so was hinterherbrüllst." Er schien wirklich besorgt zu sein.

Ich versuchte ihn in die fremde Café-Sprache einzuführen, die sich überall in der zivilisierten Welt ausgebreitet hatte. Dann nahmen wir unseren Kaffee mit nach draußen und zogen zwei Stühle an einen kleinen schwarzen Bistrotisch unter einem grünen Sonnenschirm. Ein paar Minuten lang versuchte ich einem Mann, der noch nie von Picasso gehört hatte, zu erklären, was ein Kunsthändler macht. Als ich auf den französischen Impressionismus zu sprechen kam, sah er zuerst vollkommen unbeeindruckt aus, dann geradezu gelangweilt.

Schließlich dämmerte es mir, dass er mir nicht zuhörte, also hörte ich auf zu reden. Es wurde sehr still.

Denver war es, der das Schweigen beendete. „Wie war noch mal Ihr Name?"

„Ron."

„Und wie heißt Ihre Frau?"

„Deborah."

„Mr Ron und Miss Debbie", sagte er und erlaubte sich ein Lächeln. „Ich werd versuchen, mir das zu behalten."

Dann verblasste sein Lächeln zu einem ernsten Gesichtsausdruck, so als ob er einen seltenen lichten Moment gehabt und nun jemand den Rollladen heruntergelassen hätte. Er starrte auf den Dampf, der von seinem Kaffee aufstieg. „Ich hab 'ne Menge über das nachgedacht, was Sie mich gefragt haben."

Ich hatte keine Ahnung, wovon er sprach. „Was habe ich dich denn gefragt?"

„Das mit dem Ihr-Freund-Sein."

Mein Kinnlade fiel herunter. Ich hatte ganz vergessen, dass er im Cactus Flower Café, als ich ihm gesagt hatte, ich sei an seiner Freundschaft interessiert, geantwortet hatte, dass er sich das überlegen wolle. Ich war ehrlich geschockt, dass jemand eine ganze Woche brauchte, um über diese Frage nachzudenken. Während mir das ganze Gespräch entfallen war, hatte Denver offensichtlich sehr ernsthaft über seine Antwort nachgedacht.

Er sah von seinem Kaffee auf und fixierte mich mit einem Auge, das andere zugekniffen wie bei Clint Eastwood. „Da gibt's was bei weißen Leuten, was mich nervt, und das hat was mit dem Fischen zu tun."

Er war ernst und ich wagte nicht zu lachen, versuchte aber, seine Stimmung etwas zu heben. „Ich weiß nicht, ob ich dir da helfen kann", sagte ich lächelnd. „Ich besitze nicht einmal eine Angelausrüstung."

Denver machte ein düsteres Gesicht; er fand das nicht witzig. „Ich denke, dass Sie das können."

Er sprach langsam und wohlüberlegt, nagelte mich dabei mit seinem Auge fest und ignorierte die Starbucks-Angestellten, die sich auf der Terrasse um uns herum zu schaffen machten.

„Ich hab mal gehört, wenn die weißen Leute fischen gehen, dann schmeißen sie die Fische, die sie gefangen haben, wieder ins Wasser."

Schmeißen die Fische wieder ins Wasser? Ich nickte gefasst und war auf einmal gleichzeitig nervös und neugierig.

„Das nervt mich echt", fuhr Denver fort. „Ich hab keine Ahnung, was das soll. Wenn wir farbigen Leute fischen gehen, dann sind wir stolz auf das, was wir gefangen haben, deshalb nehmen wir's mit und zeigen es allen. Und dann essen wir, was wir gefangen haben ... oder um es anders zu sagen: Wir *ernähren* uns davon. Deshalb nervt es mich, dass die weißen Leute all den Aufwand mit dem Fischen betreiben, und wenn sie dann was fangen, schmeißen sie's zurück ins Wasser."

Er machte wieder eine Pause. Die Stille zwischen uns erstreckte sich über eine ganze Minute.

Dann: „Haben Sie gehört, was ich gesagt habe?"

Ich nickte. Ich hatte Angst zu sprechen, Angst, ihn zu verletzen.

Denver sah in eine andere Richtung, er suchte den blauen Herbsthimmel ab, dann sah er mich wieder mit diesem bohrenden Blick an. „Mr Ron, mir ist also Folgendes klar geworden: Wenn Sie nur nach 'nem Freund fischen, um ihn dann wieder ins Wasser zu schmeißen, dann habe ich keine Lust darauf, Ihr Freund zu sein."

Um uns herum schien die Welt auf einmal stillzustehen und die Gespräche schienen zu verstummen, so wie man das manchmal im Fernsehen sieht. Ich konnte mein Herz schlagen hören und fürchtete, Denver könnte sehen, wie meine Brusttasche auf- und niederhüpfte. Ich erwiderte Denvers Starren mit dem, was hoffentlich ein Ausdruck der Offenheit war, und wartete ab.

Plötzlich wurden seine Augen freundlich und er sprach sanfter als zuvor: „Aber wenn Sie an einem *echten* Freund interessiert sind, dann bin ich dabei. Für immer."

23

*I*ch erzähl dir mal, was mir zuerst durch den Kopf geschossen ist, wie mich Mr Ron gefragt hat, ob ich sein Freund werden will: Ich fand es blöd. Warum will der mein Freund sein? Das hab ich gedacht. Was will der von mir? Jeder will ja irgendwas. Warum sucht er sich nicht einen anderen? Warum sollte *ich* sein Freund sein?

Du musst verstehen, dass ich damals noch ein kilometerdickes Fell von der Straße mit mir rumgeschleppt habe. Ein paar von den Obdachlosen haben 'nen Haufen Freunde, aber ich hab nie einen an mich rangelassen. Das war nicht, weil ich Angst hatte, verletzt zu werden oder so. Ein Freund sein ist einfach 'ne Riesenverpflichtung. Vielleicht sogar mehr, wie wenn man verheiratet ist. Und ich war selbstsüchtig. Ich konnte für mich sorgen und wollte keinen auf dem Buckel haben. Dazu kommt, dass Freundschaft für mich mehr war wie nur reden, zusammen sein oder miteinander abhängen.

Freunde sein ist, wie wenn du ein Soldat in der Armee bist. Du lebst zusammen, du kämpfst zusammen; du stirbst zusammen. Und ich hab gewusst, dass Mr Ron kaum aus irgendeinem Busch springen würde, um für mich zu kämpfen.

Aber dann hab ich noch ein bisschen über ihn nachgedacht und hab gedacht, vielleicht haben wir ja doch was, was wir einander geben können. Ich kann in 'ner anderen Art sein Freund sein, wie er mein Freund ist. Ich hab gewusst, dass er den Obdachlosen helfen will, und so könnte ich ihm ein paar Ecken zeigen, wo er allein nie hingehen würde. Ich hatte keine Ahnung, was ich in seinen Kreisen so finden würde, und ob ich da überhaupt hingehen sollte, aber ich wusste, dass ich ihm helfen könnte, wenn er wissen wollte, wie das Leben auf der Straße aussieht.

So wie ich die Sache sehe, ist ein fairer Tausch kein Diebstahl, und wenn du auf diese Weise ein Geschäft machst, dann betrügst du nicht.

Er würde im Country Club auf mich aufpassen und ich ihm auf der Straße den Rücken freihalten. Ein echter Tauschhandel, ohne Wenn und Aber.

Denver vor seiner alten Hütte auf der Plantage in Louisiana

Der Laden, über den der Mann die Schwarzen versorgte –
und in Abhängigkeit hielt

Der Bahnübergang, bei dem Denver auf den Zug sprang und Red River Parish verließ.

Tante Pearlie Maes Mastschwein

Denver spielt Orgel in
„Debbies Kapelle"

… und singt bei einem von Schwester Betties Gottesdiensten auf dem „Gelände" unter freiem Himmel

Ron & Denver bei einem Rodeo auf Rocky Top

Denver beim Cowboy-
treffen auf Rocky Top

Denver in
seiner Galerie

Denvers erste
Geburtstagsparty
im „Red, Hot
& Blue" in Fort
Worth – mit den
Walkers, Ron
und Deborah

Deborahs letztes
Weihnachtsfest
auf Rocky Top

Regan und Deborah wagen
ein Tänzchen

Denver und Ron in der „Deborah
Hall Gedächtnis-Kapelle"

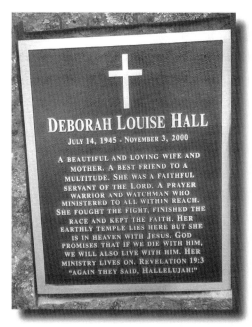

… und der Grabstein

Deborahs Grab auf „Brazos des Dios" (Gottes Arme)

Das Empfangskomittee für Rons erste
Enkeltochter, Griffin Donnell

Zu Weihnachten 2007
sind es dann schon 3 …

Ron & Denver in
aufgeräumter Stimmung

Denver Moore

24

„Wenn Sie an einem *echten* Freund interessiert sind, dann bin ich dabei. Für immer."

Während mir Denvers Worte durch den Kopf gingen, fiel mir auf, dass ich mich an keine Gelegenheit erinnern konnte, in der mir die Freundschaft so bewegend und tiefgründig angeboten worden war wie hier von diesem Landstreicher. Demütig konnte ich nichts anderes tun, als ein einfaches, aber ernstes Versprechen abzulegen: „Denver, wenn du mein Freund sein willst, dann verspreche ich dir, dass ich dich nicht wieder ins Wasser schmeiße."

Er streckte seine Hand aus und ich schüttelte sie. Dann ging ein Lächeln in seinem Gesicht wie die Sonne auf, wir standen auf, sahen einander an und umarmten uns. In diesem Augenblick schmolzen die Angst und das Misstrauen, das wie ein Eisberg zwischen uns gestanden hatte, auf der warmen Terrasse von Starbucks zusammen.

Von diesem Tag an wurden wir das neue seltsame Paar, Denver und ich. Mehrmals pro Woche kam ich an der Mission vorbei, nahm ihn mit und wir fuhren zu einem Kaffeehaus, einem Museum oder einem Café. Deborah trieb mich weiterhin an und betete tiefe Wurzeln in die Freundschaft, deren erstes zartes Pflänzchen sie herbeigebetet hatte. Nach unserem Ins-Wasser-schmeißen-Gespräch taute Denvers schmollende Stille zu einer freundlichen Schüchternheit. „Hast du gesehen, dass Denver in der Essensschlange ‚Hallo' gesagt hat?", sagte sie zum Beispiel mit leuchtenden Augen. „Ich glaube, du machst wirklich Fortschritte."

Deborah und ich waren nicht mehr länger nur Mr und Mrs Dienstag, wir fuhren sehr viel öfter in die Mission. Sie blieb da und arbeitete mit den Frauen und Kindern, während Denver und ich irgendwohin fuhren. Wenn ich vorhatte, ihn in ein nettes Restaurant auszuführen, rief ich vorher in der Mission an, damit er seine hübsche Verkleidung anziehen konnte. Wenn wir jedoch zu Starbucks gingen, zog er an, worin er sich wohlfühlte. Normalerweise sah das verdächtig arm aus – verflecktes Hemd, schief geknöpft, Löcher in den Hosen und ein Paar ausgelatschte Lederschuhe, die er wie Pantoffeln trug, indem er sie an den Fersen niedertrat.

Im Starbuckscafé erfuhr ich alles über die Sklaverei des zwanzigsten Jahrhunderts. Es war nicht die Sklaverei, die mit Sklavenmärkten zu tun hatte und mit jungen schwarzen Männern, die in Ketten weggeführt wurden. An ihre Stelle war eine Sklaverei aus Verschuldung, Armut, Ignoranz und Ausbeutung getreten. Eine Sklaverei, in der der *Mann* – wobei Denvers *Mann* nur einer von vielen war – alle Trümpfe in der Hand hielt und sie sorgfältig ausspielte, so wie er es von seinem Vater und seinem Großvater gelernt hatte.

Mehr als ein halbes Jahrhundert vor Denvers Geburt hatte Abraham Lincoln offiziell verkündet, dass „alle Menschen, die in den beschriebenen Staaten oder Staatsgebieten als Sklaven gehalten werden, frei sind und fürderhin frei sein sollen." Das war alles gut und schön, doch die weißen Plantagenbesitzer verschwanden nicht einfach über Nacht. Zunächst verabschiedeten die Parlamente der Südstaaten „Regelungen für Schwarze", Gesetze, die alle legalen Tricks ausnutzten, um Schwarze in Sklaverei zu halten, was dazu führte, dass die Bundesregierung die staatlichen Parlamente aufhob und den widerspenstigen Süden unter Militärverwaltung stellte. Nachdem daraufhin die staatlichen Gesetzgeber Besserung gelobt hatten, versuchten es die Pflanzer und die Menschen, die ihnen einst gehört hatten, mit einem neuen Arrangement: Sharecropping.

Das entpuppte sich als teuflisches Geschäft. Sharecropping verbreitete nicht nur Armut und Hoffnungslosigkeit sowohl unter Schwarzen wie auch unter armen Weißen, es öffnete auch einen hässlichen, eiternden Spalt auf den Plantagen des Südens, in den Menschen wie Denver Moore fielen, manche von ihnen für immer.

Der Riss ging mitten durch Red River Parish, wo Denvers *Mann* die Karten auf gerissene Weise verteilt hatte. Weil er keine Arbeiter verlieren wollte, behielt er alle Asse in der Hand. Er teilte die Karte des bloßen Überlebens aus, behielt aber die des amerikanischen Fortschritts. Er verteilte die Karte der Knochenarbeit, aber behielt die Karte der Bildung – die Gehen-Sie-aus-dem-Gefängnis-Karte, die Männer wie Denver befreit hätte. Im zwanzigsten Jahrhundert stand es den Sklaven frei, die Plantagen zu verlassen, aber ihre Schulden und die fehlende Bildung ketteten sie an den *Mann*.

Ich hörte Denvers Geschichte mit den fünfzig Jahre alten Ohren eines Mannes, der von Martin Luther Kings Traum berührt worden war. Später fand ich heraus, dass der Ku Klux Klan von Coushatta, einer Stadt im Red River Parish von Louisiana, einen Mordanschlag auf Dr. King geplant hatte. Das FBI wollte ausrücken, um den Plan zu vereiteln, aber Edgar J. Hoover verbot es ihm.

Je mehr ich hörte, desto mehr hasste ich den *Mann* und wollte das Elend, das die modernen Sklavenmeister Lousianas auf dem Gewissen hatten, wiedergutmachen. Wie ein Vogel habe ich Denvers Geschichte jedem vorgesungen, der zuhören wollte. Dann traf mich eines Tages ein Gedanke mitten ins Herz: Mein eigener Großvater unterschied sich nicht sehr von dem *Mann*. Er war fairer, ja. Ein ehrlicher und anständiger Mann im Texas seiner Zeit. Und doch waren die Löhne, die er gezahlt hatte, kein Ausgleich für die erbärmliche Weise, wie wir die Menschen behandelt hatten, die sein Land bearbeitet hatten.

Erstaunlicherweise erzählte mir Denver immer wieder, dass ein Mann, der Arbeitsplätze schaffe, auch ein Recht auf Profit habe. Denver hatte in einer Hütte mit zwei Räumen ohne fließendes Wasser und Glasfenster gelebt – bis fast zu der Zeit, in der dieses Land Menschen auf den Mond schickte. Doch trotzdem bestand er darauf, dass der *Mann* im Grunde kein schlechter Mensch war.

„Er hat nur gemacht, was sie ihm beigebracht haben", sagte Denver. „Mal abgesehen davon: Wenn sie alle reich wären, wer würde dann die ganze Arbeit machen?"

Diese hausgemachte, praktische Weise, die Dinge zu betrachten, faszinierte mich. Nach unserem Ins-Wasser-schmeißen-Gespräch gab ich ihm meine Telefonnummer und offenbarte ihm, wo wir leben, womit ich die grundlegendste Regel der ehrenamtlichen Missionsmitarbeiter brach. Um die Wahrheit zu sagen, hatte ich vor unserer Lektion im Fischen bei Starbucks nie geglaubt, dass Denver und ich wirklich Freunde werden könnten – jedenfalls nicht außerhalb der Gegend, in der er zu Hause war.

Ich gebe es nur ungern zu, aber ich sah mich in dieser Zeit als eine Art gutmütiger Wohltäter: Ich gab ihm ein bisschen meiner wertvollen Zeit, die ich, wenn ich nicht so wohltätig wäre, dazu benutzen könnte, um ein paar Tausend Dollar extra zu verdienen. Und wenn Denver sauber und nüchtern bleiben sollte, würde ich ihn von Zeit zu Zeit im Pennerland abholen und zu Ausflügen in Restaurants und Einkaufszentren mitnehmen, also zu einer Art Peepshow, in der er einen Blick auf die Früchte des verantwortlichen Lebens werfen und infolgedessen seines vielleicht entsprechend ändern konnte.

Ich war mir bewusst, dass ich ihm eventuell mit der Tatsache eine therapeutische Qual bereitete, dass er vermutlich niemals solche ausgefallenen Spielzeuge wie wir sein Eigen nennen würde, Dinge wie zum Beispiel einen Pferdeanhänger mit Schlafkabinen. Mit Sicherheit würde er niemals eine Ranch oder einen Picasso besitzen. Ich war erstaunt, als ich merkte, dass ihn das überhaupt nicht störte – am wenigsten die Geschichte mit dem Picassao, nachdem Denver ein paar seiner Bilder betrachtet hatte.

An einem Nachmittag besuchten wir drei Kunstmuseen – das Kimbell, das Amon Carter und das Modern. Im Modern dachte er, ich würde mich über ihn lustig machen. Während wir uns eine von Picassos, sagen wir, weniger *strukturierten* Arbeiten ansahen, starrte Denver mich an, als versuchten ihm die Museumskuratoren irgendein Quacksalberprodukt anzudrehen.

„Sie veräppeln mich, stimmt's?", fragte er. „Die Leute nennen so was doch nicht Kunst, oder?"

Ich hatte mein Haus mit ähnlichen Werken geschmückt, und als Kunsthändler waren die modernen Meister mein Spezialgebiet. Doch als wir an diesem Tag durch das Modern schlenderten, versuchte ich die mutigen Geometrien, die dick aufgetragenen Farben und die riesigen, von „negativen Räumen" dominierten Leinwände durch seine Augen zu betrachten. Ich musste zugeben: Einiges davon sah wie Müll aus.

Das Kimbell war Denvers Lieblingsmuseum. Die Gemälde der alten Meister zogen ihn wie ein Magnet an, besonders die jahrhundertealten Darstellungen Christi. Als wir vor einem großen Matisse aus dem Jahr 1940 stehen blieben und ich ihm sagte, dass das Bild zwölf Millionen Dollar gekostet habe, fiel ihm die Kinnlade herunter.

„Na ja", sagte er und betrachtete das Werk in zweifelnder Bewunderung. „Mir gefällt es nicht besonders, aber ich bin froh, dass das Museum es gekauft hat, denn so können Leute wie ich mal sehen, wie ein Zwölf-Millionen-Dollar-Bild aussieht." Er machte eine Pause und fuhr dann fort: „Glaubst du, die Wachen am Eingang haben gewusst, dass ich ein Obdachloser bin?"

Mit den Museen, den Restaurants und den Einkaufszentren zeigte ich Denver eine andere Weise zu leben, eine Weise, in der sich die Menschen Zeit nehmen, die feinen Dinge des Lebens wertzuschätzen, in der sie Ideen austauschen, in der roher Riffbarsch teurer ist als gekochter Wels. Dennoch blieb er absolut überzeugt davon, dass sein Leben nicht schlechter war als meines, nur anders, wobei er immer wieder auf bestimmte Widersprüchlichkeiten hinwies: Warum, so wunderte er sich zum Beispiel, nennen die reichen Leute das Sushi, was für die Armen Köder ist?

Ich wusste, dass Denver es ernst meinte, als er mir offenbarte, er würde nicht für einen Tag mit mir Platz tauschen wollen. Seine Überzeugungen wurden für mich vollkommen offensichtlich, als ich bei einem unserer ersten Kaffeetreffen meinen Schlüsselbund zwischen uns auf den Tisch legte.

Denver lächelte ein wenig und wagte dann eine vorsichtige Frage. „Ich weiß, das geht mich nichts an, aber passt jeder von diesen Schlüsseln in irgendwas, was Ihnen gehört?"

Ich blickte kurz auf die Schlüssel; es waren insgesamt zehn. „Ich denke schon", antwortete ich, ohne weiter darüber nachzudenken.

„Sind Sie sicher, dass Ihnen die Dinge gehören, oder gehören Sie den Dingen?"

Diese Weisheit klebte an meinem Hirn wie Tesafilm. Je mehr ich darüber nachdachte, desto mehr wurde ich davon überzeugt, dass wir das Leben sehr viel mehr genießen, wenn wir sehr viel weniger besitzen. In gewisser Weise wurde Denver mein Lehrer und ich sein Schüler, wenn er mich in seine spezielle Mischung aus geistlichen Einsichten und guter alter Volksweisheit hineinnahm.

Mir wurde nach und nach auch klar, dass die dreißig Jahre auf der Straße dem Mann nicht nur ein dickes Fell, sondern auch eine eiserne Loyalität, einen starken Geist und ein tiefes Verständnis für das gegeben hatten, was in den Geknechteten vor sich ging. Obwohl er sich in der Sünde und den Abhängigkeiten der Straße gesuhlt hatte, behauptete er, in der Einsamkeit von Gott zu hören. Sein Hirn hatte all das, was er über die Jahre gesehen hatte, irgendwo abgeheftet, und es schien, als hätte er nur darauf gewartet, dass ihm endlich jemand zuhören wollte. Ich hatte das Vorrecht, ihm als Erster mein Ohr leihen zu dürfen.

25

Ich und Mr Ron, wir haben ziemlich viel Zeit miteinander verbracht, ich hab ihn auf die Straße mitgenommen und ihm gezeigt, was was ist, und er hat mich in Museen, Restaurants, Cafés und so eingeladen. Ich habe auf diesen Trips 'ne Menge gelernt – so was wie den Unterschied zwischen einem Taco und einem Enchilada. Ein Taco ist so ein knuspriges Ding, und ein Enchilada ist dieses lange Ding, das neben dem Taco irgendwie runterklappt. (Ich hab aber normalerweise nur das Innere von 'nem Taco gegessen, weil ich nur ein paar gute Zähne hab.) Ich hab auch den Unterschied zwischen einem Restaurant und einem Café rausgefunden: Ein Restaurant ist, wo sie dein Messer und deine Gabel in so'n modisches Stofftuch einrollen, das du als Serviette benutzen kannst. In einem Café kriegst du einfach nur die üblichen Papierservietten und da ist nie was drin eingerollt.

Wie mich Mr Ron das erste Mal in ein Restaurant mitgenommen hat, hab ich erst mal 'ne Weile nach der Gabel gesucht, bis ich gesehen hab, wie er so'n dunkelrotes Stoffstück auseinanderrollt, das neben seinem Teller gelegen hat. Er hat gemerkt, wie ich geglotzt hab, und hat mir gesagt, dass der Stoff die Serviette ist, was ich ziemlich blödsinnig finde, denn wer soll das denn alles waschen?

Ich und Miss Debbie, wir haben auch ein bisschen geredet. Ich bin nicht mehr weggerannt, wenn ich sie gesehen habe, und wenn sie mich gefragt hat, wie's mir geht, hab ich ‚gut' gesagt. Sie war immer so nett zu mir, hat mich über mein Leben ausgefragt und was ich an dem Tag tun würde und ob sie mir irgendwas mitbringen könnte. Ich hab ihr immer wieder auf dem Gelände, wie wir die zur Mission gehörende Freiluftkirche nannten, geholfen, ihr und Schwester Bettie und der Freundin von Miss Debbie, Miss Mary Ellen.

Ich hab Schwester Bettie getroffen, bevor ich Miss Debbie kennengelernt hab. Sie ist keine Nonne oder so. Wir nennen sie nur „Schwester", weil sie 'ne echt geistliche Frau ist.

Ich habe keine Ahnung, wie alt Schwester Bettie gewesen war, wie ich sie getroffen hab, aber jetzt hat sie 'ne Haarkrone, weiß wie 'ne Wolke an einem Sommertag, und leuchtende Augen, so blau wie der Himmel, in dem sie herumsegeln. Wenn die mit dir spricht, dann legt sie dir die Hand auf den Arm, so wie wenn sie dich schon dein ganzes Leben lang gekannt hat, wie wenn du ihr eigenes Kind wärst. Und selbst wenn sie ihre Hand 'ne Weile dalässt, stört dich das nicht. Du bist einfach froh, dass Gott so nett war, so eine Lady in dieser Welt abzusetzen.

Schwester Bettie lebt in der Mission, aber nicht, weil sie nirgendwo anders hingehen könnte. Vor 'ner ziemlich langen Zeit hat sie in 'ner ganz normalen Gegend gewohnt. Aber wie ihr Mann gestorben ist, hat Schwester Bettie das Gefühl gehabt, dass Gott will, dass sie den Rest ihres Lebens im Dienst für die Obdachlosen verbringt. Sie hat also ihr Haus und alles, was sie hatte, verkauft und nur einen kleinen Toyota-Pickup behalten und hat dann die Leute in der Mission gefragt, ob sie da wohnen könnte.

Es hat nicht lange gedauert, bis die meisten obdachlosen Leute in Fort Worth Schwester Bettie gekannt haben. Sie ist in Restaurants gegangen und hat um Reste gebeten, und in Geschäfte, wo sie nach Socken, Decken, Zahnpasta und so gefragt hat. Dann hat sie ihre alten Knochen in einige der übelsten Straßen geschleppt, und hat ihre Hilfe Männern angeboten, die so fies waren, dass sie dir ruckzuck den Kopf abreißen konnten. Schwester Bettie hat davor keine Angst gehabt, weil sie glaubt, dass Gottes Engel um sie herum sind und nicht zulassen, dass ihr was passiert. Und wenn doch, sagt sie, dann ist das Gottes Wille.

Sie hat nie 'nen Geldbeutel bei sich, nur das, was sie an dem Tag ausgeben will und ihre Bibel. Nach 'ner Weile war es ziemlich egal, was Schwester Bettie über Gottes Engel geglaubt hat: Selbst der übelste Typ auf der Straße hätte es nicht gewagt, ihr auch nur ein Haar zu krümmen, weil er dann ziemlich zusammengeschlagen worden wäre. Bis heute könnte diese Frau nachts nackig auf den Eisenbahnschienen durch den Hobo-Dschungel laufen und sie wäre so sicher wie daheim im Bett.

Wie ich eine Weile in der Mission gewesen bin, hab ich angefangen, Schwester Bettie bei ein paar Dingen zu helfen. Wir haben nie geredet, aber wenn sie was gebraucht hat, wusste sie, sie muss mich nur fragen und ich mach's. So was wie ihren kleinen Pickup am Laufen halten, das Öl wechseln und den Keilriemen, so Sachen halt.

Ich habe ihr auch bei den Gottesdiensten auf unserem „Gelände" geholfen, an 'ner Ecke, die die Leute „Unterm Baum" nennen. Es ist drüben in der Nähe von der Annie Street, in einer der übelsten Gegenden der Stadt, voller Junkies, Krimineller und abgerissener hohläugiger Typen, die so schlecht leben, dass sie sich jedesmal, wenn sie die Augen aufmachen, wundern, dass sie schon wieder 'nen Tag durchgestanden haben.

Versteh mich nicht falsch. Es war nicht so, dass ich immer nüchtern und sauber gewesen bin, nichts davon. Nur weil ich mit Mr Ron befreundet gewesen bin, bin ich nicht über Nacht ein Heiliger geworden. Wir sind vielleicht tagsüber zu all den tollen Plätzen gegangen. Aber nachts war ich immer noch im Hobo-Dschungel und hab mit ein paar Kumpels den Jim Beam kreisen lassen.

Ich hab natürlich versucht, dienstags nicht so viel zu trinken, weil ich am nächsten Tag Schwester Bettie helfen wollte. Jeden Mittwoch hat sie 200 oder 300 Leute von der Straße verpflegt, und das war immer 'n Wunder, so was wie diese Brot-und-Fisch-Geschichten in der Bibel. Keiner hat wirklich gewusst, wo das ganze Essen hergekommen ist, aber jede Woche hast du es schon zwei Querstraßen weiter gerochen: 'nen großen, dampfenden Kessel mit Fleisch-Eintopf, voller Karotten und Erbsen und Kartoffeln. Körbe mit gebratenem Hähnchen. Frisch gekochte Bohnen mit Chili. Und alles selbst gemacht. Sah so aus, als würden die Leute einfach aus dem Nichts damit auftauchen.

Eines Tages hat Schwester Bettie irgendwie rausgefunden, dass ich singen kann, und hat mich gefragt, ob ich nicht mit ihr beim Gottesdienst auf dem „Gelände" singen will. Ich hab zuerst nicht wirklich gewollt, aber wenn dich Schwester Bettie wegen irgendwas fragt, dann kannst du nicht anders, wie ja zu sagen.

26

In Schwester Bettie erkannte Deborah eine Frau, die sie in eine neue geistliche Dimension führen könnte, in einen furchtloseren Dienst, in eine größere Hingabe, als sie sie innerhalb der Mauern der Mission gelebt hatte. Sie wollte diese Erfahrung mit ihrer besten Freundin Mary Ellen Davenport teilen, die von Deborah als „Gebetskämpferin" bezeichnet wurde, womit sie zum Ausdruck bringen wollte, dass sie nicht aufhörte, für alles und jeden zu beten, wenn man sie ließ.

Beherzt hört sich ein bisschen altmodisch an, aber in Wörterbüchern wird es als „temperamentvoll" und „mutig" beschrieben. Man sollte dort noch ein Bild von Mary Ellen hinzufügen. Die gelernte Krankenschwester und ihr Mann Alan, ein Arzt, wurden am 4. Juli 1980 unsere Freunde, als wir in unserem im Kolonialstil erbauten Haus in Fort Worth, in das wir zwei Jahre zuvor gezogen waren, eine Poolparty zum Unabhängigkeitstag veranstalteten. Wir hatten ein anderes befreundetes Ehepaar, die Hawkins, eingeladen, die gefragt hatten, ob sie auch ihre Freunde, die Davenports, mitbringen könnten.

Alan und Mary Ellen waren erst vor Kurzem aus Galveston, wo Alan seine Facharztausbildung abgeschlossen hatte, nach Fort Worth zurückgezogen. Wir kannten sie nicht persönlich, aber Deborah hatte von ihnen gehört. Sie hatte mitbekommen, dass Mary Ellen eine schwierige Schwangerschaft mit Drillingen gehabt hatte, und hatte ihren Namen auf ihrer Gebetsliste stehen.

Als jedoch die Davenports an dem Tag der Party in unserer Straße auftauchten und Mary Ellen unsere weitausladende Einfahrt sah, die hohen weißen Säulen und die Garage mit Platz für drei Autos, die größer zu sein schien als das ganze Haus, bekam sie einen Wutanfall.

„Ich gehe da nicht hinein!", teilte sie Alan mit.

„Warum nicht?", fragte er.

„Warum nicht? Meine Güte, sieh dir doch nur das Haus an! Das sind Millionäre – was sollten wir mit denen gemeinsam haben?"

Und so saßen die Davenports mit laufender Klimaanlage in ihrem Auto und debattierten, ob sie bleiben sollten. Die Drillinge, die zu diesem Zeitpunkt fünfzehn Monate alt waren, und ihre dreijährige Tochter Jay Mac fingen recht schnell an zu weinen. Mit Badeanzügen und Wasserspielzeug ausgerüstet, waren sie ganz auf Schwimmen eingestellt und waren überhaupt nicht einverstanden mit dem, was sie da von vorne hörten. Schließlich verlor Mary Ellen den Kampf. Ich kann mich noch gut daran erinnern, wie sie zum ersten Mal unseren Garten betraten: Alan grinste nervös und das Lächeln, das Mary Ellen im Gesicht klebte, war so gefälscht wie ein Rembrandt aus Mexiko.

Doch Deborah rettete den Tag. „Ich freue mich so, dass ich Sie endlich treffe!", sagte sie und begrüßte Mary Ellen mit einem warmen Lächeln. „Ich bete schon seit *Monaten* für Sie und Ihre Familie." Dann bot Deborah, die Frau des „Millionärs", sich als Babysitterin für die Drillinge an, damit die Davenports in Ruhe ihr neues Heim einrichten könnten. In diesem Moment ließ Mary Ellen ihre Waffen fallen. Dankbar nahm sie das Angebot an, womit eine jahrzehntelange enge Freundschaft angefangen hatte.

Von Mary Ellen lernte Deborah Mut. Sie selbst war nie mutig gewesen, nur hartnäckig. Mary Ellen dagegen war mutig *und* hartnäckig. Nachdem also Deborah ihre Freundin eingeladen hatte, ebenfalls ehrenamtlich in der Mission zu arbeiten, „verdoppelte" sich Denvers Misere, das sagte er jedenfalls. Denn statt einer weißen Lady belästigten ihn nun zwei.

Auf Schwester Betties Drängen hin predigte und sangen Deborah und Mary Ellen an einem Tag pro Woche in dem Missionsgottesdienst für Frauen und Kinder. Schwester Betties Dienst auf dem „Gelände" war jedoch das, was Deborah wie ein Magnet anzog.

Das „Gelände" selbst war ein ansprechender kleiner Rückzugsort unter freiem Himmel mit roten Crêpemyrthen, Bänken aus rohen Brettern und einem Kreuz aus Eisenbahnschwellen, an dem eine Dornenkrone hing, die jemand aus Stacheldraht geflochten hatte. Die Gegend um das „Gelände" *herum* war dagegen ein Paradebeispiel für den Verfall der Innenstädte: rostige Eisenketten, baufällige Gebäude mit vernagelten Fenstern, leere Grundstücke mit hohem Gras, in dem sich Kreaturen versteckt hielten, in denen kaum noch Leben war. Direkt neben dem „Gelände" purzelte Schwester Betties nichtzahlende Kundschaft aus Lois's Lounge, einem kleinen, finsteren Schuppen, in dem sie sich ihre wachen Stunden mit billigem Fusel vernebelte, den sie mit erbetteltem Geld bezahlte. Ich möchte diese Menschen nicht richten. Es ist schlichtweg eine Tatsache, dass in Amerika Alkohol und Drogen Geld kosten, während man umsonst ein Essen bekommt, wenn man eine Predigt über das Evangelium durchhält.

Viele von ihnen schleppten sich jede Woche zum „Gelände", manche auf rostigen Rollstühlen, die von Leuten geschoben wurden, die selbst kaum laufen konnten, andere von Männern auf dem Rücken getragen, die etwas nüchterner waren als sie selbst. Nach einem Nachmittag auf dem „Gelände" kam Deborah oft in Tränen aufgelöst nach Hause. Die Begegnungen mit Drogenabhängigen und Alkoholikern, mit Menschen, die einen sehr hohen Preis für einen sehr niedrigen Lebensstandard zahlten, brachen ihr das Herz.

Bevor wir mit Denver in Kontakt gekommen waren, hatten wir ihn manchmal dort gesehen, er stand für gewöhnlich auf der anderen Straßenseite, stocksteif, und versuchte sich hinter einem Telefonmast zu verstecken. Ich fragte Schwester Bettie nach ihm. „Was genau ist eigentlich sein Problem?"

„Denver?", antwortete sie lächelnd auf ihre sanfte Weise. „Oh, der ist eine große Hilfe. Er sorgt dafür, dass mein kleiner Pickup läuft. Und er kann wunderbar singen!"

Von Zeit zu Zeit, erzählte sie, könne sie ihn dazu überreden, das im Dienstagsgottesdienst in der Kapelle zu tun, in dem sie die Predigt übernommen hatte. „Denver musst du in dem Augenblick fragen, in dem du ihn brauchst, denn sonst macht er sich unsichtbar und verschwindet einfach ohne Vorwarnung."

Obwohl wir Freunde geworden waren, hatte Denver diese Angewohnheit nicht wirklich abgelegt. Jetzt fühlte er sich schuldig, wenn er die Menschen auf der Straße traf, von denen er nicht wenigen irgendwann einmal gedroht hatte, er würde sie umbringen. Sie hatten Angst vor dem alten Denver, aber der neue, der sich langsam herausbildete, beunruhigte sogar ihn selbst. Deshalb verschwand er oft, wenn man ihn bat, „christliche" Dinge zu tun, wie zum Beispiel für Schwester Bettie zu singen. Deborah und ich waren für ihn eine konstante Erinnerung daran, dass eine Veränderung passierte – eine Veränderung, auf die er gut und gern hätte verzichten wollen.

In der Zwischenzeit blühte Deborah auf, weil sie den Eindruck hatte, zu ihrem Dienst berufen zu sein. In unseren neunundzwanzig Ehejahren hatte ich sie nie glücklicher erlebt. Ich muss auch sagen, dass wir als Paar einander nie mehr geliebt hatten. Der Friede, den wir in der Seelsorge und den ersten Jahren auf Rocky Top geschlossen hatten, war zu einer optimistischen Zufriedenheit herangereift.

Wir wären vermutlich sehr viel schneller dort hingekommen, wenn ich die Wahrheit hinter einer alten Volksweisheit früher erkannt hätte: „Wenn Mama nicht glücklich ist, ist niemand glücklich." Aber wir kamen schließlich dort an. Und vom Höhepunkt unserer Beziehung herab verströmte Deborah auf dem „Gelände" eine frische und ansteckende Freude. Dort, unter der großen, alten Ulme, die die Bänke überschattete, fand sie immer ein paar versteckte Perlen in einem gelben See aus zerbeulten Bierdosen und benutzten Spritzen.

An einem Tag fand sie die Perle im Lächeln eines nörgelnden Veterans der Straße, welcher unter einer Eisenbahnbrücke in einem Pappkarton lebte, der aussah wie ein Sarg. Dieser Mann ernährte sich aus Mülleimern, eine unangenehme Wahrheit, die keiner verleugnen konnte, der eine Nase besaß. Sein Bart war von getrocknetem Erbrochenen und den Resten seiner letzten Mahlzeiten durchsetzt und er roch so stark nach Alkohol, dass er vermutlich explodiert wäre, wenn man ihm mit einem Streichholz zu nahe gekommen wäre.

Hier war also ein Mann, dessen Leben scheinbar völlig überflüssig war. Trotzdem hatte er einen Grund zu lächeln gefunden. Weil sie sich von ihm angezogen fühlte, hatte Deborah ihm einen Teller mit Essen und ein Gebet angeboten. Wirklich überrascht fragte sie ihn: „Warum bist du so fröhlich?"

„Ich bin aufgewacht!", antwortete er, während seine Augen in dem ausgezehrten Gesicht blinkten. „Und das ist Grund genug, fröhlich zu sein."

Deborah eilte nach Hause, um mir zu erzählen, was er gesagt hatte, so als hätte sie gerade einen Schatz bekommen, der schnell auf meine Erinnerungsbank gebracht werden musste. Von diesem Tag an waren diese drei Worte – „Wir sind aufgewacht!" – die ersten, die morgens aus unserem Mund kamen, ein winziges Dankgebet für etwas, was wir immer für selbstverständlich gehalten hatten. Ein Landstreicher hatte uns jedoch deutlich gemacht, dass es sich dabei um einen Segen handelte, der allem anderen zugrunde lag.

Wir begrüßten einander auf diese Weise jeden Morgen, ohne zu ahnen, dass diese Morgenstunden schon bald zu einem so wertvollen Geschenk werden würden, dass wir sie an den Fingern abzählen konnten.

27

Es hat nicht lange gedauert, dann haben mich Miss Debbie und Miss Mary Ellen gefragt, ob ich in ihrem Gottesdienst in der Kapelle singen könnte. Ich habs gemacht, wenn sie mich kurz vorher geschnappt haben. Ich habe dann ein paar Spirituals gesungen, die ich noch auf der Plantage gelernt hab. Ein andermal hab ich ein paar Lieder gesungen, die ich mir selbst ausgedacht habe. Wie ich schon gesagt hab, ich kenne mich gut aus in der Bibel.

Es hat aber nicht lange gedauert, da hat Miss Debbie wieder angefangen mich rumzukommandieren. Sie hatte so'n Floh im Ohr, und der hat ihr immer nur „Rüstzeit" zugeflüstert. Sie hat gesagt, dass sie und ein paar von ihren christlichen Freunden irgendwohin in die Wälder gehen würden, „um vom Herrn zu hören".

„Ich habe darüber gebetet, Denver", hat sie jedes Mal gesagt, wo sie mich gesehen hat, „und glaub mir, Gott hat mir gesagt, dass du mitkommen sollst."

Ich hab ein bisschen in der Mission rumgefragt, ob einer weiß, was eine „Rüstzeit" ist, aber keiner von denen hatte irgendeine Ahnung, außer Mr Shisler. Er hat gesagt, so 'ne Rüstzeit ist irgendein religiöses Ding, wo du an irgendeinen einsamen Ort fährst, und das ganze Wochenende redest und betest und rumheulst. Mir war ziemlich schnell klar, dass das nicht mein Ding ist. Aber Miss Debbie hat nicht lockergelassen. Ich hab sie immer nur angegrinst, weil ich um nichts in der Welt mit 'ner Wagenladung weißer Frauen irgendwo in den Wald fahren wollte.

Schätze mal, dass sie deswegen Mr Ron auf mich angesetzt hat. Irgendwann hat er im Starbucks damit angefangen, dann ging es „Rüstzeit" hier und „Rüstzeit" da. Hat mir erzählt, dass da nicht nur Frauen hinfahrn. Ein paar Männer wären auch dabei.

„Denk doch mal an all die netten Leute, die du da triffst", hat er gesagt. „Und an das ganze Essen. Alles umsonst."

„Das können Sie vergessen!", hab ich gesagt. „Ich fahr da nicht hin! Ich fahr *nirgendwo* hin, auf *keine* Rüstzeit, mit *niemand!* Und schon gar nicht fahr ich auf irgendeine Rüstzeit mit 'ner weißen Frau, die mit jemand anders verheiratet ist!"

Und damit wir uns über dieses Thema einig sind, hab ich ihn angestarrt, wie wenn er verrückt geworden wäre.

Ich hab keine Ahnung, was er hinterher Miss Debbie erzählt hat, aber wie ich das nächste Mal in der Essensschlange gestanden hab, kam sie wie der Blitz hinter der Theke vorgeschossen. Und dann hat sie wieder mit ihrem dünnen Finger auf mein Gesicht gezielt. „Denver, du *fährst* mit mir auf diese Rüstzeit, und damit ist die Sache erledigt. Ich will nichts mehr hören."

Da war ich nun, einsachtzig groß, hundertzwanzig Kilo schwer, ein fieser zweiundsechzigjähriger schwarzer Kerl, und diese dünne weiße Frau glaubt, dass sie mich rumkommandieren kann. Nicht mal Big Mama hat so mit mir geredet. Hier gab's also ein Problem – ein dickes Problem.

Wie dann der Tag da war, an dem die Rüstzeit angefangen hat, ist Miss Debbie runter zur Mission gefahren und hat mich gesucht. Ich hab getan, was ich konnte, um mich zu verstecken, aber irgendein netter Kerl hat mich gesehen und ihr gesagt, wo ich war. Sie hat mich dann beschwätzt, dass ich wenigstens mal zum Auto gehen sollte, um zu sehen, wer alles mitfährt. Ich wollte nicht mies sein, weil wir ja jetzt Freunde waren und all das. Also bin ich bis vor die Mission gelaufen.

Ich hab dann in Miss Debbies Landcruiser geguckt und natürlich waren da *vier* andere weiße Frauen drin. Nicht mal mit *einer* weißen Frau hab ich bisher in meinem Leben Glück gehabt. Und da waren jetzt vier, alle am Grinsen und Winken. „Komm schon, Denver! Wir wollen, dass du mitfährst!"

Genau in dem Moment hat einer von den Leuten von der Straße auf den Stufen von der Mission gesessen und wie ein kleines Mädchen gesungen: „Ja, *Denver*, auf geht's!" Und dann hat er sich totgelacht.

Dann hat sein Kumpel neben ihm die Klappe aufgemacht und auch zu singen angefangen: „Swing low ... sweet chariot, comin for to carry me home ..." Und dann haben beide gelacht.

Ich fand das überhaupt nicht witzig. Aber ich musste mich entscheiden. Da im Auto waren die ganzen weißen Frauen, die irgendwie nett zu mir sein wollten, und dort auf der Treppe waren die Kerle, die mir ein Beerdigungslied gesungen haben. Ich schätze, ich hab gewusst, dass ich mein Leben in die Hand nehme, wenn ich in das Auto da steige, denn obwohl es ein kalter Tag im Januar war, habe ich geschwitzt wie ein Schwein im August.

28

Während ich Denver besser kennenlernte, florierte mein Kunstgeschäft. Die Kunden suchten meine Partner und mich auf, nicht
umgekehrt. Wir arbeiteten mit einer elitären Gruppe von Klienten, die
sich nur für die erlesensten Kunstwerke interessierten. Dennoch erhielt
ich im Herbst 1998 einen Anruf, aus dem die Träume eines Kunst-
händlers gemacht sind.

Der Anruf kam, nachdem Denver und ich unsere Tour durch die
Museen begonnen hatten. Ich hatte ihn gerade wieder an der Mission abgesetzt, als mein Mobiltelefon klingelte. Der Mann am anderen
Ende der Leitung besaß ein großes kanadisches Bau- und Immobilien-
geschäft, das gerade ein sechsunddreißigstöckiges Bürogebäude in der
Innenstadt von Fort Worth erworben hatte. Zum Glück für die Kanadier gehörte auch eine zwölf Meter hohe Skulptur, „Adler" genannt, zu
dem Neuerwerb. Sie war eine von nur sechzehn Monumentalstatuen,
die Alexander Calder, Anfang der Siebzigerjahre des 20. Jahrhunderts
angefertigt hatte.

Zu der Zeit stand der „Adler" einen halben Meter tief einzementiert
auf dem Betonplatz vor dem Bürogebäude, an einer Stelle, die man als
das Herz der Stadt bezeichnen konnte. Die Bürger von Fort Worth betrachteten die Skulptur als öffentliches Eigentum, als Symbol für den
Platz, den ihre Stadt in der Kunst- und Kulturwelt einnahm. Die neu-
en kanadischen Besitzer waren jedoch nicht so sentimental; der Mann
am Telefon teilte mir mit, dass er den „Adler" verkaufen wolle.

Mein Herz begann zu rasen, als ich an die Möglichkeit eines sie-
benstelligen Geschäftes dachte – das größte, das mir in meiner bis-
herigen Karriere unter die Finger gekommen war – besonders, weil
eine Calder-Skulptur in dieser Kategorie mit Sicherheit niemals wieder
zum Verkauf stehen würde. Gleichzeitig wurde mir jedoch auch klar,
dass ich aus der Stadt gejagt werden könnte, wenn ich es wagen sollte,
diese Skulptur zu verkaufen. Ich wusste das ziemlich sicher, denn der

Vorbesitzer, eine Bank mit finanziellen Problemen, hatte mich ein paar Jahre früher schon einmal gebeten, die Möglichkeiten eines Verkaufs zu eruieren, aber dann den Auftrag zurückgezogen. Der öffentliche Druck war so groß gewesen, dass es nicht einmal eines der örtlichen Museen gewagt hatte, die Skulptur zu kaufen. Doch die Kanadier, so teilte mir der Mann am Telefon mit, wollten ein Geschäft, das sauber, schnell und verschwiegen war. Und wie sich bald herausstellte, hatte ich einen Käufer.

Wir entwickelten einen Plan, der so geheim war, dass wir mit Code-worten arbeiteten und mit „The Phoenix", einem Unternehmen aus dem US-Bundesstaat Delaware, das meine Partner und ich nur für diese spezielle Transaktion gegründet hatten. Wir mieteten zwei Vierzigton-ner-LKWs zusammen mit einer Gruppe von Arbeitern und Fahrern, die in der Lage waren, im Schutz der Dunkelheit eine Zwölftonnen-skulptur aus dem Boden zu meißeln und zu zerlegen. Ich machte da-rüber Witze, dass die Arbeiter schusssichere Westen brauchen würden, sollte unser Plan auffliegen. Die Notwendigkeit äußerster Geheimhal-tung war so groß, dass die Mannschaften erst dann erfahren sollten, wohin sie die Skulptur bringen würden, wenn wir die Grenze zwischen Texas und Oklahoma überquert hatten.

Wir setzten ein Datum für unseren Einsatz an: den 10. April. Die Monate vergingen und meine Partner und ich legten die Details fest. In der Zwischenzeit arbeitete ich an meiner Beziehung zu Denver. Ende Dezember fing ich an, ihn zur Teilnahme an einer Rüstzeit mit Debbie in den Bergen zu überreden. Aber im Januar hatte ich diese Idee fast schon wieder aufgegeben. Deborah und Mary Ellen wollten auf jeden Fall hinfahren, aber ich würde ihnen nicht hinterherwinken können, denn der Termin kollidierte mit der Kunstmesse in Palm Beach.

Dort war ich auch, als mein Handy klingelte. Ich war gerade da-bei, einen Matisse an ein modebewusstes Paar in zueinander passenden rosa Hosen zu verkaufen. Es war Deborah, die mich anrief, um mir mitzuteilen, dass sie Denver überzeugt hatte, mit ihr auf die Rüstzeit zu fahren. Unser Sohn Carson, der damals zweiundzwanzig war und eine Karriere als Kunsthändler anstrebte, begleitete mich auf dem Trip. Ich entschuldigte mich also und überließ ihm das Geschäft. Mit Den-vers „Das-können-Sie-vergessen!"-Rede im Hinterkopf konnte ich mir kaum vorstellen, dass er tatsächlich in Deborahs Auto gestiegen war –

oder, noch unglaublicher, dass er das ganze Wochenende auf der Rüstzeit geblieben war.

Der Höhepunkt, so plauderte Deborah am Telefon, war am letzten Tag gekommen, als Denver – gedrängt durch ein paar weiße Ladys – gesungen hatte. Zögernd hatte er sich in der Lobpreiszeit ans Klavier gesetzt und laut ein Lied gesungen, dass er sich ausgedacht hatte, während er nach vorne gegangen war. Sein Publikum spendete stehende Ovationen.

„Schade, dass du nicht dabei gewesen bist", sagte Deborah.

„Ich finde es auch schade." Andererseits war ich mir nicht sicher, ob es gut gewesen wäre, wenn ich dabei gewesen wäre. Vielleicht wären Denver und ich gerade zu der Zeit fischen gegangen, in der Gott ihn hatte singen hören wollen. „Wenn ich aber darüber nachdenke", sagte ich, „dann habe ich den Eindruck, dass jeder von uns dort gewesen ist, wo er sein sollte."

Ich konnte es kaum abwarten, Denvers Bericht von der Rüstzeit zu hören – von dem Grauen, mit weißen Frauen herumzuhängen, und solchen Dingen. Doch als ich am folgenden Dienstag in die Mission ging, erfuhr ich, dass Denver seit dem Sonntag, an dem Deborah ihn dort abgesetzt hatte, von niemandem mehr gesehen worden war. Am nächsten Tag: immer noch keine Spur von ihm. An diesem Abend fühlten Deborah und ich uns, als vermissten wir ein Familienmitglied. Da klingelte das Telefon. Es war Denver – der aus einem Krankenhaus anrief.

„Mir geht's gut", sagte er. „Aber wie ich von der Rüstzeit heimgekommen bin, hab ich solche Schmerzen gehabt, dass ich zum Krankenhaus gelaufen bin und mich selbst eingeliefert habe."

Ich ließ alles stehen und liegen und fuhr los. Das Harris Hospital liegt gute drei Kilometer südwestlich der Mission. Ich raste dorthin und machte nur einen kurzen Zwischenstop bei Whataburger, um Denvers Lieblingsmilchshake – Vanille – zu kaufen. Im Krankenhaus erinnerte ich mich zwar an das Stockwerk, hatte aber die Zimmernummer vergessen. Ich ging also den langen Flur hinunter und warf einen Blick in jedes Zimmer. Schließlich entdeckte ich seinen Namen, er war mit der Hand auf eine Karte geschrieben, die an einer geschlossenen Tür hing. Eine hübsche blonde Krankenschwester stand daneben und schrieb etwas auf ein Klemmbrett. „Kann ich Ihnen helfen?"

„Na ja, ich habe gerade die letzten zehn Minuten damit verbracht, meinen Freund zu suchen. Aber ich schätze, jetzt habe ich ihn gefunden", sagte ich und nickte in Richtung der Karte mit Denvers Namen darauf.

„Er ist sicher nicht *hier*", sagte sie und dann mit vertrauensvoll gesenkter Stimme: „Der Mann in diesem Zimmer hier ist schwarz und obdachlos."

Ich grinste. „Dann bin ich offensichtlich am richtigen Ort."

Peinlich berührt machte sie sich aus dem Staub, vermutlich hoffte sie, ich würde ihrem Chef nichts erzählen. Ich drückte mich durch die Tür. „Hallo Denver! Haben dich all die weißen Frauen ins Krankenhaus gebracht?"

Denver, der nun wieder lachen konnte, erzählte mir von seinem langen Fußmarsch durch den Hobo-Dschungel ins Krankenhaus. „Erzählen Sie's nicht Miss Debbie, aber da draußen bei diesem religiösen Ding, da hab ich die ganze Zeit das gute Essen gegessen. Aber ich hab nicht gewusst, ob es in Ordnung ist, wenn ich das Klo benutze, also bin ich die ganze Zeit nicht aufs Klo gegangen. Und jetzt bin ich hier und versuche, den Kram wieder loszuwerden."

Wir lachten beide herzhaft. Nachdem wir uns wieder beruhigt hatten, wurde er ernst. „Miss Debbie hat gewusst, was sie getan hat, wie sie mich auf diese Rüstzeit mitgeschleppt hat." Er erzählte mir keine Einzelheiten, und ich fragte auch nicht weiter nach.

Ein paar Wochen später, als seine Innereien wieder in Ordnung waren, nahm ich Denver in das mexikanische Restaurant mit, in dem er gelernt hatte, die verschiedenen Gerichte zu unterscheiden. Er bestellte das Übliche – Taco, Enchilada, Reis und Bohnen – aber er schob alles auf seinem Teller herum, mehr am Reden als am Essen interessiert.

„Miss Debbie hat gewusst, was sie tut – mich von der Straße runterzuholen, damit ich Zeit hab, über mein Leben nachzudenken", sagte er. „Wissen Sie, du musst den Teufel aus dem Haus kriegen, bevor du es sauber machen kannst! Und das ist mit mir da im Wald passiert. Ich hab Zeit gehabt, den Kopf freizukriegen, ein paar von den alten Dämonen abzuschütteln und drüber nachzudenken, was Gott im letzten Teil von meinem Leben vorhat mit mir."

Dann wurde Denver wieder still. Schließlich parkte er die Zinken seiner Gabel in seinen Bohnen, wischte sich die Hände an der Serviette ab und legte sie auf seinen Schoß. „Mr Ron, ich muss Ihnen was Wichtiges erzählen. Die Arbeit, die Miss Debbie in der Mission macht, ist sehr wichtig. Sie ist kostbar geworden für Gott."

Denvers Augenbrauen zogen sich zusammen und sein Kopf senkte sich. Mit dem finsteren Blick, der immer mit seinen ernsten Ansagen einherging, sagte er dann etwas, das ich bis heute im Ohr habe: „Wenn du kostbar bist für Gott, dann wirst du für Satan wichtig. Seien Sie auf der Hut, Mr Ron. Irgendwas Schlimmes liegt in der Luft, um sich auf Miss Debbie zu stürzen. Der Dieb kommt in der Nacht."

29

*E*s gibt Tage im Leben, an deren Schlagzeilen man sich erinnert.

22. November 1963: JFK wurde ermordet. Leicht zu erinnern, schließlich saß ich in der ersten Reihe.

20. Juli 1969: Neil Armstrong machte einen kleinen Schritt für einen Mann und einen großen für die Menschheit, während Deborah und ich, frisch verlobt, auf der Couch in meinem Apartement an der TCU saßen.

1. April 1999: Ich erinnere mich an die Schlagzeilen dieses Tages nicht wegen der Ereignisse, sondern aufgrund der Tatsache, dass der Tag der Aprilscherze der Wendepunkt war, an dem unser Leben einen Weg einschlug, den wir niemals geahnt hätten.

Gemäß unserer üblichen Frühstücksroutine las Deborah an jenem Morgen in der Bibel, ich im *Star-Telegram*. Albanische Flüchtlinge verließen das Kosovo, las ich in der Zeitung ... die ehemalige Darstellerin von Catwoman, Eartha Kitt, sang noch mit zweiundsiebzig in einer Lounge ... der Governeur von Texas, George W. Bush, hatte in weniger als einem Monat sechs Millionen Dollar für eine mögliche Wahlkampagne als Präsidentschaftskandidat gesammelt, falls er überhaupt antreten sollte.

Nach dem Kaffee fuhr Deborah zu ihrem Fitnesstraining, dann zu ihrer jährlichen Vorsorgeuntersuchung. Sie war mit dieser jährlichen Untersuchung sehr gewissenhaft – sie ging in die Praxis, bekam ihren „Selbst-wenn-Sie-nur-halb-so-alt-wären,-wäre-Ihr-Gesundheitszustand-fantastisch"-Befund mitgeteilt und machte dann auf dem Weg nach draußen einen Termin für das nächste Jahr. Hochzeiten, Feiern und Urlaubsreisen, all das wurde um diesen Termin *herum* organisiert.

Ich fuhr zu meinem Büro in Dallas und freute mich dort auf ein Mittagessen mit unserer Tochter Regan. Sie hatte bis zu diesem Zeitpunkt in meiner Galerie gearbeitet. Mit einem Diplom in Kunstgeschichte an der Unversität von Texas und einem Abschlusszertifikat in Schönen

Künsten von Christi's in New York, schien das ihr natürlich vorgegebener Platz zu sein. Aber sie hasste ihn.

Schon in der Schule fühlte sich Regan unter den Benachteiligten besser als unter den Privilegierten. Oft schmierte sie eine Menge belegter Brote und – wie wir später zu unserem Entsetzen erfuhren – ging mit ihnen *allein* zu den Pennern unter den Brücken der Innenstadt von Dallas.

Während ihres Kurses bei Christi's wurde ihr bewusst, dass ihr das Kunstgeschäft keine Freude machte – die verhätschelten Kunden, die egozentrischen Händler, die protzigen Geschäftsessen. Doch vielleicht war das nur in New York so, dachte sie. Deshalb hielt sie durch, kam nach Hause und arbeitete eine Zeit lang in unserer Galerie in Dallas. Carson war in der Zwischenzeit in seinem letzten Jahr an der TCU, und Deborah genoss es, alle Küken nun wieder unter ihren Fittichen zu haben.

Aber Regans Unzufriedenheit war mit jedem Tag gewachsen. Deshalb trafen wir uns an diesem 1. April zum Mittagessen bei Yamaguchi Sushi und besprachen in einer Ecke über rohem Thunfisch mit Jalapeño-Scheibchen die ernste Frage, welchen Weg ihr Leben in Zukunft nehmen sollte. Während wir verschiedene Möglichkeiten, Graduiertenschulen und geistliche Aufgaben diskutierten, klingelte mein Handy. Es war Deborah.

„Craig hat etwas in meinem Unterleib ertastet", sagte sie, ihre Stimme dünn und angespannt. Der Arzt, ein persönlicher Freund namens Craig Dearden, wollte in seiner Praxis ein Sonogramm machen und sie dann zum Röntgen ins Krankenhaus schicken. „Könntest du bitte zurück nach Fort Worth kommen und mich im All Saints treffen?"

„Natürlich", sagte ich. „Ich bin in einer halben Stunde da. Und mache dir keine Gedanken, hörst du? Du bist der gesündeste Mensch, den ich kenne."

Ich bedauerte, das Essen mit Regan abbrechen zu müssen, aber wir vereinbarten, uns am nächsten Tag wieder zu treffen. Ich versprach ihr, sie anzurufen, sobald ich mit Craig gesprochen hatte. Kurz nachdem ich beim All Saints angekommen war, traf ich Deborah im Wartezimmer der Radiologie. Mary Ellen war auch da. Ebenso Allan, ein Arzt am All Saints, der früher einmal Chefarzt gewesen war.

Ich umarmte Deborah innig. Ihre Schultern fühlten sich zunächst verspannt an, aber dann löste sich die Spannung nach und nach. Ich schob sie etwas zurück und sah ihr in die Augen. „Geht es dir gut?"

Sie nickte und versuchte ein schwaches Lächeln.

Deborah wurde geröntgt, dann kam sie in den Computertomografen. Als die Bilder fertig waren, saßen wir zusammen in einem Sprechzimmer. Die Lichter waren gedimmt, das Lesegerät für Röntgenbilder glomm. Ein anderer Arzt, John Burk, klemmte den ersten Film in das Lesegerät. Es war ein unscharfes Bild zu sehen, milchiges Weiß auf grauem Hintergrund, das mir im Augenblick nichts sagte.

„Das ist Deborahs Leber", erklärte Dr. Burk, während er um einen dunklen Fleck auf dem Bildschirm einen unsichtbaren Kreis zog.

Dann sah ich sie: Schatten. Ihre Leber war geradezu übersät von ihnen.

Während wir auf das Bild starrten, betraten mehrere Ärzte den Raum, im gedämpften Licht schimmerten ihre weißen Kittel und ernsten Gesichter bläulich. Ein paar von ihnen versuchten es mit hörbarem Optimismus.

„Diese Flecken da geben uns ein bisschen zu denken, aber es ist nichts, worüber man sich Sorgen machen sollte", sagte einer.

„Möglicherweise sind es Muttermale", sagte ein anderer. „Ich habe so etwas schon einmal gesehen."

Aber keiner von ihnen blickte uns in die Augen. Das Wort *Krebs* waberte mir wie Giftgas durch den Kopf, allerdings wagte ich es nicht, es auszusprechen.

„Wir haben für morgen eine Darmspiegelung angesetzt", sagte Craig. Bis dahin wollten sie sich mit Einschätzungen zurückhalten.

Als wir an diesem Abend ins Bett gingen, erzählte mir Deborah die Geschichte von Josua und Kaleb, zwei der zwölf Männer, die Mose als Spione ins Gelobte Land gesandt hatte, damit sie den Israeliten berichten konnten.

Wir lagen da und sahen einander an, die Köpfe auf weißen Kopfkissen. „Als die Spione zurückkamen, brachten sie eine gute und eine schlechte Nachricht", sagte Deborah mit einer Betonung, als wäre sie eine Geschichtenerzählerin. „Die gute Nachricht war, dass das Land *tatsächlich* voller Milch und Honig war, genau so, wie Gott es versprochen hatte. Die schlechte Nachricht war, dass dort Riesen wohnten." Die Israeliten weinten vor Angst, fuhr sie fort, alle außer Josua und

Kaleb, die unterstrichen hätten: „Wenn der Herr mit uns ist, dann wird er uns dieses Land geben. Fürchtet euch nicht.“

Deborah schwieg ein paar Minuten lang, dann sah sie mir in die Augen. „Ron, ich fürchte mich.“

Ich zog sie zu mir und hielt sie fest. Wir beteten für die Darmspiegelung. Dass der Herr mit uns sein möge, dass die Ärzte eine gute Nachricht für uns hätten.

* * *

Die Sterne hingen wie Eiskristalle an einem schwarzen Himmel, als wir am nächsten Morgen auf den Parkplatz des All Saints einbogen. Die Neuigkeiten über Deborahs bevorstehende Untersuchung hatten sich zwar unter unseren Freunden verbreitet, trotzdem waren wir überrascht und bewegt, als wir zwanzig von ihnen betend im Wartezimmer der Chirurgie fanden.

Nachdem die Ärzte Deborah weggebracht hatten – sie versuchte ihr bleiches Gesicht mutig aussehen zu lassen – beteten wir gemeinsam für einen guten Befund. Ich bezog vor dem Endoskopie-Zimmer Stellung – so nahe an Deborah, wie sie mich ließen – und lief auf den kalten Fließen hin und her. Ich schwankte zwischen Gebet und milder Panik, zwischen „der Friede Gottes, der höher ist als alle menschliche Vernunft“ und drohender Ohnmacht. Ein Jahrhundert ging vorbei, dann eine Epoche. Sand in einer Sanduhr, Körnchen für Körnchen.

Endlich sah ich durch das kleine Stückchen Sicherheitsglas, wie Krankenschwestern Deborah in den Aufwachraum schoben, und beeilte mich, zu ihr zu kommen. Durch schwere Augenlieder blinzelte Deborah mich an, ihre Unterlippe leicht vorstehend, was sie nur tat, wenn sie wirklich traurig war. Sie murmelte das Wort *Krebs*, ihre Lippen versuchten ein Lächeln, um den Schlag abzufedern.

Dann erschienen in ihren Augenwinkeln kleine Tränen und liefen ihr über die bleichen Wangen. Und ich erinnerte mich an die Worte des vorherigen Abends: *Riesen im Gelobten Land.*

30

Miss Mary Ellen war es gewesen, die mir das von Miss Debbie erzählt hat. Sie ist allein zur Mission runtergekommen und hat die Bibelstunde gemacht, die ihr Schwester Bettie abgegeben hat, und wie ich gesehen hab, dass Miss Debbie nicht da war, habe ich sie gefragt, was mit ihr ist.

Miss Mary Ellen hat ihre Hand auf meine Schulter gelegt. „Ich habe schlechte Neuigkeiten, Denver. Miss Debbie war beim Arzt und ... es ist etwas Ernstes. Sie hat Krebs."

Wie Miss Mary Ellen „Krebs" gesagt hat, habe ich's kaum glauben können. Miss Debbie hat nicht so ausgesehen, wie wenn irgendwas nicht mit ihr in Ordnung gewesen wäre. Wie das blühende Leben ist sie zwei- bis dreimal die Woche zur Mission runtergekommen, hat auf dem „Gelände" Essen ausgeteilt, hat 'ne Bibelstunde geleitet. Sah einfach absolut gesund aus.

Das Erste, was ich denken musste, war, dass Gott Miss Debbie heilen wird. Das Zweite war, dass ich Angst hatte. Was ist, wenn Er sie nicht heilt? Ich hab in meinem Leben schon genug Leute verloren, die mir wichtig gewesen sind – Big Mama und Onkel James und Tante Etha. Miss Debbie war der erste Mensch in über dreißig Jahren, der mich wirklich bedingungslos geliebt hat. Wieder einer, den ich an mich rangelassen hab, und jetzt sah's so aus, wie wenn mir Gott den auch wieder wegnehmen würde.

Ich hab Angst gehabt, dass das mein Leben für immer verändern würde. Dann hab ich mich gefragt, wie das die anderen in der Mission wohl verkraften würden, wenn sie die Geschichte hören.

Ich will da gar nichts schönreden: Es hat sie ziemlich hart getroffen. Es gibt 'ne Menge Leute, die runterkommen und ehrenamtlich in der Mission helfen, aber die wenigsten von denen sind so treu wie Miss Debbie. Aber das war noch nicht alles. Sie hat die Obdachlosen einfach anders behandelt, deswegen haben die sie auch eher wie 'ne

Freundin angesehen. Sie hat nie dumme Fragen gestellt, Sachen wie: Wie kommt's, dass du hier bist? Wo bist du gewesen? Wie oft bist du im Gefängnis gewesen? Wieso hast du die ganzen dummen Dinge in deinem Leben angestellt? Sie hat sie einfach geliebt und weiter nichts.

So hat sie mich auch geliebt. In der Bibel heißt es, dass wir uns vor Gott nichts darauf einbilden sollen, wenn wir die Leute lieben, die wir eh lieben wollen. Nein, Gott will, dass wir die lieben, die eigentlich keiner lieben will. Die vollkommene Liebe Gottes kommt nicht mit irgendwelchen Bedingungen daher, und das ist die Art Liebe, die Miss Debbie den Leuten in der Mission gezeigt hat.

Wie ich das mit Miss Debbie gehört hab, bin ich ziemlich eng mit Koch Jim geworden. Wir haben nie so was wie 'ne Gebetsgruppe zusammen gehabt, aber jetzt haben ich und Koch Jim uns jeden Morgen in der Küche getroffen und haben für Miss Debbie und ihre Familie gebetet. Und andere Leute haben mitgebetet.

Weißt du, wenn du nicht arm bist, dann denkst du vielleicht, dass die Leute in den großen, schönen Backsteinkirchen die ganze Beterei und das Geben und so erledigen. Ich wollte, du könntest die ganzen kleinen Kirchen sehen, wo ein paar obdachlose Leute im Kreis zusammensitzen, die Köpfe gebeugt und die Augen zu, und Gott zuflüstern, was ihnen auf dem Herz ist. Sieht zwar aus, als hätten sie nichts zu geben, aber sie geben das bisschen, was sie haben, nehmen sich Zeit, um bei Gott an die Tür zu klopfen und ihn zu bitten, diese Frau zu heilen, die sie geliebt hat.

31

Deborahs Ärzte setzten in drei Tagen die nächste Operation an. Deborah, Carson, Regan und ich zogen uns nach Rocky Top zurück, um als Familie zu beten und die Dinge gemeinsam zu durchdenken. Vielleicht ist „Rückzug" nicht das richtige Wort, jedenfalls nicht in meinem Fall, denn für mich war die Ranch eher eine Art Kommandozentrale.

Wir würden vermutlich ein Jahr lang Krieg führen müssen, sagte ich zu Deborah, dann unseren Sieg feiern, so wie die paradierenden Soldaten nach einer gewonnenen Schlacht oder die Astronauten von Apollo 13, nachdem sie sicher wieder auf der Erde gelandet waren, obwohl ihr Raumschiff eigentlich verloren war. Bis dahin, das wussten wir, würden Schmerzen, Tränen und Furcht auf uns warten wie Mörder im Hinterhalt. Doch durch Leid wird ein Leben erfüllter, reicher. Und ich erinnerte mich an den Spruch, den Denvers Tante Etha zu sagen pflegte: „Gute Medizin schmeckt immer schlecht."

Ich war davon überzeugt, dass es die richtige Medizin gab, und machte es zu meiner Hauptaufgabe, sie zu finden. Ich hängte – unterstützt von meinen Partnern – ein „Geschlossen"-Schild an die Tür meiner Galerie in Dallas, wenige Tage, bevor das Abbruchteam nach Fort Worth kommen und die Calder-Skulptur mitnehmen würde. Doch meine Partner übernahmen bereitwillig den Rest der Operation, und ich bat sie, mich nicht mit Details zu belästigen. Es bedeutete mir nichts. Ich war wieder in der Armee, diesmal ein General im Kampf gegen den Krebs.

Unsere Freunde Roy Gene und Pame Evans stießen in Rocky Top zu uns. Roy Gene, ein Investor, Reiter und Spross einer bekannten Familie aus Dallas, hatte sein Ranchhaus auf einem Hügel neben unserem erbaut, von wo aus er dieselbe Schleife des Brazos und dasselbe grüne Tal sehen konnte wie wir. In den vergangenen acht Jahren hatten wir uns praktisch an jedem Wochenende auf der Ranch mit ihnen getroffen.

Eigentlich hatten sie nicht vorgehabt, an diesem Wochenende herunterzukommen, aber dann fuhren sie über hundertfünfzig Kilometer, nur um Deborah für eine Weile lieb zu haben und sie zu ermutigen, mit allem Einsatz gegen den Krebs zu kämpfen. Roy Gene, so beschrieb ihn ein anderer Freund einmal, ist ein bisschen wie John Wayne: ein großer, tröstlicher Mann, der langsam und sanft spricht, nur wenige Worte macht, das sind aber immer nur gute. Pame hat selbst Krebs überlebt, sie ist eine Frau der vielen Worte, die sie zur Heilung benutzt wie die Salbe auf einer Wunde.

Einander widerstreitende Gefühle überlagerten diese Tage auf Rocky Top. Unser Optimismus war genauso echt wie unsere zuversichtlichen Gebete um Heilung. Doch wie wenn aus einem sonnigen Himmel plötzlich Regen fällt, spürten Deborah und ich, auch ohne laut darüber zu sprechen, dass es um ihre Aussichten auf ein langes Leben nicht gut stand. Vor ein paar Jahren hatten wir unseren Freund John Truleson durch Leberkrebs verloren. Nach mehreren Runden kräftezehrender Chemotherapie war er schließlich gestorben, zu einem Schatten zusammengeschrumpft und von Schmerzen gequält.

Diese Erinnerungen waren uns beiden noch frisch im Gedächtnis. „Ron, wenn der Krebs außerhalb meines Darmes gestreut hat und die Flecken, die wir gesehen haben, keine Muttermale waren, dann möchte ich nicht kämpfen", teilte sie mir an unserem zweiten Tag auf Rocky Top mit.

„Wir müssen das nicht jetzt entscheiden", sagte ich.

Tatsächlich war die Entscheidung längst gefallen. Das war eine Frau, die vor nichts Angst hatte, abgesehen von Klapperschlangen und Wespen. Die einer toten Ehe und einer anderen Frau ins Auge geblickt und gekämpft hatte, um ihren Mann zu halten. Die Denver Moore gezähmt hatte, den fiesesten Straßenköter in einem der übelsten Ghettos von Texas.

Sie würde kämpfen. Sie wusste es nur noch nicht.

Trotz all der Courage, die sie hatte – ich wusste es – hatte sie doch diesen kleinen Schimmer Furcht gezeigt. Oh, wie sehr ich sie dafür liebte. Leidenschaftlich. Mit der Leidenschaft, die man irgendwo in seinem Inneren spürt, die kein anderer sehen kann, von der man nur selbst weiß, dass sie eine unglaubliche Kraft hat. Ich konnte mich erinnern, dass es in unseren fast dreißig Jahren Ehe Zeiten gegeben hatte, in denen ich sie weniger geliebt hatte als in diesem Augenblick, und Schuld durchbohrte mein Herz wie eine Speerspitze. Obwohl sie immer bedingungslos gegeben hatte, war ich oft nicht bereit gewesen, ihr auf die gleiche Weise zu antworten. *Sie hat Besseres verdient als das, was sie von mir bekommen hat*, dachte ich und versank beinahe in einer dreißig Jahre tiefen Welle der Reue.

Dann entschloss ich mich, sie so zu lieben, wie ich sie niemals zuvor geliebt hatte.

* * *

Am Tag der Operation fuhren wir alle ins All-Saints-Krankenhaus, ungewiss über die Zukunft, aber mit einem Tank voller Glauben. Ein Ärzteteam, angeführt durch Dr. Paul Senter, hatte vor, einen Großteil ihres Darmes zu entfernen und alles andere, was nach Krebs aussah und sich sicher entfernen ließ. Während der fünfstündigen Operation versammelten sich ungefähr fünfzig Freunde im Wartezimmer.

Fünf Stunden, nachdem die Krankenpfleger meine Frau weggerollt hatten, kam Dr. Senter zurück. Ohne zu lächeln und abgekämpft bat er darum, mich und die Kinder allein sprechen zu dürfen.

„Ich will ehrlich mit Ihnen sein", eröffnete er mir, nachdem wir uns in ein kleines Besprechungszimmer zurückgezogen hatten. „Es sieht nicht gut aus."

Der Krebs war auch außerhalb des Darms, war in ihren gesamten Unterleib einmarschiert und hatte sich wie ein Leichentuch um ihre Leber gehüllt.

„Sie muss noch einmal operiert werden", sagte er.

Ich fragte nach keiner Prognose, auch nicht danach, wie lange sie noch zu leben hätte, denn nur Gott kennt die Zahl unserer Tage. Dennoch schien Gott im Augenblick offensichtlich mit anderen Dingen beschäftigt zu sein. Unsere leidenschaftlichsten Gebete hatten nicht für einen guten Befund bei der Darmspiegelung gesorgt. Unsere Gebete in Rocky Top hatten die tödlichen Invasoren, die die Ärzte in meiner Frau entdeckt hatten, nicht zurückgedrängt. Verletzt und nahezu blind vor Angst, hielt ich mich an der Bibel fest:

„Bittet, so wird euch gegeben ..."

„Betet ohne Unterlass ..."

„Was ihr bitten werdet in meinem Namen, das will ich tun."

Verbissen blendete ich einen anderen Vers aus, einen aus dem Hiobbuch: „Der Herr hat's gegeben, der Herr hat's genommen."

* * *

Nach der Operation saß ich wie vom Donner gerührt an Deborahs Bett. Schläuche quollen aus ihrem Gesicht und ihren Armen, sondierten ihren Schlaf und meldeten alles an schmatzende schwarze Kästen, auf denen wahnsinnig machende medizinische Codes blinkten, die ich nicht verstand. Ich fühlte mich innerlich zerschlagen. Benommen und still wartete ich darauf, dass sie aufwachte. Ich bewegte meine Augen nicht von ihren weg. Ich fragte mich, wie sie sich wohl fühlte. Ich fragte mich, ob überhaupt einer von uns überleben würde.

Dass Deborah Krebs bekam, machte genauso wenig Sinn, wie wenn einer aus einem fahrenden Auto auf sie geschossen hätte. Sie war die gesundheitsbewussteste Person, die ich jemals kennengelernt hatte. Sie aß kein Fastfood und rauchte nicht. Sie hielt sich fit und nahm Vitamine zu sich. Es gab in ihrer Familie keinerlei Krebsfälle. Risikofaktoren gleich null.

Was Denver vor ein paar Wochen gesagt hatte, verfolgte mich: *Wenn du kostbar bist für Gott, dann wirst du für Satan wichtig. Seien Sie auf der Hut, Mr Ron. Irgendwas Schlimmes liegt in der Luft, um sich auf Miss Debbie zu stürzen.*

Kurz vor Mitternacht bewegte sie sich. Ich stand auf und beugte mich über ihr Bett, mein Gesicht an das ihrige gedrückt. Ihre Augen öffneten sich, schlaftrunken von den Narkosemitteln. „Ist es in meiner Leber?"

„Ja." Ich hielt inne und sah zu ihr hinunter, versuchte vergebens die Traurigkeit aus meinem Gesicht zu vertreiben. „Aber es gibt noch Hoffnung."

Sie schloss ihre Augen wieder, und der Moment, vor dem ich mich stundenlang gefürchtet hatte, verstrich ohne eine einzige Träne. Meine eigenen trockenen Augen überraschten mich nicht – ich habe nie wirklich gelernt, wie man weint. Aber jetzt hielt das Leben einen Grund dafür bereit und ich sehnte mich nach einem Fluss voller Tränen, einer wahrhaft biblischen Flut. Vielleicht würde mein gebrochenes Herz meinen Augen beibringen, was sie zu tun hatten.

32

Nach vier Tagen sah Deborahs Krankenzimmer aus wie ein Blumengeschäft. Doch als sich die Berge von Rosen, Margeriten und Veilchen nach und nach in den Flur ergossen, entschied die Krankenhausverwaltung, sie hätten zu verschwinden. Deborah bestand darauf, dass wir die Blumen in die Mission brachten. Wir hatten damit schon ein wenig Erfahrung. Ein paar Monate früher hatte Deborah schon einmal Blumenbouquets mitgenommen, um die Tische im Speisesaal zu dekorieren. Aber Don Shisler und Koch Jim hatten ihr einen Strich durch die Rechnung gemacht. Sie befürchteten, dass einige Bestandteile der Gebinde, wie zum Beispiel die Drähte, mit denen die Blumengestecke in Form gehalten wurden, als Waffen missbraucht werden könnten.

Wir konnten uns das zwar kaum vorstellen, allerdings waren wir auch ziemlich ahnungslos, wenn es um botanische Bewaffnung ging. Wie dem auch sei, in der Hoffnung, dass die Verwaltung der Mission diesmal eine Ausnahme machen würde, fuhren Carson und ich zwei Wagenladungen möglicher Kampfgeräte hinunter in die East Lancaster Street. Als wir durch die Eingangstür schritten, wurden wir durch einen ungewöhnlichen Anblick überrascht: Sechs oder sieben Männer standen im Kreis, einander an den Händen haltend.

Tino, ein Glatzkopf, der Telly Savalas ähnlich sah, bemerkte mich. „Wir beten für Miss Debbie. Wir mögen sie und wollen sie zurückhaben."

Überwältigt schlossen Carson und ich uns dem Kreis an und beteten mit diesen Männern, die von außen betrachtet nichts zu haben schienen, aber trotzdem, ohne es zu wissen, das kostbarste Geschenk überhaupt weitergaben: Mitgefühl.

Später verteilten wir die Blumen überall – in der Kapelle, im Speiseraum, im Schlaftrakt für Frauen – es war eine Explosion der Farben, die Betonmauern und Industriekacheln verschönerte. All das erinnerte mich an unseren ersten Tag in der Mission, an dem Deborah ihren Tagtraum über Blüten und Palisadenzäune gehabt hatte.

Wir hatten Denver seit der Krebsdiagnose nicht mehr gesehen, und ich machte mir Sorgen, dass er sich wie ein Fisch fühlte, der wieder ins Wasser geworfen worden war. Im Flur vor der Küche begegneten wir Koch Jim. Ich fragte ihn, ob ihm Denver an diesen Tag schon begegnet wäre.

„Er schläft wahrscheinlich", antwortete er.

„Er schläft!", brach es aus mir heraus. *Fauler Kerl*, dachte ich. Der Nachmittag neigte sich schließlich schon dem Ende entgegen.

Jim hob eine Augenbraue. „Wissen Sie nichts davon?"

„Wovon?"

„Na, nachdem Denver die Geschichte über Miss Debbie gehört hatte, sagte er mir, dass vermutlich eine Menge ihrer Freunde jeden Tag für sie beten würden. Aber er meinte, dass sie auch jemanden brauche, der die ganze Nacht für sie bete, und diese Aufgabe wollte er übernehmen."

Meine Augen wurden immer größer. „Um Mitternacht geht er also immer hinaus, setzt sich neben die Mülltonnen und betet für Miss Debbie und Ihre Familie. Wenn ich morgens um drei Uhr aufstehe und die Treppe hinunterkomme, um das Frühstück vorzubereiten, dann kommt er auf eine Tasse Kaffee herein, und wir beten hier in der Küche bis ungefähr um vier. Dann geht er wieder hinaus und betet bis zum Sonnenaufgang."

Ich schämte mich, als mir klar wurde, wie tief die Wurzeln meiner Vorurteile, meiner arroganten Schnellurteile über die Armen reichten.

33

Schätze mal, ich hätte auch im Bett beten können, aber mir war so, wie wenn ich Wache halten müsste, und da wollte ich nicht einschlafen wie die Jünger von Jesus in diesem Garten. Ich hätte natürlich auch in der Kapelle beten können, aber ich wollte nicht, dass irgendeiner reinstolpert und mich stört. Ich hab gewusst, dass ich bei dem Müllcontainer meine Ruhe habe, deshalb bin ich da jede Nacht hingegangen, um über Miss Debbie Wache zu schieben, ich hab mal gehört, dass man so was „Gebetswache" nennt.

Ich hab da also auf dem Boden gesessen, den Rücken an die Backsteinmauer von einem alten Haus neben dem Müllcontainer gelehnt, hab zum schwarzen Himmel hochgeguckt und mit Gott über sie geredet. Ich hab oft dafür gebetet, dass er sie heilt, und ich hab ihn auch nach dem Warum gefragt. Warum hast du diese Frau geschlagen, die bisher doch nie was anderes gewesen ist wie deine treue Dienerin? Eine Frau, die einfach nur getan hat, was du gesagt hast, die die Kranken besucht hat, den Hungrigen zu essen gegeben hat, die die Fremden in ihr Haus aufgenommen hat. Wie kommt es, dass du ihre Familie so viel leiden lässt und dafür sorgst, dass sie die Obdachlosen nicht mehr lieben kann?

Es hat für mich einfach keinen Sinn gemacht. Aber nach 'ner Weile hat Gott es mir erklärt. Ziemlich oft, wenn ich da draußen war, hab ich gesehen, wie so 'ne Sternschnuppe über den schwarzen Himmel geflogen ist, plötzlich war sie da, dann ist sie auch schon wieder verschwunden. Jedes Mal, wenn ich eine sehe, dann stell ich mir vor, dass sie ja irgendwo auf die Erde stürzen muss, und wundere mich, dass ich so was nie mitbekomme. Und nachdem ich eine Menge von ihnen gesehen habe, hatte ich das Gefühl, dass Gott mir damit was über Miss Debbie sagen will.

Die Bibel sagt, dass Gott die Sterne an den Himmel gehängt hat und jedem von ihnen einen Namen gegeben hat. Wenn einer von ihnen aus dem Himmel runterfällt, dann liegt das auch an Gott. Vielleicht können wir nicht sehen, wo er hinfällt, aber Gott weiß es.

Es macht zwar immer noch keinen Sinn, aber ich weiß, dass Gott Miss Debbie wie einen strahlenden Stern in mein Leben gestellt hat, und Gott weiß auch, was mit ihr mal sein wird. Und manchmal müssen wir die Dinge einfach so hinnehmen, auch wenn wir sie nicht verstehen. Ich hab also versucht, das hinzunehmen, dass Miss Debbie krank ist, und hab an der Mülltonne für sie gebetet. Ich hatte das Gefühl, dass das das Wichtigste ist, was ich jemals gemacht hab, und ich wollte um keinen Preis damit aufhören.

34

Deborahs Krankenhausaufenthalt dauerte eine Woche. Sieben Tage später wurde das Haus, in dem wir zur Miete wohnten, verkauft, obwohl unser neues Heim am Trinity-Fluss erst in ein paar Wochen bezugsfertig sein würde. Nur einen Monat früher hätte das Deborah aus der Bahn geworfen. Doch nun hatte sie den Punkt hinter sich gelassen, an dem sie sich über etwas so Unwichtiges wie ein Dach über unseren Köpfen Sorgen machte. Wenn es ihr nicht gelang, den Krebs zu besiegen, dann würde sie bald keine irdische Behausung mehr nötig haben.

Für die Übergangszeit brauchten wir trotzdem eine, deshalb luden die Davenports uns zu sich ein. In den nächsten zwei Monaten lebten wir zu neunt zusammen – die vier Erwachsenen, die vier Davenportkinder und Deborahs Schwester Daphene, die uns nahezu ständig begleitete. Mary Ellen und Alan waren schon in den letzten neunzehn Jahren unsere besten Freunde gewesen, doch während wir zusammenlebten, wuchsen wir noch enger zusammen – so eng, dass wir sogar unsere Unterwäsche in derselben Maschinenladung Wäsche wuschen.

In dieser Zeit schien das Haus der Davenports zu so etwas wie dem weltweiten Hauptquartier von Essen auf Rädern zu werden. Freunde aus der Gemeinde brachten jeden Tag selbst zubereitete Mahlzeiten vorbei, manchmal für nicht weniger als siebzehn Leute, wenn Carson, Regan und ihre Freunde auch dazukamen. Und viele, die auch gern Essen vorbeigebracht hätten, konnten es nicht – die Warteliste war einfach zu lang.

Seit Dr. Dearden die ersten Knoten in Deborahs Unterleib entdeckt hatte, war noch nicht einmal ein Monat vergangen. Dennoch war der Schmerz jetzt schon ein beachtlicher Feind geworden. Er raste wie ein Buschfeuer durch ihren Bauch, zwang sie dazu, nachts aufzustehen, auf- und abzugehen, aufrecht zu sitzen, ein heißes Bad zu nehmen oder irgendetwas anderes zu tun, um sich abzulenken. Es erschien uns geradezu surreal: Wie konnte der Schmerz in so kurzer Zeit von nichtexistierend zu loderndem Feuer aufflackern?

Wir fragten Alan danach, der Krebspatienten behandelte. Er verglich Krebs mit Hornissen: „Du kannst direkt neben dem Nest stehen, ja, die Hornissen können sogar auf dir herumkrabbeln, trotzdem wirst du nicht gestochen. Aber schlage mit einem Stock auf das Nest und die Hornissen stürzen sich wütend auf dich und bringen dich um."

Die Operationen schienen die Tumore in Deborahs Unterleib unglaublich in Rage gebracht zu haben. Sie hasste es jedoch, Schmerzmittel zu nehmen. Zum einen fürchtete sie sich vor möglichen Abhängigkeiten. Zum anderen hatte sie viel Besuch und wollte ihm nicht im Dämmerzustand entgegenlallen. Und deshalb wurde Schlaf zum nahezu unerreichbaren Wunschtraum, während wir den feindlichen Schmerz bekämpften.

Vier Wochen nach der ersten Operation fuhren wir zum Baylor University Medical Center, um Dr. Robert Goldstein zu konsultieren, einen weltberühmten Leberspezialisten. Nach einer Kernspintomografie trafen wir uns mit dem Arzt in seinem Büro. Es war ein Raum, in dem eigentümlicherweise weder Diplome noch andere Qualifikationen ausgestellt waren, stattdessen Bilder des grauhaarigen Arztes mit Pferdeschwanz und seiner schönen Frau, die auf Harley-Davidsons posierten.

Während er uns über seinen Schreibtisch hinweg ansah, machte Dr. Goldstein keine überflüssigen Worte. „Es tut mir leid. Die Ergebnisse des Kernspins sind nicht gut."

Deborah und ich saßen nebeneinander auf zwei Stühlen. „Wie meinen Sie das?", fragte sie.

Er legte die Karten auf den Tisch. „Mit Ihrem Befund leben die meisten Menschen nicht länger als ein Jahr."

In der Millisekunde, die es brauchte, bis die letzte Information ihr Gehirn erreicht hatte, fiel Deborah in Ohnmacht. Sie fiel buchstäblich von ihrem Stuhl auf den Boden. Dr. Goldstein stürzte auf den Flur und winkte mit den Armen wie einer, der gerade einen Unfall gesehen hat und Hilfe holen will. Ich ließ mich auf die Knie sinken und hob ihren leblosen Körper an, sodass ihr Kopf auf meinem Schoß lag. Eine Krankenschwester eilte herbei, der Arzt dicht hinter ihr, und legte kühle, feuchte Tücher auf Deborahs Gesicht und Arme.

Ein paar Augenblicke später kam sie wieder zu sich, bleich und zitternd, und ich half ihr zurück auf den Stuhl. Dann legte ich ihr einen Arm um die Schulter und hielt mit dem anderen ihre Hand. Ich blickte einen Moment lang zu Dr. Goldstein hinüber, wohl wissend, dass er ein wandelndes Lexikon war, wenn es um die neusten Erkenntnisse über Krebs ging. Es musste irgendeine Möglichkeit geben.

„Was empfehlen Sie uns?", fragte ich ihn.

„Nichts", antwortete er.

Dann sah er Deborah an. „Der Krebs hat sich zu weit ausgebreitet. Wenn Sie meine Frau wären, dann würde ich Sie nach Hause bringen und Ihnen raten, sich, so gut es irgend geht, an Ihrer Familie zu erfreuen – und zu hoffen, dass in den nächsten paar Monaten ein Heilmittel entdeckt wird."

Deborah sah Dr. Goldstein tief in die Augen. „Glauben Sie an Gott?"

„Ich glaube an die Medizin", sagte er.

Entsprechend ratterte er die medizinischen Optionen wie ein Maschinengewehr hinunter: Chemotherapie – würde nicht funktionieren. Leberresektion – zu viele Tumore in beiden Flügeln. Ablation oder den Krebs von der Leber brennen – Tumore zu groß.

Seine Worte trafen wie Hammerschläge, zertrümmerten unsere Hoffnungen. Ich konnte spüren, wie mein Herz heftiger schlug und zerbrach. Mit festumklammerten Händen standen wir auf.

„Danke für Ihre Einschätzungen, Dr. Goldstein", sagte ich durch Lippen, die sich wie Wachs anfühlten. Wir verließen sein Büro und schleppten uns zum Auto, stumm und gelähmt. Schließlich beendete Deborah die brüllende Stille.

„Lass uns Gott preisen", sagte sie.

Wofür?, dachte ich, ohne es zu sagen.

„Lass uns das nicht vergessen, was er über das eine Jahr gesagt hat, und lass uns Gott vertrauen", erläuterte sie mir. „Dr. Goldstein ist nur ein Arzt. Wir dienen dem lebendigen Gott, der unsere Tage gezählt hat. Ich habe vor, meine alle zu erfüllen."

* * *

Trotz der niederschmetternden Begegnung mit Dr. Goldstein hörten Deborah und ich nicht auf zu kämpfen. Kurz nachdem wir bei den Davenports eingezogen waren, unterzog sie sich einem grauenhaften

Zyklus von Chemotherapien in einer düsteren onkologischen Klinik in Fort Worth. Das Chemo-Laboratorium war grau und schwach beleuchtet, zwanzig blaue Liegen standen auf einem Linoleumboden in zwei Zehnerreihen, normalerweise voller Krebskämpfer, bleich und ausgemergelt.

Deborah lag dort wie eine Soldatin drei oder vier Stunden am Stück, während ihr das Gift in die Adern tropfte. Sie sagte, die Chemikalien fühlten sich an, als würde Schwermetall in ihren Körper fließen; sie schmeckte Eisen und Kupfer. Weder Trennwände noch Raumteiler sorgten im Leiden für Privatsphäre. Während ich also bei ihr saß, leise mit ihr sprach, ihr übers Haar streichelte, erbrachen sich die Menschen um uns herum in Schalen, die für diesen Zweck dort aufgestellt waren. Manchmal kamen Mary Ellen und andere Freunde mit, saßen bei ihr und lasen ihr vor.

Wir schafften es normalerweise nicht von der Klinik nach Hause, bevor Deborah von Brechreiz und Durchfall übermannt wurde. Ich fuhr dann an den Straßenrand und half ihr hindurch. Der Schmerz und die Würdelosigkeit, die damit verbunden war, dass sie ihren eigenen Körper nicht mehr kontrollieren konnte, setzte der Frau stark zu, die nie auch nur leicht zerzaust ausgesehen hatte, nicht einmal, wenn sie morgens aufstand.

Die Medizin ließ sie schnell verfallen, bis sie schließlich nur noch fünfzig Kilo wog. Dennoch war sie entschlossen, den Feind zu vernichten, und bestand darauf, verschiedene Arten von Chemotherapie auszuprobieren, manchmal sogar in derselben Woche, in der Hoffnung, den Krebs mit einer medizinischen Variante von Napalm einzuäschern. Zu Hause zog sie – wann immer sie den Kopf vom Kissen heben konnte – ihre Turnschuhe an und wir gingen spazieren. Die Kinder und ich konnten sie nicht aufhalten, selbst dann nicht, wenn ihre Kräfte sie verließen.

35

Dass Denver einen Führerschein machen sollte, war ursprünglich Deborahs Idee gewesen, damals, im Herbst 1998. Sie hatte das ungute Gefühl, dass ihr Krebs – und wie sehr er unsere Zeit in Anspruch nahm – Denver daran hinderte, wirklich Teil unseres Lebens zu werden. Wenn er einen Führerschein hätte, so argumentierte sie, dann könnte er einfach zu allem, was wir tun, dazukommen, ohne dass ihn erst irgendjemand an der Mission abholen müsste.

Nachdem wir Denver unsere Überlegungen mitgeteilt hatten, antwortete er so, wie es für ihn typisch war: „Ich muss mal drüber nachdenken", sagte er.

Ein paar Wochen später saßen wir in der Mission beim Kaffee zusammen. „Auto fahren zu können, wäre schon 'ne tolle Sache, Mr Ron", eröffnete er mir. „Aber ich muss Ihnen gestehen, dass ich nicht wirklich sauber bin."

„Sauber?"

„Über mich gibt's 'ne Akte."

Denver hatte anscheinend ein bisschen bei der Straßenverkehrsbehörde herumgeschnüffelt. Nachdem der Beamte seinen Namen in den Computer eingegeben hatte, war eine Liste von Problemen aufgetaucht: eine Ordnungswidrigkeit in Lousiana, ein paar unbezahlte Strafzettel, die mit seinem Auto-Hotel-Geschäft zu tun hatten, und – das war der dickste Brocken – ein Eintrag wegen des Besitzes von Marihuana, den er in Baton Rouge während seiner Jahre auf den Schienen bekommen hatte. Solange die Drogengeschichte in seiner Akte stand, konnte er den Führerschein vergessen.

Denver wollte seinen Namen reinwaschen, deshalb beschlossen wir, dass er nach Baton Rouge fahren sollte, wo er sich den Gesetzen Napoleons unterwerfen wollte. Eine der Kuriositäten der amerikanischen Geschichte ist, dass einige Gesetze in Lousiana seit der Zeit nicht verändert wurden, als die Gegend noch dem kleinen Korsen gehört hatte.

Wir schrieben den Dezember des Jahres 1998, und wir suchten uns keine besonders gute Nacht für seine Reise aus. Überfrierender Regen hatte auf allen texanischen Autobahnen für ein Verkehrschaos gesorgt. Doch Denver wollte seine Vergangenheit endlich hinter sich lassen, also fuhr ich ihn zur Haltestelle für Greyhound-Überlandbusse.

Denver deutete an, dass ein paar Hundertdollarscheine in der Hand des richtigen Beamten in Lousiana das Problem aus der Welt schaffen würden. „So läuft das nun mal da unten", sagte er. Also gab ich ihm $ 200, um seine Strafe zu bezahlen.

Nach einem langen, rutschigen Trip im Greyhoundbus – „Das Ding ist rumgeschlittert wie 'ne Kuh auf'm Eis!", erzählte mir Denver später –, kam er schließlich in Baton Rouge an. Der Tag war so wie die Nacht davor, überzogen von der Sorte Eis, die einem die Zehen schmerzen und die Nase laufen lässt. Denver schob sich durch die Türen der Polizeistation, trampelte sich die Kälte aus den Füßen und versuchte zu erklären, dass er sich wegen eines zehn Jahre alten Marihuana-Verfahrens stellen wollte.

Die Polizisten lachten ihn aus.

Er fand eine Telefonzelle und rief mich an, um mir zu offenbaren, dass er kein Glück hatte. „Die glauben, dass ich nicht mehr alle Tassen im Schrank hab, Mr Ron", sagte er glucksend. „Die denken, dass ich nur in den Knast will, damit ich 'n warmes Plätzchen zum Pennen hab. Ich find einfach keinen, der mein Geld nimmt, ob ich's ihm unterm Tisch zustecken will – oder überm Tisch!"

Wenn ich Denver nicht helfen konnte, bestraft oder eingesperrt zu werden, dann musste ich wohl oder übel die gute alte Vetternwirtschaft bemühen. Ich rief einen Bekannten an, einen von diesen Leuten, die in Lousiana alles bewegen, der schon als Kind mit dem Sohn des Governeurs zusammen Matchbox-Autos durch die Gegend geschoben hatte. Deborah war seine Lehrerin gewesen, als er im ersten Schuljahr die Schulbank gedrückt hatte. Ich vermutete, dass er einen kannte, der Denver entweder verhaften oder von allen Anschuldigungen freimachen könnte. Das tat er, und mit einem Mal war Denvers Akte sauber. Genau wie Denver mir gesagt hatte, als er sich auf den Weg nach Baton Rouge gemacht hatte: Die Dinge liefen anders da unten.

Und so kam es, dass Denver schließlich seinen Führerschein machen konnte. Das bedeutete, dass er eine schriftliche Prüfung bestehen musste – für einen, der lesen kann, keine große Sache. Doch weil er nicht in der Lage war, die Prüfungsaufgaben selbst zu lesen, entschied sich Denver dafür, sie sich beibringen zu lassen. Ein paar Leute in der Mission arbeiteten einige Wochen mit ihm, bis er alle Fragen und die meisten Antworten kannte. Als er sich sicher genug fühlte, fuhr ich ihn zur Straßenverkehrsbehörde.

Nach einer mündlichen Prüfung kam Denver lachend aus der Behörde und hob triumphierend seinen Daumen. Dann kam die Fahrprüfung. Denver hatte bisher Traktoren gefahren und ein paar Autos, aber er hatte noch nie einparken müssen. Ich fuhr mein neues Auto, einen silbergrünen Infinity Q45, hinaus zu dem großen Parkplatz neben dem Lakeworth High School Football Stadion und räumte für ihn den Fahrersitz. Dann übte Denver zwischen einer Telefonzelle und dem Ticketstand ein paar Stunden lang einparken, bis der Spielmannszug von Lakeworth den Parkplatz übernahm und uns vertrieb.

Im Dezember 1999, zehn Monate nachdem er nach Lousiana gefahren war, um sich verhaften zu lassen, bekam Denver endlich seinen Führerschein. Die Dame, die Denvers Fahrprüfung abnahm, sagte, sie mochte seinen Q45, und dachte laut darüber nach, wie hoch wohl die Leasingraten seien. Er bedankte sich überschwänglich bei mir, bis ich ihm schließlich sagte, er solle damit aufhören. Er nahm nichts als gegeben hin und hielt seinen Führerschein für einen von vielen Segensmomenten, die Gott in der letzten Zeit für ihn bereitgehalten hatte, unter ihnen Deborah und ich.

In praktischer Hinsicht war Denvers Führerschein eine Ermutigung für ihn: Ohne Führerschein sind so viele Dinge unerreichbar – nicht nur das Autofahren, auch anderes, was einen Menschen sich als solchen fühlen lässt, wodurch man zeigen kann, wer man wirklich ist. Kurz nachdem er seinen Führerschein gemacht hatte, benutzte ihn Denver, um uns genau das zu beweisen.

* * *

Regan fand schließlich eine Tätigkeit, die sie liebte, und zwar als Köchin für Young Life, ein christliches Jugendkamp. Im Vergleich zur Galerie arbeitete sie die doppelte Zeit für das halbe Geld, doch es war ein geistlicher Dienst und außerdem in Colorado mit den majestätischen

Rocky Mountains im Hintergrund, in einer Gegend, in der sich eine Menge Fünfundzwanzigjähriger zum Leiden für den Herrn berufen fühlen.

Deborah hatte den Eindruck, dass Regan nicht ständig zu Hause herumhängen sollte, um zu sehen, wie es mit dem Krebs weiterging. Wir ermutigten sie deshalb, das Jobangebot anzunehmen. Also packte sie ihre Koffer und brach nach Westen zur Crooked Creek Ranch in Winter Park im Bundesstaat Colorado auf. Doch schon mit 25 hatte Regan mehr als nur Handgepäck, schließlich hatte sie in New York und Dallas Apartements besessen.

Nur zum Spaß fragte ich Denver eines Tages: „Jetzt, wo du unter die Führerscheinbesitzer gegangen bist, könntest du da nicht Regans Sachen nach Colorado fahren?"

Als ich erwähnte, dass die Route durch die Hauptstadt Denver führte, breitete sich ein achtspuriges Grinsen auf seinem Gesicht aus. „Ich wollte schon immer mal die Stadt sehen, nach der sie mich genannt haben", entgegnete er.

Jetzt hatte ich also meine Falle geöffnet und konnte sie nicht mehr zurücknehmen. In den darauffolgenden drei Tagen machten wir uns deshalb Gedanken über die Planung. Ich holte eine Straßenkarte und markierte mit Leuchtmarkern die Strecke bis Winter Park. Aber Denver konnte die Worte auf dem Straßenatlas nicht lesen. Ich nahm also ein leeres Blatt Papier, malte eine grobe Karte mit Skizzen der Autobahnschilder daneben und zeigte ihm, wie die Straße nach Colorado aussehen musste. Denver war vollkommen überzeugt, dass er in der Lage war, eine Karte zu lesen – und er überzeugte mich ebenfalls.

An einem sonnigen Oktobertag luden wir also alles, was Regan besaß, auf meinen beinahe neuen Ford F-350 Pickup Truck – Fernseher, Stereoanlage, Kleidung, Möbel. Wir vereinbarten, dass er sich am darauffolgenden Tag um 18 Uhr in einem Safeway-Supermarkt in Winter Park mit Regan treffen sollte. Nach einer einstündigen intensiven Beratung schickte ich ihn los, bewaffnet mit $ 700 Bargeld, einer einfachen, selbst gemalten Karte mit den verschiedenen Stationen, Telefonnummern, falls er in Schwierigkeiten geraten sollte, und einem Pickup im Wert von $ 30.000, der nicht gestohlen war.

Während er langsam die Einfahrt hinunterfuhr, rannte ich neben ihm her und rief immer wieder: „Zwei-siebenundachtzig! Zwei-siebenundachtzig!" Wenn er auf den Highway 287 fahren würde, wäre er auf dem Weg nach Colorado. Falls er ihn verfehlte, würde er irgendwann im Hinterland von Oklahoma landen, wo, davon hatte ich ihn zu überzeugen versucht, die Menschen in einer vollkommen anderen Sprache redeten.

Ich versuchte mir einzureden, dass ich von meinem Tun überzeugt war, aber es war offensichtlich, dass Denver auf einer Rundreise von ungefähr dreitausend Kilometern unterwegs war, und sich auf Interstate-Autobahnen, Landstraßen und Passstraßen – den höchsten von Colorado – zurechtfinden musste. Das alles mit einem Führerschein, den er erst eine Woche zuvor per Post bekommen hatte. Was dachte er sich dabei? Oder eher, was dachte *ich* mir dabei?

Während er mit meinem Geld, meinem Auto und allem, was Regan besaß, wegfuhr, wischte sich Denver die Stirn mit einem Tuch, das er für gewöhnlich bei sich trug, und lächelte ein dünnes Halb-Grinsen, von dem ich nicht wusste, wie ich es verstehen sollte.

Der Engel auf meiner rechten Schulter flüsterte mir seine Bedeutung zu: „Danke, Mr Ron, dass Sie mir vertrauen."

Der Teufel auf meiner linken gluckste: „Nein, es bedeutet, ‚Tschüss, du Blödmann, dein Auto siehst du nie wieder!'"

36

Ich bin kein Dieb und auch kein Lügner, aber Mr Ron hat das ja nicht gewusst. Deshalb hab ich einfach nicht kapiert, warum er mir überhaupt vertraut hat, warum er mir den ganzen Krempel von seiner Tochter gegeben hat, damit ich alles nach Colorado rauffahre. Ich hab zwar nicht das hellste Köpfchen, aber ein paar Sachen kann ich auch kapieren, ich hab mir also keine Gedanken darüber gemacht, ob ich den Weg dahin finde. Aber bei meinem Leben, ich hab nicht kapiert, warum ein reicher Weißer mir sein Allradauto, sieben Riesen und alles, was seine Tochter besitzt, geben konnte und auch noch erwartet hat, dass ein Obdachloser, der pleite ist und nicht lesen und schreiben kann, anderhalbtausend Kilometer fährt, den Krempel abliefert – und dann das Auto nach Hause zurückbringt!

Es hat einfach keinen Sinn gemacht. Ich hab zwar gewusst, dass er ein kluger Kerl ist, der so manches kapiert, was ich einfach nicht durchschaue. Aber nur schlau sein hilft dir nicht, dein Auto wiederzusehen – dazu brauchst du Vertrauen.

Ich glaube, ich hatte nie mehr als $ 20 oder $ 30 bei mir, außer das eine Mal, wo mir Mr Ron einen Hunderter zugesteckt hat. Und jetzt gibt er mir *$ 700 in bar* und einen *$ 30.000 Pickup* voller Fernseher, Möbel und Stereoanlagen. Ich durfte den Mann einfach nicht enttäuschen.

Er hat mir 'ne Karte gemalt, weil er gedacht hat, ich könnte sie lesen, und hat so gut es ging, erklärt, wie die Straßenschilder aussehen und was ich bei ihnen tun soll. Wie wir dann mit dem Beladen von dem Pickup fertig waren, hat er mit dem Finger ungefähr in Richtung Colorado gezeigt. Wie ich dann aus seiner Einfahrt rausgefahren bin, ist er neben mir hergerannt und hat „Zwei-siebenundachtzig! Zwei-siebenundachtzig!" gebrüllt.

Ich will ehrlich sein: Das ganze Reden und Rumzeigen und Rumbrüllen hat mich ziemlich nervös gemacht, ich konnte mich plötzlich an nichts mehr von dem erinnern, was er mir erzählt hat. Aber ich hab noch gewusst, dass ich in Oklahoma lande, wenn ich die 287 verpasse. Und rausfinden würde ich das, wenn ich auf 'ner großen Brücke über'n großen Fluss fahr und da auf'm Schild steht „OKLAHOMA" und „RED", weil der Fluss so heißt.

Und genau das ist passiert. Ich hab gewusst, dass ich jetzt ein Problem habe, also hab ich an irgendner Tankstelle angehalten und dem Kerl da erzählt, dass ich auf die 287 nach Colorado muss. Er hat mir 'nen anderen Weg erklärt, wie ich da hinkomme, und da hab ich ihm erst nicht vertraut, weil er nicht wirklich schlau ausgesehen hat. Ich bin also wieder losgefahren und war diesmal ziemlich langsam unterwegs, weil ich Angst gehabt habe, dass ich das Zeug von Mr Ron seiner Tochter verliere. Ich hab gedacht, besser bin ich zu spät und *mit* dem Kram da, als rechtzeitig, aber mit 'ner leeren Ladefläche.

Einen Teil von den $ 700 hätte ich für ein Motelzimmer ausgeben sollen, aber ich hab im Auto gepennt, weil mir noch nie einer so viel Zeug anvertraut hat und ich es deshalb nicht aus den Augen lassen würde, damit es keiner klaut.

Es lief dann alles ziemlich gut. Die Leute an der Tankstelle hatten mich wirklich in die richtige Richtung geschickt. Wie ich dann in Colorado angekommen bin, habe ich in der Ferne die Berge sehen können, und hab gedacht, die sehen ziemlich schön aus. Aber ich hab mir auch gedacht, dass das Camp von Mr Ron seiner Tochter irgendwie auf der *anderen* Seite von den Bergen sein musste, und mit Sicherheit würde keiner mit 'nem Pickup über die Berge fahren können. Wie ich weitergefahren bin, sind die Berge immer höher geworden. Ich hab auf ihren Spitzen Schnee sehen können, aber ich hab nicht gesehen, wo sie aufhören, und hab mich immer mehr gefragt, wie ich da nun drumrum fahren soll. Dann war ich plötzlich neben ihnen und die Straße ging steil nach oben!

Ich hab an 'ner anderen Tankstelle angehalten und eine Frau gefragt, wie ich nach Winter Park komme. Sie hat mich angesehen und den Berg *hoch* gedeutet! Und wie ich gefragt hab, wo die Crooked Creek Ranch war, da hat sie auf die Spitze gezeigt.

„Die Straße ist eng", hat sie gesagt. „Wenn Sie einmal auf dem Weg nach oben sind, können Sie nicht mehr drehen."

Ich hab mich deshalb ein bisschen mit mir selbst unterhalten. *Ich bin ein starker Kerl*, hab ich gedacht. *Ich muss also keine Angst haben.* Also bin ich wieder in meinen Pickup geklettert und den Berg raufgefahren. Echt langsam.

Die Fahrt war ziemlich schön, der Himmel über den Bergen war blau wie das Wasser von 'nem See und die Bäume waren alle rot und orange und gelb, wie wenn sie gebrannt hätten. Wie ich den Berg halb oben war, hab ich gedacht, ich schau mich mal ein bisschen um, und hab angehalten, um mal über den Rand zu gucken, weil ich wissen wollte, wie weit ich sehen kann.

Das war ein Fehler gewesen.

Ich hab den Boden nicht gesehen. Der Rand von der Straße fiel runter in das größte Nichts, was ich je gesehen hab. Ich bin so schnell, wie ich könnte, zurück in mein Auto und hab das Lenkrad so festgeklammert, dass ich Angst hatte, es würde abbrechen. Ich hab furchtbar geschwitzt, obwohl es draußen gefroren hat. Ich bin dann den Rest von dem Weg nicht schneller als zehn Stundenkilometer gefahren und wie ich in Winter Park angekommen bin, hab ich 'ne Schlange von vielleicht hundert Autos hinter mir gehabt. Es sah aus wie'n Frachtzug.

37

Nachdem Denver das Treffen mit Regan verpasst hatte, fiel mein Glaube an ihn von einem Berg herunter. Zuerst wollte ich die Autobahnpolizei anrufen, um einen Unfall zu melden. Doch ich änderte meine Meinung, als ich mir vorstellte, wie der Mann in der Telefonzentrale einen Lachanfall bekam, wenn ich ihm erzählte, was ich getan hatte. Ganz abgesehen davon sollte Denver drei Bundesstaaten durchqueren, ich hatte also keine Ahnung, welche Polizei ich hätte informieren müssen.

Es nagte an mir, dass Denver mehrere Telefonnummern bei sich trug, aber mich noch nicht einmal angerufen hatte. Ich konnte mich an die großen Augen erinnern, die er bekommen hatte, als ich ihm die $ 700 überreicht hatte – ihm musste das wie ein kleines Vermögen vorgekommen sein. Ein Vortrag von Don Shisler über das Schicksal eines Dollars in der Hand eines Penners kam mir in den Sinn. Vielleicht war die Versuchung einfach zu groß gewesen.

Vielleicht hatte er das Geld, den Pickup und Regans Besitztümer genommen und hatte in Mexiko ein neues Leben angefangen. Oder in Kanada. Er hatte immer gesagt, dass er sich eines Tages Kanada ansehen wollte.

Ich hasste den Gedanken, Deborah über Denvers Verschwinden informieren zu müssen. Doch ich wusste, dass sie jedes Mal, wenn Regan und ich miteinander telefonierten, hören konnte, wie wir die Stimmen senkten, um unsere Sorgen und Probleme zu verheimlichen. Ich ging also ins Schlafzimmer und erzählte es ihr.

Ihre Antwort war typisch Deborah: „Na gut. Aber warum hörst du nicht auf, dir Sorgen zu machen, und fängst stattdessen an, für Denvers Wohlergehen zu beten?"

Ich kniete mich neben das Bett, wir hielten uns an den Händen und beteten. Wir verharrten nur ein paar Minuten in dieser Stellung, dann klingelte das Telefon. Es war Regan: „Er ist hier!"

38

Spät am Abend des darauffolgenden Tages schellte es an unserer Tür. Im Eingang stand Denver, auf seinem Gesicht das breiteste Grinsen, das ich je im Leben gesehen hatte. In der Einfahrt stand unser Pickup, gewaschen und gewachst.

Wir setzten uns an den Küchentisch und er erzählte, wie es ihm auf der Reise ergangen war. Schließlich sagte er: „Mr Ron, Sie haben mehr Vertrauen als irgendein anderer Mensch, den ich kenne. Die Fahrt war 'n bisschen schwierig, aber ich hab Sie nicht enttäuschen wollen." Dann überreichte er mir einen Knäuel Dollarnoten – es waren ungefähr $ 400.

„Wie kommt es, dass du noch so viel übrig hast?", fragte ich.

„Ich hab halt immer im Auto gepennt und nur bei McDonald's und 7-Eleven gefuttert."

Ich hatte nicht erwartet, dass am Ende überhaupt noch etwas von dem Geld übrig bleiben würde, also sagte ich: „Du kannst es behalten, weil du deine Sache wirklich gut gemacht hast."

„Nein, Sir", sagte er leise. „Ich hab das nicht für Geld gemacht. Ich wollte Ihnen und Ihrer Familie was Gutes tun. Und das kann man nicht mit Geld kaufen."

Gedemütigt stand ich da und sah ihn an, unsicher darüber, ob ich jemals im Leben ein großzügigeres Geschenk bekommen hatte. Ich konnte ihn aber auch nicht einfach mit leeren Händen wegschicken, deshalb sagte ich ihm, er solle das Geld nehmen und damit einem anderen etwas Gutes tun.

Der Trip entpuppte sich für uns beide als lebensverändernd – für ihn, weil er bewiesen hatte, dass er vertrauenswürdig war, und für mich, weil ich gelernt hatte zu vertrauen. Zwei Wochen später sandte ich Denver in einem geliehenen Lieferwagen nach Baton Rouge. Auf der Ladefläche waren Gemälde und Skulpturen im Wert von mehr als einer Million Dollar verstaut. Wenn man den Angaben meines Kunden dort

Glauben schenken konnte, dann hütete Denver den Inhalt des Liefer-
wagens, als handele es sich um das Gold von Fort Knox.

39

Zwischen Mai und November kam es uns so vor, als würden wir Furchen in die Straße zwischen der Vorstadt und der Chemotherapieklinik fahren. Gnädigerweise bekam Deborah rund um Thanksgiving zwei Wochen Pause von der Chemotherapie.

Wir haben dieses Fest immer in Rocky Top gefeiert. Am Morgen von Thanksgiving stand ich noch vor Tagesanbruch auf, um Rotwild jagen zu gehen. Ich sah einen netten Bock, aber mir war nicht nach Töten zumute. Deborah bereitete zur selben Zeit ein großes Essen für rund fünfundzwanzig Freunde und Familienmitglieder vor, zu denen auch Denver gehörte, der da schon eher in die letzte Kategorie fiel. Die Chemotherapie hatte angeschlagen, die Tumore verkleinerten sich, und während der Pause war es Deborah auch gelungen, ein paar Kilo zuzunehmen und wieder etwas Farbe ins Gesicht zu bekommen. Wenn unsere Gäste nicht gewusst hätten, in welchem Zustand sie sich befand, hätten sie sie nicht für krank gehalten.

Im Dezember waren die Tumore durch die Chemotherapie so klein geworden, dass man bei Deborah eine Leberoperation angehen konnte. Am 21. Dezember wurden ihr vierzehn Tumore weggebrannt – entfernt durch Ablation – und nach einer vierstündigen Operation hatten wir unser Wunder.

„Krebsfrei!", verkündete der Chirurg, der während der Prozedur ihren gesamten Körper auf Krebs untersucht und nichts mehr gefunden hatte.

Deborah musste gleichzeitig lachen und weinen, und mein Mobiltelefon brannte beinahe durch, so sehr verbreitete ich die guten Neuigkeiten. Wir nahmen das als Weihnachtsgeschenk von Gott.

40

Unsere Freude war nur kurz. Wie ein Feind, der scheinbar verschwunden war, tatsächlich aber irgendwo im Hinterhalt auf uns lauerte, kreiste uns der Krebs ein. Schon Ende Januar war er mit aller Macht zurückgekehrt. Im März überlegten die Ärzte, ob sie Deborah noch einmal an der Leber operieren sollten, aber nur drei Monate nach der Ablation hielten sie das Risiko noch für zu hoch. Weitere Chemotherapien schienen den Krebs nicht zurückzudrängen, es war eher so, als würde er sich von ihnen ernähren. Die Krebszellen wuchsen wie eine Armee der Finsternis und der Kampf gegen sie schien so, als ob man mit Steinen auf Panzer wirft.

Denver fuhr in einem Auto, das er „Manna" nannte, weil es seiner Aussage nach vom Himmel gefallen war, überall in der Stadt herum. (In Wirklichkeit hatte es ihm Alan Davenport geschenkt.) Er kam oft bei uns vorbei und jedes Mal, wenn ich ihn sah, dann war das, als ob man auf die Bank geht und die Zinsen für eine Geldanlage eintragen lässt: Ich wurde reicher und sammelte die Dividenden seiner Weisheit. Wir haben selten über Belangloses geplaudert. Er kam immer direkt auf den Punkt – auf das, was ich an diesem Tag zu lernen hatte.

Eines Tages trat er ein und kam, wie es seine Art war, direkt zur Sache. Er sah mir geradewegs in die Augen und sagte: „Mr Ron, was hat Gott gesagt, wie er die Welt gemacht hat und alles, was dadrin ist?"

Weil ich wusste, dass Denver keine Scherzfragen stellte, antwortete ich ihm geradeheraus: „Er sagte, ‚Es ist gut.'"

Über Denvers Gesicht huschte ein Lächeln. „Genau."

Dann ging er in eine Predigt über, in der er mir versicherte, dass Krebs nicht von Gott geschaffen worden sei, denn Krebs sei nicht gut, ich solle also aufhören, Gott für etwas die Schuld zu geben, was er nicht gemacht habe. Diese Vorlesung in Theologie half, zumindest für eine kleine Zeit.

Das Frühjahr kam und mit ihm kamen die Rituale von Rocky Top.

Krank, aber entschlossen, wollte Deborah die Jahreszeit genießen und hoffte erwartungsvoll auf die ersten Knospen an den blauen Wiesenlupinen, dann auf die Geburt unserer Longhornkälber. Sie nannte zwei von ihnen Sprotte und Bläschen und ich rollte nicht mit den Augen. Wir beobachteten, wie die Adler in Wolfsbarschen schwelgten, und staunten über die Luftkämpfe, die manchmal nach einem Fang entbrannten. Nachts überzogen die Sterne den Himmel wie Juwelen und das Mondlicht spiegelte sich im Brazos, man sah Fische im kühlen Glanz springen. Das einzige Geräusch, das man im Umkreis von mehreren Kilometern hören konnte, war der Wind in den Eichen und das einsame Pfeifen weit entfernter Züge.

Denver kam mit uns auf die Ranch. Ich hatte ihn zum Cowboy Spring Gathering eingeladen, einem jährlichen Event, bei dem ungefähr zweihundert Menschen in Rio Vista kampierten, der Ranch unserer Freunde Rob und Holly Farrell auf der anderen Seite des Flusses. Wir trafen uns dort schon seit über zwanzig Jahren, um Tipies aufzustellen, zu reiten und Lasso zu werfen, Essen aus der Gulaschkanone zu genießen und am Lagerfeuer Cowboylyrik zu lesen.

„Ich hab gehört, dass die Cowboys schwarze Leute nicht mögen", sagte Denver, als ich ihn einlud. „Sind Sie sicher, dass ich da hingehen soll?"

„Natürlich solltest du dort hingehen", sagte ich, aber ich musste ihn trotzdem praktisch fesseln und mitschleifen.

Denver stellte am ersten Abend nur sehr zögernd sein Tipie auf, und am nächsten Morgen fand ich ihn schlafend auf der Rückbank eines Autos. Er hatte zwar nichts dagegen, unter freiem Himmel zu schlafen, schließlich hatte er das seit Jahrzehnten in der Innenstadt von Fort Worth getan. Dort gab es jedoch nicht so viele Klapperschlangen.

Sehr bald entdeckte er allerdings seine Cowboygene und fühlte sich unter uns wohler. Er ritt nicht, wollte aber, dass wir ihn auf einem Pferd fotografierten, damit er es seinen obdachlosen Kumpels zeigen könnte. Wenn wir einen Gabelstapler gehabt hätten, hätten wir seinen fast hunderzwanzig Kilo schweren Hintern etwas leichter in den Sattel gehoben.

Die Lagerfeuer und die Kameradschaft bewirkten bei Denver Wunder. Er fing an zu spüren, wie es sich anfühlt, wenn man von einer Gruppe weißer Leute mit Seilen in den Händen angenommen und geliebt wird. Also genau von der Sorte Menschen, vor der er sich sein Leben lang gefürchtet hatte.

* * *

Nach Fort Worth zurückgekehrt, verlor Deborah wieder ein Kilo nach dem anderen, die Haut um ihren kleinen Körper wurde immer schlaffer. Trotzdem kämpfte sie.

„Weißt du, was ich heute machen werde?", fragte sie mich lächelnd an einem Morgen im März. „Ich gehen *shoppen*."

Sie fühle sich, als sei sie wieder ganz die Alte, sagte sie. Ich vermutete, sie sehnte sich schlichtweg danach, dass wieder alles ganz normal war, sagte jedoch nichts. Sie hatte schon seit einem Jahr kein Auto mehr gefahren. Ich stand am Fenster und sah zu, wie sie mit ihrem Land Cruiser davonfuhr, und machte mir während ihrer Abwesenheit die größten Sorgen – natürlich voll innigem Verlangen, ihr zu folgen, doch ich blieb, wo ich war. Als ich sie ungefähr eine Stunde später wieder in die Garage fahren hörte, stolperte ich nach draußen, um ihr beim Ausladen zu helfen.

Doch es gab nichts auszuladen. Mit geschwollenen roten Augen und Tränen auf ihren Wangen sah sie mich an, in ihrer Kehle arbeitete es.

„Bin ich an der Endstation angekommen?", fragte sie schließlich und schien die Worte so auf Distanz zu halten wie etwas Ekliges, was sie am Straßenrand gefunden hatte.

Endstation ist ein hartes Wort, wenn man es im Zusammenhang mit dem Sterben verwendet, und keiner von uns hatte es bisher gewagt, das offen auszusprechen. Doch in anderen Zusammenhängen geht es um einen Ort, durch den Menschen hindurchgehen, um woanders hinzugelangen. Deborah wusste, dass ihr „Woanders" der Himmel war. Sie hoffte einfach nur, dass sich der Zug verspätete.

Ich wischte ihr eine Träne von der Wange und versuchte, ihrer Frage auszuweichen. „Wir sind alle zur Endstation unterwegs", sagte ich sanft lächelnd. „Keiner von uns kommt hier lebend heraus."

„Nein, sage es mir ganz offen: Bin ich im Endstadium? Sagen die Leute das über mich?"

Im Einkaufszentrum, so erzählte sie mir, war sie einem alten Studienkollegen begegnet, der von ihrem Krebs gehört hatte. Sehr bewegt und besorgt, ohne die Absicht, Deborah zu beunruhigen, hatte dieser Freund zu ihr gesagt: „Ich habe gehört, du bist an der Endstation deiner Reise angekommen."

Weil sie sich ihre Erschütterung nicht anmerken lassen wollte, hatte Deborah geantwortet:: „Das hat mir niemand gesagt."

Mühsam um die Wahrung einer ruhigen Erscheinung kämpfend, trat sie würdevoll die Flucht an und brach erst zusammen, als sie die Geborgenheit ihres Autos erreicht hatte. Während des ganzen Heimwegs hatte sie lauthals geweint, sagte sie mir. Das war das letzte Mal, dass sie allein das Haus verließ.

Im April operierten die Ärzte Deborahs Leber erneut und warnten sie, dass ihr Körper eine solche Belastung in den nächsten neun bis zwölf Monaten nicht noch einmal überstehen würde. Am darauffolgenden Sonntag bestand sie dennoch darauf, in die Kirche zu gehen, wo wir Denver trafen. Doch während der Gebetszeit vor dem Gottesdienst wurde ihr schlecht, und so bat sie mich, sie zum Haus unserer Freunde Scott und Janina Walker zu bringen. Janina erholte sich selbst gerade von einer Operation, vielleicht konnten die beiden einander guttun.

Nach dem Gottesdienst kam Denver bei den Walkers auf einen Besuch vorbei. Er blieb zum Essen und entschuldigte sich dann: „Ich muss mal nach Mr Ballantine sehen", sagte er. Neugierig geworden fragte Scott, ob er auch mitkommen könnte.

Ich hatte Mr Ballantine kennengelernt, als er noch in der Mission gewohnt hatte. Irgendwann bevor Deborah und ich in der Mission angefangen hatten, so hatte Denver uns erzählt, war einmal ein Auto mit quietschenden Reifen am Rand der East Lancaster Street zum Stehen gekommen. Der Fahrer hatte einen älteren Mann aus der Beifahrertür geschubst, einen heruntergekommenen Touristen-Koffer hinterhergeworfen und war weggebraust. Am Wegrand zurückgelassen, schwankte der alte Mann wie ein betrunkener Matrose auf Landgang hin und her und gab eine Salve übler Flüche von sich. Doch für Denver sah er auch ... ängstlich aus. Zu diesem Zeitpunkt lebte Denver immer noch nur für sich selbst, ein Einzelgänger mit versteinertem Gesicht, der nicht in anderer Leute Angelegenheiten herumschnüffelte. Aber irgendetwas – er glaubt, der hilflose Gesichtsausdruck des Mannes – brachte eine Saite seines Herzens zum Schwingen.

Denver ging also zu dem Mann hin und bot ihm an, ihn in die Mission zu bringen. Im Gegenzug verfluchte ihn der Mann und nannte ihn einen Nigger.

Denver half ihm trotzdem und erfuhr, dass er Ballantine hieß und ein übler alter Trunkenbold war, der die Verachtung seiner Familie redlich verdient hatte und Schwarze hasste. Christen hasste er überdies noch mehr, in ihnen sah er nichts anderes als einen Haufen wimmernder, charakterloser Heuchler. Aus diesem Grund – freies Essen hin oder her – wäre er lieber verhungert, als eine Predigt in der Mission durchzustehen. Andere hätten ihn vermutlich in Ruhe gelassen. Stattdessen bestellte Denver zwei Jahre lang immer zwei Essen in der Essensschlange und nahm eines mit nach oben zu Mr Ballantine. Übellaunig, streitsüchtig und vollkommen hartherzig schimpfte Mr Ballantine seinen Wohltäter weiterhin „Nigger".

Im Jahr darauf sprang irgendein Strolch Mr Ballantine vor der Mission an und wollte ihm seinen Sozialhilfe-Scheck rauben. Statt ihn herauszugeben, ließ sich der alte Mann lieber zum Krüppel schlagen. Weil die Mission nicht ausgestattet war, um für einen Invaliden zu sorgen, hatte Don Shisler keine andere Wahl, als für Mr Ballantine einen Platz in einem von der Sozialhilfe finanzierten Altenheim zu suchen. Dort kümmerten sich schlecht bezahlte Helfer zwar um seine Grundbedürfnisse, doch in Wahrheit war Mr Ballantine mit fünfundachtzig humpelnd, hilflos und vollkommen allein. Abgesehen von Denver. Nach dem Umzug des alten Mannes lief Denver regelmäßig drei Kilometer durch den Hobo-Dschungel, um Mr Ballantine ein bisschen Nicht-Altenheim-Essen oder ein paar Zigaretten zu bringen.

Eines Tages bat mich Denver, ihn dorthin zu fahren. In gewisser Weise wünschte ich, ich hätte es nicht getan, denn diese Fahrt kratzte die Gutmenschen-Tünche von mir ab und offenbarte den zimperlichen Mann, dessen Nächstenliebe hier definitiv an eine Grenze stieß.

Als wir Mr Ballantines Zimmer im Altenheim betraten, traf mich zuerst der Geruch – ein Gestank aus Alter, toter Haut und Körperflüssigkeiten. Der alte Mann lag auf seinem Bett in einer Urinpfütze, abgesehen von einer orangefarbenen Skijacke war er vollkommen nackt. Seine gespenstischen Hühnerbeine verteilten sich auf einem Laken, das einmal weiß gewesen war, aber nun schmuddelig grau mit braunen und ockerfarbenen Flecken. Um ihn herum lagen Tabletts mit halbver-

zehrtem Essen, Rühreier mit einer harten gelben Kruste, zusammenge-
schrumpeltes Fleisch, versteinerte Brötchen. Auf einigen dieser Servier-
bretter lagen umgekippte Milchtüten, deren Inhalt zu einer stinkenden
sauren Pampe zusammengeflossen war.

Mit einem einzigen Blick um sich herum begutachtete Denver zunächst das Zimmer und dann mich: schwankend und kurz davor, mich
zu übergeben. „Mr Ron wollte einfach nur Hallo sagen", sagte er zu Mr
Ballantine. „Er geht gleich wieder."

Ich rannte zur Tür und ließ Denver mit der Aufgabe allein, Mr Ballantine und seinen ekelhaften Raum zu reinigen. Ich bot ihm keinerlei Hilfe an, nicht einmal zu bleiben und zu beten. Mit Schuldgefüh-
len, aber nicht genügend, um mich zu verändern, sprang ich ins Auto
und weinte, als ich wegfuhr – über Mr Ballantine, heimatlos und geschwächt, der in seinen eigenen Exkrementen schmoren würde, gäbe
es Denver nicht; und ich weinte über mich, weil mir zum Bleiben der
Mut gefehlt hatte. Für jemanden wie mich war es einfach, ein paar
Essen zu servieren, ein paar Schecks auszustellen und mit Namen und
Bild in der Zeitung zu erscheinen, weil ich bei ein paar glanzvollen
Benefizveranstaltungen aufgetaucht war. Doch Denver diente im Ver-
borgenen, liebte, ohne es herauszuposaunen. Die Dinge hatten sich
gewandelt, nun hatte ich Angst, dass er mich eines Tages fallen lassen
würde, mich, einen Menschen ohne Mitgefühl, der vielleicht ein Fang
gewesen war, mit dem man doch nichts anfangen konnte.

An diesem Tag gewann ich einen neuen und tiefen Respekt für Denver, mein Bild von ihm änderte sich, so als ob Puzzleteile nach und
nach ihren Platz finden würden. Er gab nicht an, sondern teilte mit
mir nur ein Geheimnis seines Lebens. Wenn dieses Geheimnis darin
bestanden hätte, dass er mit einem Haufen betrunkener Penner in einer
Nebenstraße um Geld würfelte, wäre ich nicht so abgestoßen gewesen.
Allerdings schockierte es mich, dass das Geheimnis nicht nur darin
bestand, nächtelang für meine Frau zu beten, sondern auch darin, sich
um diesen Mann zu kümmern, der sich niemals bedankte und ihn
nichts anderes als „Nigger" nannte.

Zum ersten Mal traf mich der Gedanke, dass Denver es ernst gemeint hatte, als er gesagt hatte, er wolle mein Freund fürs Leben sein
– in guten und in schlechten Tagen. Das Seltsame an der Sache war,
dass Mr Ballantine nie einen Freund haben wollte, schon gar keinen

schwarzen. Aber wenn Denver etwas versprach, dann hielt er es auch. Das erinnerte mich an einen Satz, den Jesus zu seinen Jüngern gesagt hatte: „Niemand hat größere Liebe als die, dass er sein Leben lässt für seine Freunde."

41

Wie Mr Scott mich an dem Tag gefragt hat, ob er nach dem Essen mitkommen kann zu Mr Ballantine, hab ich ja gesagt. Aber ich hab mich gefragt, ob er auch so drauf sein würde, wie das Mr Ron war, als der Mr Ballantine das erste Mal gesehen hat. Ich hab gedacht, vermutlich nicht, weil ich zu der Zeit ziemlich regelmäßig runter ins Altersheim gegangen bin und dafür gesorgt hab, dass Mr Ballantines Zimmer nicht zu übel aussieht.

Wie ich und Mr Scott an dem Tag dahingefahren sind, war er echt nett zu Mr Ballantine. Er hat dem Mann seinen Namen gesagt und mit ihm über dies und das gesprochen, übers Wetter und so. Dann hat er gesagt: „Mr Ballantine, ich würde Ihnen gerne was Gutes tun, Ihnen etwas besorgen, was Sie gebrauchen können. Gibt es irgendwas, das ich Ihnen mitbringen könnte ... irgendetwas, was Sie brauchen?"

Mr Ballantine hat gesagt, was er immer bei so was sagt: „Ja. Ich brauche Zigaretten und ‚Ensure‘." Ensure ist ein Nahrungsergänzungsmittel.

Ich und Mr Scott sind also runter in die Drogerie gegangen. Aber wie es dann daran ging, was Gutes für Mr Ballantine zu kaufen, wollte er nur das Ensure mitnehmen, aber nicht die Zigaretten.

„Ich hab da einfach kein gutes Gefühl dabei, Denver", hat er gesagt. „Ich will ihm ja nicht helfen, sich umzubringen."

Na, da hab ich ihn aber angestarrt. „Sie haben den Mann doch *gefragt*, was Sie Gutes für ihn tun können. Und er hat Ihnen gesagt, was er haben will – Zigaretten und Ensure. Und jetzt richten Sie über ihn und wollen ihm nur die Hälfte von den Sachen bringen, nach denen er gefragt hat. Sie haben den Mann doch gesehen. Seien Sie doch mal ehrlich: Wie viel schlimmer würde es mit ihm werden, wenn er auch noch raucht? Zigaretten sind nun mal das einzige Gute, was er noch hat."

Mr Scott hat gesagt, dass ich recht hab. Er hat also das Ensure und eine Packung von Mr Ballantines Lieblingszigaretten gekauft, dann ist er nach Hause gefahren, während ich das Zeug vorbeigebracht hab. Du wirst nicht glauben, was dann passiert ist.

* * *

Wie ich wieder in Mr Ballantines Zimmer war, hat er mich gefragt, wer für die Zigaretten bezahlt hat, und ich hab ihm gesagt, Mr Scott.

„Wie soll ich ihm das zurückzahlen?", hat er mich gefragt.

Ich hab gesagt: „Gar nicht."

„Wieso hat der Mann Zigaretten für mich gekauft? Der kennt mich doch gar nicht."

„Weil er Christ ist."

„Versteh ich trotzdem nicht. Aber egal, ich hasse Christen, das weißt du auch."

Ich hab für 'ne Minute nichts mehr gesagt, ich hab einfach nur auf so 'nem orangen Plastikstuhl gesessen und Mr Ballantine angeguckt, wie er auf seinem Bett gelegen hat. Dann hab ich zu ihm gesagt: „Ich bin Christ."

Ich wollte, du hättest sein Gesicht sehen können. Er hat ungefähr 'ne Minute gebraucht, dann hat er angefangen, sich zu entschuldigen, weil er die ganze Zeit, wo ich bei ihm war, die Christen verflucht hat. Dann ist ihm, glaube ich, plötzlich gedämmert, dass er auch mich die ganze Zeit beschimpft hat, die ganze Zeit, wo ich für ihn gesorgt hab, und das waren schon ungefähr drei Jahre.

„Denver, es tut mir leid, dass ich dich die ganze Zeit Nigger genannt hab", hat er gesagt.

„Ist schon in Ordnung."

Dann hab ich die Gelegenheit beim Schopf ergriffen und Mr Ballantine erzählt, dass ich mich all die Jahre um ihn gekümmert hab, weil ich weiß, dass Gott ihn liebt. „Gott hat einen besonderen Ort für dich bereit, wenn du einfach nur deine Sünden bekennst und Jesus in dein Herz einlädst."

Ich glaub, ich übertreib nicht, wenn ich sage, dass das ein ganz verflixt kritischer Moment war. Trotzdem hat er im selben Augenblick gesagt, dass er nicht glaubt, dass ich ihn anlüge. „Aber selbst wenn du nicht lügst", hat er gesagt, „ich hab zu lange gelebt und zu viel gesündigt. Gott kann mir nicht vergeben."

Er lag da in seinem Bett und hat sich eine von Mr Scotts Zigaretten angezündet, hat zur Decke gestarrt, hat geraucht und nachgedacht. Ich hab einfach meinen Mund gehalten. Dann hat er plötzlich wieder angefangen. „Auf der anderen Seite bin ich verdammt zu alt, um noch viel mehr zu sündigen. Vielleicht ist das ja auch schon was wert!"

Na ja, Mr Ballantine hat mich seit dem Tag nicht mehr „Nigger" genannt. Und nicht lange danach habe ich ihn im Rollstuhl durch die Türen von der McKinney Bible Church geschoben – dieselbe Kirche, wo auch Mr Ron und Miss Debbie hingehen. Wir haben zusammen in der letzten Reihe gesessen, und das war das erste Mal, dass Mr Ballantine überhaupt einen Fuß in eine Kirche gesetzt hat. Er war jetzt fünfundachtzig Jahre alt.

Wie dann der Gottesdienst um war, hat er mich angeguckt und gegrinst.

„War echt nett", hat er gesagt.

42

Seit Deborahs Telefonanruf in dem Sushi-Restaurant, der unser Leben auf den Kopf gestellt hatte, war mittlerweile etwas über ein Jahr vergangen. Während der schlimmsten Zeiten machten die Ärzte uns keine Hoffnungen, und sie lag in unserem Bett, ihren fleischlosen Körper wie ein Embryo zusammengekrümmt, sich übergebend und gegen brennende Schmerzen kämpfend. Doch je heißer diese Feuer brannten, desto schöner erschien sie mir. Sie versuchte immerzu die Aufmerksamkeit von sich wegzulenken, und sobald sie aufrecht stehen konnte, nahm sie all ihre Kraft zusammen und besuchte kranke Freunde, um für sie zu beten, besonders für die, die sie in der gruftartigen Chemotherapieklinik kennengelernt hatte.

Wenn sie glaubte, dass sie im Sterben lag, dann hatte sie es mir nicht erzählt. Stattdessen redeten wir über das Leben. Über unsere Träume für unsere Kinder, unsere Ehe, unsere Stadt. Sie blätterte durch Martha-Steward-Zeitschriften und schnitt Bilder von Hochzeitstorten und Blumenarrangements für Regans und Carsons Trauungen aus. Weder die eine noch die andere waren verlobt, doch wir träumten trotzdem davon, plauderten bei einer Tasse Kaffee darüber, flüsterten, wenn das Licht aus war, wen sie wohl heiraten würden, wie unsere Enkelkinder sein würden, über das süße Tapsen von kleinen Füßen an Weihnachtstagen auf Rocky Top. Wir haben über alles Wichtige im Leben geredet, aber niemals über den Tod, denn wir hatten Angst, dass wir damit dem Feind Raum geben könnten.

Die zweite Operation brachte neue Hoffnung mit sich. Zum zweiten Mal in vier Monaten erklärten die Ärzte Deborah für „krebsfrei". Einen Monat später flogen wir nach New York, um ein Versprechen zu erfüllen, das sie gegeben hatte: Wir wollten den Muttertag mit Carson verbringen.

Deborah litt noch unter der Brutalität der Operation, trotzdem hatten wir geplant, was wir tun wollten, so als gäbe es keine Schmerzen.

Am Freitag trafen wir uns mit Carson und meinem Partner Michael Altmann zum Mittagessen im Bella Blue, einem italienischen Restaurant. Wir bestellten die Spezialität des Hauses, *Hummer fra diavolo*, und plauderten ein wenig. Doch als das Essen serviert wurde, zuckte Deborah plötzlich zusammen und sah mich mit einem verzweifelten Blick an, der sagen wollte: „Bring mich hier weg!"

Daphenes Wohnung war nur ein paar Querstraßen entfernt. Ich schob sie aus dem Restaurant und wir gingen vielleicht fünfzig Meter die Straße hinunter, dann brach Deborah beinahe zusammen. Die Hände auf ihren Bauch gepresst konnte sie keinen Schritt mehr tun. Während ich versuchte, ein Taxi anzuhalten, überzog ein Schrecken ihr Gesicht, so als ob eine Wolke die Sonne verdeckte: „Ruf einen Arzt!", flüsterte sie entschlossen. „Irgendetwas Furchtbares passiert gerade."

Ich fingerte mein Telefon heraus und verwählte mich mehrmals in meiner Panik. Schließlich schaffte ich es, die richtigen Tasten zu drücken und hatte Deborahs Onkologen am Apparat. „Machen Sie sich keine Sorgen", sagte er freundlich, nachdem er gehört hatte, dass meine Frau auf einem New Yorker Bürgersteig scheinbar mit dem Tod rang. „Wir sehen uns, wenn Sie am Montag zurückkommen."

Wir sollen uns keine Sorgen machen?

Ich rief einen Freund an, einen texanischen Chirurgen, der die Ursache der Schmerzen eingrenzte: Vielleicht war es zu einem Riss oder einem Bruch in den Eingeweiden gekommen, ausgelöst durch die letzte Ablation. Haltet es bis Montag aus, sagte er.

* * *

Zurück in Texas offenbarten Computertomografien und andere Tests neuen Krebs. An noch mehr Stellen. Die Nachricht traf uns wie Gewehrkugeln.

Glaube, so sagt es der Apostel Paulus, ist eine feste Zuversicht auf das, was man hofft, und ein Nichtzweifeln an dem, was man nicht sieht. Ich klammerte mich am Glauben fest wie ein ungesicherter Bergsteiger an einem Überhang – am Glauben daran, dass der Gott, der gesagt hatte, dass Er mich liebt, mir nicht das Herz herausreißen und meine Frau stehlen würde, die Mutter meiner Kinder. Vielleicht klingt das naiv, möglicherweise sogar arrgant, doch angesichts all der schlechten Presse, die Er bekam, hatte ich den Eindruck, dass es nun an der Zeit war, dass Gott seinen Ruf mit einem Wunder etwas aufpäppelte – und es gibt kein besseres Wunder als eine anständige Heilung. Wir würden Talkshows besuchen und die Neuigkeit verbreiten. Das versicherte ich Ihm.

Deborah und ich hätten zu diesem Zeitpunkt am liebsten gar nichts mehr gemacht – keine Chemotherapie, keine Operation, keine Medikamente im Experimentierstadium. Wir kannten die Schrift und vertrauten ihr:

„Denen, die Gott lieben, dienen alle Dinge zum Besten ...“

„Sei stille dem Herrn und warte auf ihn ...“

„Seid stille und erkennet, dass ich Gott bin!“

Doch ich wollte nicht still sein und warten, und ich vermute, Deborah wollte es auch nicht.

43

Dutzende von Freunden, viele von ihnen Ärzte, durchforschten das Internet und die medizinische Literatur, in der Hoffnung, ein Heilmittel zu finden. Wir erfuhren von einem brandneuen Chemotherapie-Medikament namens CPT-11. Die Arzeneimittelaufsicht hatte dieses Medikament freigegeben, nachdem klinische Tests seine Effektivität gegen metastasenbildenden Darmkrebs erwiesen hatten. Um es auszuprobieren, fuhren wir knapp 400 Kilometer zum Cancer Therapy and Research Center in San Antonio. Ich hatte meinen Suburban so umgebaut, dass Deborah während des ganzen Trips von achthundert Kilometern auf einer weichen Pritsche liegen konnte, ihre Füße im Kofferraum, ihren Kopf auf einem Kissen auf der Beifahrerkonsole, sodass ich ihr Haar während der Fahrt streicheln konnte. Ich hatte die Übernachtungen im Hyatt Hill Country Resort gebucht, in der Hoffnung, dass uns eine luxuriöse Suite mit einem weiten Blick über die Hügel rund um San Antonio von unserer Situation ablenken würde. Das tat sie nicht. Auch schien die peppige Mariachi-Band im Hotelinnenhof mit ihrem näselnden Gesang nicht die richtige Hintergrundmusik für einen Kampf mit dem Tod zu sein.

Deborah hatte jedoch in San Antonio das Licht der Welt erblickt, und an unserem zweiten Tag dort, vor ihrem Behandlungstermin, begann sie in Erinnerungen zu schwelgen, als ich vom Hotelparkplatz herunterfuhr, ihren Kopf auf der Konsole neben mir. „Daphene und ich waren die ersten resusfaktor-positiven Zwillinge, die im Nix Hospital von einer resusnegativen Mutter geboren worden waren. Wir bekamen beide eine Bluttransfusion", sagte sie Richtung Dachhimmel. „Damals war das riskant. Und jetzt bin ich wieder für eine riskante Behandlung hier."

Tränen füllten dann ihre Augen. „Ich möchte hier nicht sterben."

„Du wirst hier nicht sterben", sagte ich, ihr übers Haar streichelnd. Doch in Wahrheit hatte die Möglichkeit des Todes längst angefangen, an meiner Hoffnung zu nagen.

Am darauffolgenden Tag suchten wir die rattenverseuchte Wohnung im Obergeschoss des Hauses am Fabulous Drive auf, die wir uns 1970 drei Wochen lang geteilt hatten. Wir waren dorthin gezogen, weil ich einen Job angenommen hatte, bei dem ich per Telefon Aktien auf Kommission verkaufen sollte. Angelockt durch einen potenziellen Jahresverdienst von $ 100.000, bekam ich gerade mal einen Gehaltsscheck, bevor die Firma pleite ging – über dreizehn Dollar und siebenundachtzig Cent. Deborah und ich aßen drei Wochen lang Dreizehn-Cent-Bohnenbrötchen, bis unser Geld ausgegeben war und wir nach Fort Worth verdufteten. Dreißig Jahre später kehrten wir nun zurück in der Hoffnung, dass das zweite Glücksspiel in San Antonio besser ausgehen würde als das erste.

Das tat es nicht. Für Deborah war CPT-11 eine Katastrophe. Als erfahrene Chemotherapiepatientin sah mir Deborah geradewegs in die Augen, sobald diese Medizin in ihre Adern floss: „Bitte, sage ihnen, dass sie aufhören sollen!", weinte sie. Die Krankenschwestern reduzierten den Durchfluss sofort, dennoch wurde ihr Inneres von brennenden Krämpfen geschüttelt.

Trotzdem hielten wir die Behandlung wochenlang durch, auch daheim in Fort-Worth. Die CPT-11-Infusionen verwüsteten Deborah, reduzierten sie auf ein ausgemergeltes, hohläugiges Straßenkind. Während dieser Zeit traf ich mich oft mit Denver. Wir saßen vor unserem Haus und beteten.

Am 14. Juli 2000 feierten wir ihren fünfundfünfzigsten Geburtstag. Am Ende dieses Monats kam Carson aus New York und fuhr mit uns nach Colorado, um Regan auf der Crooked Creek Ranch zu besuchen. Deborah lag auf dem Rücksitz, den wir in ein Bett umgebaut hatten. Die Reise endete unerwartet, als die Höhenluft Deborah buchstäblich zu ersticken drohte. Die Chemotherapie hatte die Anzahl ihrer roten Blutkörperchen so sehr vermindert, dass ihr Herz rasen musste, um überhaupt Sauerstoff in ihren Körper zu bekommen. Wir sausten mit atemberaubender Geschwindigkeit den Berg wieder hinunter und mussten auf dem Weg ins Krankenhaus diversen Kaninchen und Rehen ausweichen. Schließlich kehrten wir nur nach Crooked Creek zurück, weil Deborah an eine Sauerstoffflasche angeschlossen worden war.

Wieder in Texas, überrumpelte sie mich eines Tages mit dem Satz:

„Ich habe Pastor Ken angerufen und ihn hierher gebeten, damit wir meinen Beerdigungsgottesdienst besprechen können."

* * *

Am ersten Septembersonntag wurde Regan klar, dass sie nach Hause kommen sollte. Sie rief Carson an, der den nächsten Flug von New York nach Colorado nahm, ihr packen half und mit ihr nach Fort Worth fuhr.

Ich hatte auch den Eindruck, dass die Zeit kürzer würde, als ob sich der Schatten dem Mittag nähert. Dr. Senter, Deborahs erster Chirurg, bestätigte meine Befürchtungen am 8. Oktober. Deborahs Befinden hatte sich zu einem kritischen Zustand verschlechtert, ich eilte also mit ihr ins Krankenhaus. Sie hatte mich angebettelt, sie nicht in die Klinik zu fahren, weil sie Angst hatte, sie würde nicht mehr nach Hause zurückkehren.

„Ich möchte da nicht sterben", sagte sie, während ihr die Tränen übers Gesicht liefen. Dann brach sie zusammen: „Ich möchte überhaupt nicht sterben."

Nach einer kurzen Episode im Operationssaal brachte das Krankenhauspersonal Deborah in einen von der Öffentlichkeit abgeschirmten Raum. Ich versuchte, mich zusammenzureißen, und ging auf dem Flur davor auf und ab, bis ich Dr. Senter begegnete, der mich bat, auf ein persönliches Gespräch in sein Büro zu kommen – er wollte nicht als Arzt, sondern als Freund mit mir reden.

„Deborah geht es sehr schlecht", begann er. „Der letzte Patient, der mir in ihrem Zustand unter die Augen gekommen ist, ist drei oder vier Tage später gestorben."

Ich war nicht überrascht. Deborahs wache Stunden hatten sich zu einem Nebel krümmender Schmerzen aufgelöst. Trotzdem wollte ich ihm nicht glauben. Dieser Tod, der so nahe war, passte einfach nicht zu unseren Gebeten und unserem Glauben.

„Du solltest damit anfangen, Freunde und Familienmitglieder anzurufen, die sie noch einmal sehen möchte, bevor ..." Er machte eine Pause und ordnete seine Worte: „Ron, die Uhr kann nicht zurückgedreht werden. Es tut mir leid."

Er brachte mich zur Tür und umarmte mich, etwas, was Ärzte nicht oft genug tun. Dann ging ich aus seinem Büro, lief den antiseptischen Flur hinunter und fingerte an meinem Mobiltelefon herum. Wen sollte ich anrufen? ... Carson, sicher, natürlich, Carson ... und Regan ... und Daphene. Ich überquerte die Straße und ging zum Parkplatz. Ich weiß nicht, ob Autos an mir vorbeifuhren. Ich stieg in meinen Wagen. Ich schloss die Tür, legte meinen Kopf auf das Lenkrad und weinte. Irgendwann merkte ich, dass ich schrie.

44

Carson hat mich angerufen und mir erzählt, was die Ärzte Mr Ron gesagt haben. Ich bin also zum Krankenhaus runtergefahren, hab mich da vor Miss Debbies Tür gestellt und gebetet. Ab und zu hab ich durchs Fenster gelinst und die Leute drinnen angeguckt – Carson, Regan, Miss Mary Ellen, ein paar Krankenschwestern. Ich hab auch Mr Ron sehen können, manchmal hat er an Miss Debbies Bett gesessen, ziemlich oft hatte er dabei seine Hände vor seinem Gesicht. Ich hab sehen können, dass er ziemlich gelitten hat, aber da war noch was anderes in seinem Gesicht, was mir echt Gedanken gemacht hat: Er sah wütend aus. Und ich hab gewusst, auf wen er wütend war.

Ab und zu kam irgendeiner aus dem Zimmer. Ich hab die Leute dann umarmt, und sie sind nach Hause gegangen. So um Mitternacht rum waren sie alle weg. Ziemlich bald danach ist Mr Ron auf den Flur gekommen und ich hab ihn gefragt, ob ich mal allein mit ihm reden kann.

Ich hab verstanden, was er gerade durchmacht. Das war so wie damals, wie ich vor dem brennenden Haus gestanden hab und gewusst hab, dass meine Großmutter noch da drin ist. Ich hab auch geahnt, dass das bei ihm so ähnlich sein wird. Wenn Miss Debbie stirbt, dann geht es ihm genauso wie mir damals, wie ich plötzlich ohne Big Mama, BB und Onkel James hab leben müssen.

Da gibt's was, was ich als Obdachloser gelernt hab: Wenn wir an unsere Grenzen kommen, kriegt endlich Gott eine Chance. Wenn du wirklich mit deinem Latein am Ende bist, dann übernimmt er die Sache. Ich kann mich noch gut an einen Tag erinnern, wo ich mit ein paar Kumpels im Hobo-Dschungel zusammengesessen hab. Wir haben übers Leben geredet, und da war so ein Kerl, der hat gesagt: „Die Leute denken immer, dass sie die Kontrolle haben, aber das stimmt nicht. Die Wahrheit ist, dass dir alles passiert, was dir passieren soll. Und das, was dir nicht passieren soll, das passiert dir auch nicht."

Du wärst überrascht, was du alles lernen kannst, wenn du dich mal mit Obdachlosen unterhältst. Ich hab gelernt, dass ich das Leben so nehmen muss, wie es ist. Mit Miss Debbie waren wir jetzt an dem Punkt, wo wir die Sache nur noch Gott überlassen konnten. Wenn Gott uns anstupsen möchte, dann stupst er manchmal einen an, der uns nahesteht. Damit macht er uns klar, dass es eine höhere Macht gibt wie uns selbst, egal, ob wir die nun Gott nennen oder nicht.

Du weißt ja schon, dass Mr Ron ein Schwätzer ist, aber da auf dem Flur hat er nicht ein Wort zu mir gesagt ... er ist einfach nur um die Ecke gegangen, ist stehen geblieben und hat da auf den Boden gestarrt. Ich hab ihn mir irgendwie zur Brust genommen. „Mr Ron, halten Sie den Kopf gerade und schauen Sie mich an!"

Er hat mit dem Kopf nach oben geschnappt, so wie wenn einer an ihm herumgeruckt hätte. Und ich hab in seinen Augen sehen können, dass da so kleine Stückchen von seinem Herzen abgebrochen sind, wie er so dagestanden ist.

„Ich weiß, dass Sie leiden und an Gott zweifeln", hab ich ihm gesagt. „Ich leide auch. Und wahrscheinlich fragen Sie sich, warum so 'ne Heilige wie Miss Debbie da in dem Zimmer vor sich hinleidet, wo es doch den ganzen Dreckskerlen, denen sie gedient hat, so gut geht. Ich will Ihnen also eins sagen: Gott ruft ein paar von den Guten wie Miss Debbie nach Hause, damit Er hier auf der Erde seine Ziele erreichen kann."

Mr Ron hat mich einfach nur angeglotzt. Da hab ich gesehen, dass seine Augen ganz rot und geschwollen waren. Sein Hals war irgendwie am Arbeiten, so wie wenn er gleich über mich herfallen will, aber ich hab trotzdem einfach weitergeredet, weil ich das Gefühl hatte, dass er vom Glauben abfällt, wenn ich jetzt einfach aufhöre.

„Ich sage nicht, dass Gott die Penner und Junkies nicht gebrauchen kann, um hier unten seine Arbeit zu tun – er ist Gott und natürlich kann er alles tun, was er will. Ich sage nur, dass er manchmal die Guten nach Hause rufen muss, um seinem Namen die Ehre zu geben. Und ich sage Ihnen noch was – mir ist es egal, was die Ärzte sagen, Miss Debbie geht nirgendwo hin, bis sie hier auf der Erde die Arbeit fertig gemacht hat, die Gott ihr gegeben hat. *Da* können Sie Gift drauf nehmen."

45

Als ich Denver auf dem Flur traf, war ich immer noch wie benommen, ich konnte mir also nichts von dem merken, was er mir erzählte. Allerdings merkte ich mir, dass er irgendetwas darüber sagte, dass Deborah nicht sterben würde, darauf verließ ich mich. Ich erinnere mich, dass ich schwach ermutigt war, weil da noch irgendetwas übrig geblieben war, auf das ich die traurigen Reste meines Glaubens aufbauen konnte.

Wieder im Krankenzimmer angekommen, sah ich, dass Carson und Regan unruhig auf den Krankenhaussesseln schliefen. Ich kämpfte mich durch einen Hindernisparcours aus Infusionsschläuchen und zog Deborah eng an mich heran. Schon bald konnte ich fühlen, wie ihre warmen Tränen das enge Tal zwischen unseren Gesichtern herabliefen. „Ronnie, ich will nicht sterben", sagte sie, wobei sie flüsterte, damit die Kinder sie nicht hörten.

Trauer verkrüppelte meine Stimmbänder, und eine ganze Minute lang brachte ich kein Wort heraus. Als mir das endlich gelang, konnte ich nur sagen: „Ich will auch nicht, dass du stirbst."

Am nächsten Morgen empfahlen die Ärzte eine letzte Darmspiegelung. Angesichts ihres kritischen Zustandes konnte das ihren Tod bedeuten. Trotzdem einigten wir uns darauf, dass wir durch jede offene Tür gehen würden, so lange, bis alle verschlossen und unmöglich zu passieren waren.

Mary Ellen war da. Das Krankenhauspersonal bereitete Deborah vor und fuhr sie weg. Stunden später sahen wir, wie das OP-Personal Deborah in den Aufwachraum schob, und beeilten uns, bei ihr zu sein. Die Ärzte kamen herein und sahen düster aus, und bizarrerweise fragte ich mich, ob es in der medizinischen Ausbildung so etwas wie „Angemessene Gesichtsausdrücke" als Unterrichtsfach gibt. Wieder in ihrem Zimmer angekommen, gab uns ein paar Stunden später ein Arzt namens Redrow eine ausführlichere Zusammenfassung.

Bevor er etwas sagen konnte, lächelte Deborah ihn geschwächt an und begrüßte ihn. „Ich habe soooolchen Hunger. Wann kann ich etwas zu essen haben?"

Dr. Redrow sah traurig aus. „Sie können nichts essen."

Deborah lächelte wieder, sie war mit der üblichen Prozedur nach Operationen vertraut. „Sicher, aber wann *kann* ich etwas essen?"

Er starrte sie ununterbrochen an. „Sie können nicht."

Sie blickte zurück, versuchte Worte zu verstehen, die sich weigerten verstanden zu werden. „Sie meinen, ich werde nie wieder in der Lage sein, etwas zu essen?" Ungläubig warf sie mir einen Blick zu, der darum bettelte, die Frage so umzuformulieren, dass die Antwort anders ausfiele. Ich wusste, dass das unmöglich war. Obwohl ich es ihr noch nicht erzählte hatte, hatte ich bereits herausgefunden, dass die Tumore – übermächtig und nicht operierbar – nach innen in ihren übrig gebliebenen Darm hineingewachsen waren und ihn versiegelt hatten wie eine Gruft. Irgendetwas Festes zu verdauen, war biologisch unmöglich. Mehr als Eisstückchen und kleine Schlucke Wasser konnte sie nicht mehr zu sich nehmen.

In wohlüberlegten, leisen Worten erklärte es Dr. Redrow. Nachdem er geendet hatte, fragte sie ihn: „Wie lange kann ich von Eisstücken und Wasser leben?"

„Ein paar Tage – vielleicht ein paar Wochen."

Er drückte sein Beileid aus, geschäftsmäßig, und verließ gerade den Raum, als Alan hereinkam. Das Zimmer wurde ruhig und still. Dann ließ Deborah eine Frage in die Stille fallen: „Wie lebt man den Rest seines Lebens in ein paar Tagen?"

46

Am 14. Oktober, elf Tage vor unserem einunddreißigsten Hochzeitstag, brachten wir Deborah nach Hause. Während ich durch den warmen Oktobertag fuhr, schien sie jedes Detail zu bemerken – den Glanz der Sonne, die kühle Brise auf ihrem Gesicht, die feurigen Herbstfarben, die sich zu zeigen begannen.

Später an diesem Tag saßen wir mit Regan und Carson im Schlafzimmer über die Fotoalben gebeugt, die die einundreißig Jahre unserer Familiengeschichte aufgezeichnet hatten. Die Kinder und ich hatten Deborah oft ausgelacht, wenn sie in den vergangenen Jahren Stunde um Stunde zugebracht hatte, um ganze Stapel von diesen Alben zusammenzustellen. Aber sie hatte sie nicht für die damalige Zeit gemacht; sie hatte sie für Zeiten wie diese zusammengestellt, denn indem wir die mit Folie überzogenen Seiten zurückblätterten, konnten wir in die Vergangenheit zurückkreisen.

Wir lachten über die Bilder von unserer Hochzeit: Hier war ein Bild von ihrer Großmutter, wie sie etwas zu breitbeinig auf einem Stuhl saß, sodass man ihr Mieder sehen konnte. Dort war ein Schnappschuss von ein paar Freunden, die sich mit Champagnerflaschen zuprosteten. (Zwei Wochen nach unserer Hochzeit hatte uns Deborahs Vater die Rechnung für den Champagner zugeschickt. Dabei hatte ein Zettel gelegen, auf dem zu lesen war, dass er nicht gewillt war, für den Rausch unserer Freunde aufzukommen.)

Wir blätterten durch Hunderte von Kinderbildern: Die Schnappschüsse, auf denen wir Regan zum ersten Mal hielten, lösten die tausendste Wiederholung der Geschichte aus, wie wir den gesamten Heimweg von Harris Hospital die Hupe an unserem 1970er Chevy gedrückt gehalten hatten. Und die Babybilder von Carson veranlassten Regan zu der Geschichte, wie sie ihn damals unter vielen anderen Kindern in der Gladney Home Kinderkrippe ausgesucht habe. Wir hatten damals gedacht, dass er ein bisschen wie eine Schildkröte aussah, und änderten unsere Meinung nicht. Im Verlauf weniger Stunden wurden die Kinder älter und wir grauer durch dreißig Fotoalben hindurch. Und wir erinnerten uns, lachend und weinend, nur wir vier auf dem großen Doppelbett.

Ein paar Tage später schien Deborahs Aufmerksamkeit sich dem Haushalt zuzuwenden, den letzten Details. Nicht traurig, sondern mit der Freude eines Reisenden, der sich vor einer Reise zu einem Ort, den er immer schon einmal besuchen wollte, sein Gepäck erleichtert, fing Deborah an, alles wegzugeben, was sie jemals besessen hatte. Auf demselben großen Bett saßen wir stundenlang mit Regan und Carson zusammen, während Deborah über die Dinge sprach, die sie jedem von uns geben wollte. Ich brachte ihr die Schmuckschatulle, und sie legte alle Ketten, Ringe und Broschen vor sich hin, erzählte bei jedem Stück die Geschichte dahinter, dann gab sie alles Regan, außer einer Perlenkette. Die gab sie Carson als Geschenk für seine zukünftige Braut.

Sieht man einmal von den Cowboy-Souvenirs ab, die wir in Kramläden gekauft hatten, um unsere Ranch zu dekorieren, hatte Deborah nie viel gesammelt. Allerdings besaß sie eine kleine Kollektion von alten Parfümfläschchen. Sie liebte die Farben und Formen sowie den Gedanken, dass sie einst einen Duft enthalten hatten, dessen Essenz einen immer noch in den Bann zog, sobald man den Deckel öffnete. An zwei aufeinanderfolgenden Tagen lud sie ihre engsten Freundinnen ein, eine nach der anderen, erzählte jeder, was sie für sie bedeutete, und gab ihr eine von den geliebten Fläschchen. Die erste ging an Mary Ellen, die an jedem Tag ihrer Krankheit bei Deborah gewesen war.

Am späten Nachmittag des Tages, an dem sie ihr letztes Fläschchen verschenkt hatte, kam ich ins Schlafzimmer und fand Deborah mit mehreren Kissen im Rücken, freundlich lächelnd, irgendwie erwartungsvoll. Ich setzte mich neben sie. Sie trug ein hellgrünes Pyjama-Oberteil und die Zipfel ihrer Decke waren zurückgeschlagen und lagen auf ihrer Taille auf. Ich staunte: Sie starb sogar in makelloser Weise. Ich schlüpfte neben sie unter ihre Decke und kuschelte mich an sie, wobei ich sorgfältig mit der Hand über das zurückgeschlagene Deckbett strich, um die Falten zu glätten.

„Ich möchte mich mit dir und Carson und Regan treffen", sagte sie. „Weswegen?"

„Du wirst es sehen. Bitte sie einfach zu kommen."

Obwohl ich gerade erst hineingeschlüpft war, schlüpfte ich wieder aus dem Bett heraus und rief die Kinder. Minuten später saßen wir alle auf dem großen Bett. Deborah sprach zu Carson und Regan im Tonfall eines fähigen, aber sehr beschäftigten Managers, der sich um einen Notfall zu kümmern hatte, der nicht warten konnte. „Euer Vater ist ein wunderbarer Ehemann und Vater gewesen, und ich möchte, dass ihr wisst, dass ich ihn nun freigebe, damit er eine andere finden und vielleicht sogar heiraten kann."

Ihre Worte lösten bei mir körperliche Schmerzen aus, so als ob mein Blut plötzlich zu kochen angefangen hätte.

„Nein ... bitte", unterbrach ich sie.

Sie redete weiter mit den Kindern, so als hätte ich nichts gesagt. „Ich weiß, dass das hart für euch werden wird, trotzdem bitte ich euch, seine Entscheidungen zu respektieren und ihn wieder glücklich sein zu lassen."

Carson und Regan starrten sie an, den Mund offen und still. Plötzlich, so als ob sie die Schwere aus dem Zimmer blasen wollte, lächelte Deborah über ihr ganzes Gesicht: „Natürlich dürft ihr zwei auch heiraten, wann immer ihr heiraten wollt."

Regan lächelte und flachste: „*Danke*, Mama."

Das Treffen dauerte weniger als fünf Minuten, doch es schien die am stärksten auf die „letzten Details" konzentrierte Unterhaltung gewesen zu sein, die wir bis dahin gehabt hatten. Eine Bestätigung, dass – obwohl wir mehr als dreißig Jahre lang gemeinsam unterwegs gewesen waren – sich nun einer von uns bereitmachte, den Pfad zu verlassen.

Carson, dann Regan, krochen weiter auf das Bett und küssten Deborah auf die Wange. Dann schlüpften sie hinaus, denn sie schienen zu ahnen, dass ihre Mutter noch mehr zu sagen hatte. Sie lagen richtig. Sie bat mich, ihr in den Rollstuhl zu helfen, den das Krankenhauspersonal neben ihrem Bett abgestellt hatte. Sie wollte in den Garten gehen, in die Nähe des kleinen Wasserfalls, den die Gartenbauarchitekten in die Landschaft hinter unserem Haus hineingestaltet hatten. Seit wir eingezogen waren, hatte sie kaum Gelegenheit gehabt, sich an ihm zu erfreuen.

Ich schob ihren Rollstuhl an den Rand des flachen Beckens und zog einen Gartenstuhl neben sie. Obwohl sie im Schlafzimmer das Kommando geführt hatte, wirkte sie hier plötzlich kleinlauter. Sie sprach, doch schon das sanfte Plätschern des Wassers, das ins Becken floss, reichte aus, um ihre Stimme zu übertönen.

Ich bat sie, das, was sie gesagt hatte, noch einmal zu wiederholen, und beugte mich so nahe an sie heran, dass ihre Lippen mein Ohr berührten. „Sogar sie", sagte sie.

Ich wusste augenblicklich, wen sie meinte. Ihrem elf Jahre alten Versprechen treu bleibend, das sie am Tag, nachdem sie von meiner Untreue erfahren hatte, abgelegt hatte, hatte sie nicht ein einziges Mal die Künstlerin aus Beverly Hills erwähnt.

„Nein", sagte ich. „Ich will da nicht hin."

„Doch", flüsterte sie entschlossen. „Es war eine *gute* Sache, eine Sache, die sich für *uns* zum Guten gewendet hat. Denk doch einmal an die vergangenen elf Jahre. Wenn das mit ihr nicht passiert wäre, wäre unser gemeinsames Leben niemals so wundervoll gewesen, wie es war. Und jetzt hast du meine Erlaubnis, zu ihr zurückzukehren."

Ich sagte ihr, dass ich an so etwas nicht einmal dachte. Ich betete immer noch dafür, dass Gott sie heilte, sagte ich ihr und fügte dann hinzu: „Ich hoffe immer noch, dass Gott mich zuerst zu sich ruft."

47

25. Oktober

Wir hatten dafür gebetet, dass wir unseren einunddreißigsten Hochzeitstag zusammen feiern könnten. Jetzt, wenn ich sah, wie sie am Leben hing, ihre Atmung stoßweise und flach, war ich mir nicht mehr sicher, ob sie ihn noch erleben würde. Doch sie tat es. Als das Morgenlicht durch die Ritze in unseren Schlafzimmervorhängen fiel, flüsterte ich ihr ins Ohr: „Debbie, wir sind aufgewacht." Sie konnte jedoch nichts mehr antworten. Fünf Tage zuvor war sie für immer verstummt.

Also redete ich für uns beide. Ich las ihr aus dem 31. Kapitel der Sprüche das „Lob der tüchtigen Hausfrau" vor, schwelgte in Erinnerung über unser Kennenlernen, ging durch die Erinnerungen über unsere ersten Treffen bei Footballspielen, als ich keinen Mut gehabt hatte, sie zu küssen, und ihr stattdessen mit „Macky Messer" ein Ständchen gesungen hatte. Sie lag auf dem Bett, weniger als vierzig Kilo schwer, die Bettdecke wölbte sich kaum noch. Ich schob ihr sanft meinen Arm unter den Kopf und berührte ihre Lippen mit meinen Fingerspitzen.

„Blinzle, wenn du mich hören kannst", flüsterte ich. Sie tat es, und die Tränen flossen in kleinen Strömen.

Am Nachmittag kam der Arzt aus der Sterbeklinik, und nach einer flüchtigen Untersuchung rief er mich aus dem Zimmer und teilte mir mit, dass Deborah den Tag nicht überleben würde. Ich entschied mich, ihm nicht zu glauben. Ich entschied mich zu glauben, dass Gott nicht so grausam sein würde, sie an unserem Hochzeitstag sterben zu lassen.

Am nächsten Tag wäre Deborah eine Woche lang still gewesen, doch stattdessen begann sie sich zu bewegen und zu stöhnen. An diesem Nachmittag, als die Kinder und ich und Mary Ellen bei ihr saßen, schrie sie plötzlich laut: „Ron, besorge mir Flügel!"

Das war keine Bitte, sondern ein Befehl, und das brachte mich zum

Lachen. Obwohl sie sich seit zwei Wochen nicht mehr bewegen konnte, fing sie nun an, ihre Hände zur Zimmerdecke zu strecken – rechts, links, rechts, links – so, als würde sie eine Leiter hinaufsteigen. Aus Angst, dass sie ihre Infusionsschläuche herausreißen könnte, versuchten wir vier sie festzuhalten, aber sie kämpfte und wollte hinauf, hinauf. Sie war wirklich nicht mehr als ein lebendiges Skelett; und trotzdem hatte sie eine außerordentliche Kraft.

Der Tag verging, es kam eine lange niederdrückende Nacht, in der wir alle bei ihr blieben. „Jesus! Jesus!", schrie Deborah, als sich das Sonnenlicht in den Raum schlich. „Könnt ihr sie sehen? Sie fliegen!"

„Was siehst du?", fragte ich.

„Engel!", sagte sie. „Da sind sie!" Und dann zeigte sie in eine Ecke des Zimmers, dann schnell in eine andere. Wir folgten ihr erwartungsvoll, in der Hoffnung, dass wir auch die Engel sehen könnten. Ihr Klettern und Rufen dauerte volle dreiundzwanzig Stunden. Dann – genauso plötzlich, wie sie ihr Schweigen gebrochen hatte – wurde sie wieder still. Eis umschloss mein Herz, denn ich dachte, sie sei gestorben.

Doch nach ungefähr zwei Minuten redete sie wieder mit einer lauten, klaren Stimme: „Jesus! Wie geht es dir?"

Eine weitere Minute der Stille, dann entschlossen: „Nein, ich denke, ich bleibe hier!"

Es war zwei Uhr morgens. Regan und ich starrten einander an, völlig verblüfft. Waren wir gerade Zeugen einer Erscheinung geworden? Ich drückte mein Ohr an Deborahs weichen Baumwollanzug; ihr Herz schlug immer noch heftig. Ich küsste sie auf die Wange.

„Es ist in Ordnung, wenn du zu Jesus gehst", sagte ich. „Regan, Carson und ich werden bald im Himmel bei dir sein."

„Und Mary Ellen ...", flüsterte sie schwach.

„Ja, Mary Ellen auch", sagte ich, begeistert, weil ich wusste, dass sie verstand, was da passiert war.

* * *

Früh am nächsten Morgen stand Denver vor der Haustür in dreckiger, lumpenartiger Kleidung, die nach Zigaretten stank.

„Komm herein", sagte ich, während ich die Tür weit öffnete. „Möchtest du einen Kaffee?"

„Ich will Sie nicht besuchen", sagte er. „Ich muss ein Wort vom Herrn überbringen."

Er war aufgewühlt und sah aus, als hätte er die Nacht durchwacht. Er setzte sich an den Küchentisch, beugte sich vor und starrte mich an. „Heute Nacht war ich auf der Autobahn unterwegs, Mr Ron, und da hatte ich plötzlich das Gefühl, ich sollte anhalten und beten. Also bin ich an den Straßenrand gefahren, oben auf dem Hügel, von wo aus man die ganze Stadt sehen kann, und da hat Gott mir ins Herz gesprochen. Gott sagt, dass Miss Debbies Geist sich danach sehnt, bei ihm zu sein, und er hat mir in einer Vision gezeigt, wie die Engel in ihr Zimmer kamen, um sie mitzunehmen. Aber die Heiligen auf der Erde haben ihren Körper festgehalten, weil ihre Arbeit hier noch nicht zu Ende ist."

Er erzählte mir, dass er Jesus gesehen habe und Engel und Blitze. Und er sagte mir auch, wann er diese „Vision" gesehen hatte: genau zu dem Zeitpunkt, als es auch bei uns zu Hause passiert war.

* * *

Seit Deborahs letzter Mahlzeit waren nun drei Wochen vergangen. Ihre Haut lag wie Gaze auf ihren Gliedern, hing auf ihren Wangenknochen, kroch in ihre Augenhöhlen. Wie oft hatten die Ärzte schon angekündigt, sie würde den Tag nicht überleben? Und doch war ein „spinnerter" alter Obdachloser viel präziser in seinen Vorhersagen als all die studierten Medizinmänner.

Am nächsten Morgen klopfte Denver wieder an die Küchentür. Wir saßen am Küchentisch, rührten in unserem Kaffee. Er ließ seinen Kopf hängen und machte eine lange Pause, während der er ohne Hast seine Gedanken sammelte wie Muscheln am Strand. Dann: „Gott gibt jedem Menschen auf der Erde einen Schlüsselbund, wo die Schlüssel für sein Leben auf der Erde dran sind. In diesem Bund gibt es auch einen Schlüssel, mit dem du Gefängnistüren aufmachen und Gefangene freisetzen kannst."

Denver drehte seinen Kopf nur ein wenig, sodass mir nun die rechte Seite seines Gesichtes näher war als die linke. Er lehnte sich mit seiner rechten Schulter nach vorn und kniff seine Augen noch enger zusammen. „Mr Ron, ich bin ein Gefangener im Gefängnis des Teufels gewesen. Für Miss Debbie war das nicht schwer zu sehen. Aber ich sage Ihnen: In mehr als dreißig Jahren haben mich viele Leute hinter den Gittern von dem Gefängnis gesehen und sind einfach weitergegangen. Haben ihre Schlüssel in der Tasche gelassen und haben mich eingesperrt gelassen. Na ja, ich mache diesen Leuten keine Vorwürfe, weil ich wirklich kein netter Kerl gewesen bin – gefährlich – sie waren also vermutlich froh, wenn ich weiter im Gefängnis geblieben bin. Aber Miss Debbie war anders – die hat mich hinter den Gittern gesehen und dann ganz tief in ihrer Tasche herumgewühlt, die Schlüssel herausgeholt, die Gott ihr gegeben hat, und den einen benutzt, *um die Gefängnistür zu öffnen und mich freizulassen.*"

Denver schlug diese letzten Worte ein, als handelte es sich um acht verschiedene Nägel, dann lehnte er sich auf seinem Stuhl zurück und nahm einen Schluck von seinem Kaffee. Er stellte die Tasse ab. „Sie war die einzigste Person, die mich jemals so geliebt hat, dass sie mich nicht aufgegeben hat, und ich preise Gott dafür, dass ich heute hier in Ihrem Haus als veränderter Mensch sitzen kann – als *freier* Mann."

48

1. November

Eine Woche nach unserem Hochzeitstag waren die Ärzte und Krankenschwestern der Sterbeklinik mehr als überrascht, dass Deborah noch am Leben war. Statt weitere Vorhersagen zu machen, diskutierten sie nun darüber, inwiefern die Lehrbücher über das Sterben umgeschrieben werden oder wenigstens mit einer Fußnote versehen werden müssten, in der auf Menschen wie Deborah hingewiesen würde, die im Angesicht des Todes all ihre Kraft zusammenrissen, um den Termin hinauszuschieben und dem Tod die Tür zu verschließen.

Seit Monaten hatten wir eine lange texanische Dürreperiode gehabt, doch jetzt brachte ein dunkler Himmel kalten, wolkenbruchartigen Regen. Ich vermutete, dass die Engel weinten. *Aber warum?*, dachte ich bitter. Es sah doch so aus, als ob Gott sich durchsetzen würde. Ich erinnerte mich an das, was Denver gesagt hatte, dass Gott einige von den Guten zu sich rufen müsste, um auf Erden seinen Willen umzusetzen. Ich hielt das für einen ziemlich blöden Plan.

An diesem Morgen lag Deborah in unserem Bett, still und geisterhaft. Doch um die Mittagszeit fing ihr Körper an zu zittern, dann zu zucken. Innerhalb von Sekunden liefen Wellen von schweren Krämpfen durch ihren Leib und ihre Gliedmaßen. Ihr Gesicht war schmerzverzerrt. Ich sprang auf das Bett und versuchte sie festzuhalten, während sie sich schüttelte und hin- und herwarf, dabei flehte ich im Stillen Gott an, sie nicht länger zu quälen. Alan, Mary, die Kinder und das Klinikpersonal sahen mit wachsendem Entsetzen zu.

Nach zwei Stunden schwang ich mich vom Bett und erhob buchstäblich meine Faust zum Himmel: „Hör auf, Gott! Bitte!"

Deborah zuckte noch zwei Stunden lang auf ihrem Bett herum, als hätte man sie mit dem Stromnetz verbunden. Nach etwas, was aussah wie eine Krisensitzung, entschieden sich die Leute aus der Sterbeklinik dafür, ihr Phenobarbital zu geben. Die Dosis war enorm; sie würde wahrscheinlich ihre Schmerzen beenden und könnte sie im schlimmsten Fall sogar umbringen. Das Klinikpersonal fragte mich, ob ich wollte, dass sie ihr das Medikament verabreichten. Ohne zu zögern, stimmte ich zu. Ich hätte alles getan, damit sie nicht länger leiden musste. Trotzdem fragte ich mich, ob ich damit nicht ihr Todesurteil unterschrieb.

Sobald die Medizin in ihre Venen floss, wurden die Krämpfe schwächer und verschwanden, womit sich etwas schloss, was wie ein Blick in die Hölle ausgesehen hatte. Ohne irgendeinen Skrupel war ich nun bereit, sie in ihr ewiges Zuhause zu verabschieden. Und ich dachte, sie müsste eigentlich auch bereit sein zu gehen.

* * *

2. November

Früh am Morgen klingelte es an der Tür. Als ich sie öffnete, sah ich Denver davorstehen, zerlumpt, wieder im Zustand eines Vagabunden, der nicht geschlafen hatte. Doch seine Augen waren diesmal anders – leer und hohl, fast so, als stünde er unter Schock. Ich umarmte ihn, aber er stand einfach da, als wäre er zu erschöpft, um zu antworten. Er hielt seinen Kopf gebeugt und sah mir ein paar Minuten lang nicht in die Augen.

„Ich bin nicht auf 'nen Kaffee oder 'nen Besuch vorbeigekommen", sagte er, während wir uns wieder an den Küchentisch setzten. „Ich hab ein Wort vom Herrn zu überbringen."

Zu diesem Zeitpunkt war die Burg meines Glaubens längst eingestürzt. Die Fachleute hatten versagt. Ich hatte versagt. Und Gott, so sah es zumindest aus, war auch kurz davor zu versagen. Der Gott, der versprochen hatte, dass im Himmel all das geschieht, wofür auf Erden im Glauben gebeten würde, hatte seinen Teil nicht eingelöst.

Doch ich wusste auch, dass es Denver gewesen war, der ganz am Anfang vorhergesagt hatte, dass ein Dieb zu Deborah kommen würde. Und als die Ärzte gesagt hatten, sie würde den Tag nicht überleben, hatte Denver ihnen widersprochen und recht behalten. Denver hatte von den Engeln erfahren, noch bevor ich ihm hatte sagen können,

was in jener Nacht in unserem Schlafzimmer geschehen war. Irgendwie hatte dieser Mann auf eine Weise, die ich nicht verstand, so etwas
wie eine Standleitung zu Gott. Als er also dieses Mal sagte, er hätte
ein Wort vom Herrn für mich, entschied ich, dass ich einen Zeugen
brauchte. Ich rannte die Treppe hinauf und holte Carson. Sobald wir
zwei wieder in der Küche waren, starrte uns Denver in die Augen, zu-
sammengekniffen und eindringlich.

„Mr Ron, ich bin heute Nacht auf 'nem Hügel gewesen, von wo aus
man die ganze Stadt überblicken kann, und da hat Gott mit mir geredet. Er hat gesagt, dass Miss Debbies Körper nach dem Paradies schreit,
aber die Heiligen hier auf der Erde haben sie immer noch angekettet
und wollen sie nicht gehen lassen. Der Herr hat mir also gesagt, dass
ich kommen und die Kette zerreißen soll."

Ich sagte kein Wort, mir schossen aber Deborahs bösartige Krämpfe
durch den Kopf, ihr Schreien. Schrie sie nach dem Paradies? Ich fragte
mich auch, was mit „der Kette" gemeint sein könnte und wer die Heiligen waren. Später erfuhr ich, dass sich am Abend davor dreißig von
Deborahs Freunden in unserem Garten versammelt und eine Men-
schenkette um unser Haus gebildet hatten, während sie für Deborahs
Heilung gebetet hatten. Denver fuhr fort: „Der Herr hat mir auch gesagt, dass ich Miss Debbie sagen soll, dass sie ihre Fackel hinlegen kann,
und der Herr hat mir gesagt, dass ich sie nehmen soll. Mr Ron, weil
ich Gott gehorchen will, bin ich hier um die Kette zu zerreißen, und
ich möchte Sie und Carson fragen, ob ihr mit mir dafür beten könnt."

Nach neunzehn Monaten, in denen wir um ein Wunder gebetet hatten, war es nun seltsam, dafür zu beten, dass Gott Deborah zu sich
holt. Als ich jedoch begann, kamen unerwartet neue Verheißungen aus
der Schrift über meine Lippen. „Vater", betete ich, „hilf uns als Familie,
Dir Deborah ganz anzuvertrauen. Hilf uns darauf zu vertrauen, dass
Du unsere Tage gezählt hast und dass Du Deborah nicht wegnimmst,
bevor sie die Zahl ihrer Tage erfüllt hat, die Du ihr zugemessen hast."

Nachdem wir geendet hatten, durchbohrte mich Denver mit seinem
Blick und überraschte uns mit einem Wort, dass seinem Gebet zu wi-
dersprechen schien. „Trotzdem wird Miss Debbie nirgendwohin gehen, bis ihre Arbeit hier auf der Erde getan ist."

Dann füllten Tränen seine Augen. Ich hatte ihn noch nie weinen gesehen. Seine Tränen flossen durch die Falten seines Gesichtes wie Flüsse

212

aus Traurigkeit, und mir wurde erneut klar, wie sehr er Deborah liebte. Ich staunte über das komplizierte Muster hinter Gottes Vorsehung. Deborah, von Gott geführt, um Liebe und Barmherzigkeit zu bringen, hatte dieses Wrack von einem Mann gerettet, der, als sie krank geworden war, im Gegenzug ihr wichtigster Fürbitter geworden war. Neunzehn Monate lang hatte er jede Nacht bis zum Morgen gebetet und uns Worte von Gott überbracht, als wäre er so etwas wie ein himmlischer Zeitungsjunge. Mir war es peinlich, dass ich einst gedacht hatte, ich sei ihm überlegen, weil ich mich erniedrigt hatte, meinen Reichtum und meine Weisheit über sein unwichtiges Leben auszustreuen.

49

Ich hab oft geheult, wie ich da so neben der Mülltonne gebetet hab, aber ich hab noch nie vor Mr Ron geweint. Es ist einfach so über mich gekommen. Ich hab gewusst, dass wir alles getan haben, was wir für Miss Debbie tun können. Die Ärzte hatten alles getan, was sie tun konnten. Mr Ron hatte getan, was er tun konnte. Und Gott hat es mir aufs Herz gelegt, dass die Zeit gekommen war, wo Miss Debbie zu ihm nach Hause gehen soll. Trotzdem war ich furchtbar traurig, und die Tränen fingen an zu fließen, bevor ich es überhaupt mitgekriegt hab.

Ich hab versucht, sie mit meinen Fingern aufzuhalten, und konnte sehen, wie Mr Ron und Carson dasaßen und mich angeglotzt haben, ein bisschen überrascht. Dann haben die beiden auf den Tisch geguckt und in ihren Kaffeetassen rumgerührt. Da bin ich aufgestanden und den Flur runter zu Miss Debbies Zimmer gelaufen. Ich hatte das eigentlich nicht vor. Es war so, wie wenn der Herr mich einfach angestupst hatte, und ich hatte den Eindruck, dass ich das tun sollte.

Die Schlafzimmertür war offen, und da war Miss Debbie, sie hat auf ihrem Rücken in der Mitte von dem großen Bett gelegen, unter der Decke sah sie ganz dünn und schwach aus. Die Vorhänge waren offen und das Morgenlicht war grau, wie es durch den Regen, der an der Scheibe runtergelaufen ist, hereingeschienen ist.

Ihre Augen waren zu und ihr Gesicht war schon so verfallen, dass sie kaum noch zu erkennen war, außer dass sie immer noch schön war. Ich hab einen Augenblick nur dagestanden und ihrem Atem zugesehen.

„Wie geht es Ihnen, Miss Debbie?", hab ich nach 'ner Weile gefragt. Aber sie ist still geblieben, ihre Brust hat sich leicht auf und ab bewegt. Ich bin ja nun schon öfter bei ihr gewesen, und Mr Ron oder Miss Mary Ellen oder irgendein anderer sind immer da gewesen, nicht mal 'ne Sekunde ist sie allein in dem Zimmer gewesen. Und weil wir eben noch gebetet haben, dass Miss Debbies Seele in die Herrlichkeit gehen soll, hat's mich irgendwie gewundert, dass Carson und Mr Ron nicht mit mir ins Zimmer gekommen sind. Ich schätze, sie wären gern dabei gewesen, wenn wir hier im Schlafzimmer noch mal dasselbe beten müssen. Aber sie sind nicht gekommen. Ich und Miss Debbie waren allein. Wenn ich die Sache von heute aus betrachte, dann denke ich, dass der Herr da so 'n kleines Zeitfenster aufgemacht hat, damit Er sein Werk tun kann.

Ich hab also auf der linken Seite vom Bett gestanden, ihr Kopf war rechts von mir, ihre Füße links. Die Decke, die auf ihrem kleinen Körper gelegen hat, ging immer hoch und runter, immer nur ein kleines bisschen. So wie sie mit ihrem Gesicht zum Himmel hochgeguckt hat, hat sie mich nicht sehen können, und ich hab auch keine Ahnung, ob sie mich hören konnte. Ich hab also mein rechtes Knie aufs Bett getan. Dann hab ich meine Hand unter ihren Kopf getan und ihn ein kleines bisschen vom Kissen hochgehoben, und dann ihr Gesicht zu mir hingedreht.

„Miss Debbie", hab ich gesagt.

Sie hat ihre Augen weit aufgemacht und mir geradewegs in die Augen geguckt.

Ich hab in dem Augenblick gewusst, dass sie mich hören kann, also hab ich weitergemacht. „Ich kann verstehen, wie wichtig Ihnen das ist, dass wir uns um die Obdachlosen kümmern. Aber Sie haben alles getan, was Sie tun konnten. Und Gott hat mir aufs Herz gelegt, Ihnen das zu sagen: Wenn Sie die Fackel weglegen müssen, dann hebe ich sie auf und mache mit den Odachlosen da weiter, wo Sie aufgehört haben."

Sie hat sich nicht bewegt oder irgendwas gesagt, aber in ihren Augen haben Tränen geglitzert. Mein Herz hat wild zu schlagen angefangen, es hat in meiner Brust wehgetan, wie wenn es zu groß für meinen Körper gewesen wäre.

„Sie können also jetzt heimgehen, Miss Debbie", hab ich gesagt. „Gehen Sie in Frieden nach Hause."

Die Tränen sind ihr die Backen runtergelaufen und mein Herz hat sich gedehnt, dass ich Angst gehabt hab, es würde kaputtreißen. Ich hab ihren Kopf immer noch gehalten, damit sie mich sehen kann. Dann hab ich die letzten Worte gesagt, die ich jemals zu ihr gesagt habe: „Leben Sie wohl. Ich sehe Sie auf der anderen Seite."

Dann hab ich ihren Kopf wieder aufs Kissen gelegt, und sie hat die Augen zugemacht. Und ich hab gewusst, dass sie gewusst hat, dass wir uns nie wiedersehen würden. Nicht in diesem Leben.

50

3. November

Ich schlief nicht mehr. Ich lag die ganze Nacht wach neben Deborah. Sie lag neben mir, ausgemergelt, ihre Augen starr geöffnet, der Mund schlaff und zum Himmel gerichtet, so als ob ihr eine Frage auf den Lippen läge. In unregelmäßigen Abständen hob und senkte sich ihre Brust, manchmal in kurzen, schnellen Stößen, dann wieder gar nicht. Ich sah zu, wie die roten Minuten auf der Digitaluhr verstrichen, Ziffern, die auffraßen, was uns von dem Leben, das wir uns aufgebaut hatten, noch übrig geblieben war. Als die Morgendämmerung ins Zimmer kroch, konnte man es donnern hören. Ich konnte hören, wie der Regen die Dachrinnen herunterprasselte und durch die Abflussrohre strömte.

Mein New Yorker Partner Michael hatte angerufen und gefragt, ob er Deborah sehen könnte, und war auf dem Weg zu uns. Ich hatte in den letzten Wochen versucht, ihm und anderen von solchen Besuchen abzuraten. Deborah verfiel so sehr, dass sie sich kaum noch unter ihrer Bettdecke abzeichnete. Ihre Augen waren schwach geworden und schienen grausam in herausstehenden Knochenhöhlen befestigt zu sein. Ich wollte, dass sich alle an die schöne, elegante Frau erinnerten, die sie einst gekannt hatten.

Aber Michael ließ nicht locker, und weil wir die Paten seines Sohnes Jack waren, stimmte ich zu. Von Haus aus Jude war er kein besonders religiöser Mensch. Er wusste, dass wir Christen waren, und hatte unsere Glaubensreise mitbekommen. Wir hatten über Jesus den Messias gesprochen, doch das passte nicht mit seinem religiösen Hintergrund zusammen. Deshalb hatten wir philosophische Diskussionen geführt – freundliche, niemals erhitzte.

Als Michael gegen zehn Uhr morgens vor unserem Haus parkte, waren Mary Ellen und ich im Schlafzimmer bei Deborah. Wir sangen mit

Hilfe einer CD christliche Lieder, einige von Deborahs Lieblingsliedern. Ich ging nach draußen, um Michael zu begrüßen, dann kamen er, Carson und ich zurück ins Schlafzimmer. In dem Augenblick, in dem Michael durch die Tür trat, begann auf der CD das Lied „We are Standing on Holy Ground" („Wir stehen auf heiligem Boden"): *„Wir stehen auf heiligem Boden, denn ich weiß, dass Engel um uns herum sind."*

Als das Lied durch den Raum spülte, sah Michael Deborah an, dann Mary Ellen. „Wir *sind* auf heiligem Boden", flüsterte er. Danach fiel er auf die Knie und weinte, so als hätte ihm jemand in die Kniekehlen getreten. Wie erstarrt tauschten Carson, Mary Ellen und ich Blicke. In den zwanzig Jahren, die ich ihn schon kannte, hatte ich Michael noch nie weinen gesehen. Als das Lied geendet hatte, fasste er sich wieder. Er zog ein Bild von Jack heraus, bewegte sich zur Bettkante und legte es in Deborahs Handfläche, wobei er sanft ihre Finger darum schloss.

„Passt du bitte auf ihn auf, wenn du im Himmel bist?", sagte er. „Sei sein Schutzengel."

Michael bedankte sich bei Deborah für all die Gebete, die sie seines Wissens nach für ihn gebetet hatte. Sie bewegte sich nicht und sagte kein Wort. Er blieb ungefähr zwanzig Minuten lang. Als ich ihn hinunter ins Wohnzimmer brachte, schien er wie benommen.

„In diesem Raum war eine Kraft oder eine Gegenwart, die nicht von dieser Welt war", sagte er. „Die ganze Zeit hast du von Begegnungen mit Gott geredet. Ich hatte gerade eine. Ich glaube nicht, dass ich jemals wieder so sein werde wie vorher."

Mehr haben wir nicht gesprochen. Er rannte durch die strömenden Regenvorhänge und duckte sich in sein Auto. Michael hatte den Glauben nie nahe an sich herangelassen. Denvers Worte kamen mir ins Gedächtnis: „Miss Debbie wird nirgendwohin gehen, bis ihre Arbeit auf der Erde getan ist."

Ist sie jetzt getan?, fragte ich mich.

Ich rannte den Flur entlang und erzählte Deborah von Michael. Obwohl sie still blieb, wusste ich, dass sie es verstanden hatte. Ihr Puls war mittlerweile ein Flüstern und ihr Atem eine unregelmäßige Reihe schwacher Keuchlaute. Ich legte mich zu ihr, umarmte sie und wartete auf die Engel.

51

„Komm schnell! Sie atmet nicht mehr!"
Es war Daphene. Sie kam panisch die Treppe hinaufgerannt. Ich hatte Deborahs Zimmer erst vor einer knappen Viertelstunde verlassen, weil Carson und Regan darauf bestanden hatten, dass ich ein paar Stunden Schlaf bekam. Gegen 22 Uhr hatte ich Deborahs Gesicht mit meinen Fingerspitzen gestreichelt und ihre Stirn geküsst, weil ich Angst hatte, sie nicht mehr lebend zu sehen, und war nach oben gegangen.

Daphene hatte meinen Platz eingenommen und wollte die Nachtwache übernehmen. Doch gegen 22:15 Uhr stürzte sie in das Gästezimmer, in das ich mich zurückgezogen hatte. Neunzehn Monate lang hatte ich Deborah kaum aus den Augen gelassen. In den vergangenen drei Wochen hatte ich praktisch nur an ihrer Seite gesessen. Ich war einunddreißig Jahre und sieben Tage unseres Lebens bei ihr gewesen. Doch es war Daphene, die fünfundfünfzig Jahre zuvor zusammen mit ihr das Licht der Welt erblickt hatte, die nun dabei gewesen war, als sie heimging.

Die Krankenschwester beugte sich über Deborah, als ich das Zimmer betrat. Ich krabbelte neben meine Frau auf das Bett. Ihre Augen waren noch offen. Ich schloss sie. Leise bat ich die Schwester, die Infusionen und Schläuche zu entfernen, die sie einen Monat lang gefesselt hatten. Dann bat ich die Schwester uns ein paar Minuten allein zu lassen. In dieser Zeit hielt ich meine Frau im Arm und weinte, ich betete, dass Gott sie wiederauferwecken möge, so wie Christus einst Lazarus.

Als er das nicht tat – und ich glaubte ernsthaft, dass er es könnte – explodierte mein Herz.

Nach wenigen Minuten erschien ein unauffällig gekleideter Mann, der sich als Gerichtsmediziner vorstellte, in unserem Schlafzimmer, um sie für tot zu erklären, so als ob ich das nicht schon wüsste. Dann erschienen zwei Männer, die in einem einfachen weißen Lieferwagen gekommen waren, um ihren Körper mitzunehmen. In ihren marineblauen Hemden und Hosen sahen sie eher so aus, als wollten sie die Waschmaschine reparieren. Ich hatte gehofft, sie würden wie Engel aussehen, aber das taten sie nicht. Und ich hatte gehofft, dass sie nicht wie Bestatter aussehen würden, aber das taten sie.

In dieser Nacht brachte mir Daphene zwei kleine weiße Pillen, von denen Alan sagte, sie würden mir beim Schlafen helfen. Während ich im Bett lag, drifteten meine Gedanken nach Rocky Top, und Fragen stachen mir ins Herz. Unsinnige Fragen wie die, wer denn nun den kleinen Texas-Longhorn-Kälbern ihre Namen geben sollte. Und wer würde im Juli Pfirsiche pflücken und die Fruchtpastete machen, damit es überall im Haus nach Zimt roch? Die letzten Gedanken, die mir durch den Kopf gingen, sorgten dafür, dass ich mich in den Schlaf weinte: dass Deborah es nicht mehr erleben würde, wie Carson und Regan heirateten, dass sie niemals unsere Enkel treffen würde oder zusehen, wie sie auf Rocky Top am Weihnachtsmorgen auf den Kälbern ritten, die ich eingefangen hatte, so wie es mein Großvater für mich getan hatte.

Ich vermutete, ich könnte es trotzdem tun. Vielleicht würde Gott ihr erlauben, es zu sehen.

52

Drei Tage danach begruben wir Deborah in einem einfachen Kiefernsarg auf einem einsamen Hügel in Rocky Top – genau so, wie sie es gewünscht hatte. Das Wetter schien jedoch ein Schlag ins Gesicht zu werden. Die Kinder und ich waren an diesem Morgen in einem heftigen Gewitter zur Ranch gefahren. Während die Winterwinde kalte Regenschauer über die Autobahn bliesen, erfüllte Bitterkeit mein Herz. Vielleicht durchlitt ich gerade irgendeine Form göttlicher Strafe, doch Deborah hatte das mit Sicherheit nicht verdient.

Das Grab war am höchsten Punkt von Rocky Top. Eine kleine Lichtung, die von wettergegerbten Eichen beschützt wurde, das war immer eine von Deborahs Lieblingsecken auf der Ranch gewesen. Sie hatte besonders die Stelle geliebt, in der ein riesiger flacher Felsbrocken wie eine Bank im Schatten einer krummen Eiche lag und damit einen natürlichen Aussichtspunkt formte, der wie geschaffen war für ein Gebet oder die schlichte Einsamkeit.

Während Carson, Regan und ich den Hügel hinauffuhren, verteilten Roy Gene, Pame und andere Freunde Heu in den gewaltigen Pfützen, die durch den strömenden Regen entstanden waren. Sie deckten auch das Grab auf, ein Anblick, der mich verunsicherte. Ich wusste nicht, was ich erwartet hatte. Mir war klar, dass wir Deborah nicht auf einem traditionellen Friedhof begruben, wo Grabsteine und Inschriften den Eindruck zivilisierter Riten erweckten. Doch mit brutaler Deutlichkeit traf mich nun, dass ihr letzter Ruheort nichts weiter war als ein dunkles Loch in einer verlassenen Ecke, über das nachts die Tiere streifen würden. Eine Welle des Unwohlseins rumorte durch meine Gedärme und ich brach beinahe unter dem Eindruck dessen zusammen, was wir nun zu tun gedachten.

Barmherzigerweise änderte sich das Wetter. Wie durch ein kleines Wunder klarte sich der Himmel auf und der kalte Nordwind drehte, sodass er durch eine warme südliche Brise ersetzt wurde, die über den Hügel wehte und den Boden innerhalb einer Stunde trocknete.

Denver kam, zusammen mit rund hundert Freunden und Familienangehörigen. Wie Rancher saßen wir um Deborahs Grab herum auf Heuballen. Irgendjemand hatte ihren Palomino Rocky gesattelt und ihn in der Nähe angebunden. Die nächsten anderhalb Stunden würdigte ich das Leben und das Vermächtnis meiner Frau. Wir sangen gute, alte Spirituals und Country-Hymnen, begleitet von zwei Cowboys auf Westerngitarren. Das warme Sonnenlicht schien durch die Eichen und malte goldene Ringe auf Deborahs Kiefernsarg, sodass die einfache Kiste, um die sie gebeten hatte, aussah, als sei sie mit glänzenden Medaillons verziert.

Ohne besondere Ordnung standen die Leute auf und erzählten Geschichten über Deborah. Wenig überraschend blieb Denver still. Ich beendete diesen Teil mit einem Gedicht, das ich ihr zu unserem Hochzeitstag geschrieben hatte. Pame ging durch die Menge mit einem Korb voller Wiesenlupinensamen, und ich sah zu, wie jeder der Trauergäste eine Handvoll davon auf die feuchte Erde streute. Dann stiegen die Kinder und ich in den Suburban und fuhren davon, hinter uns eine Prozession von Autos. Denver und die anderen Sargträger blieben am Grab zurück und ließen den Sarg mit Deborah an Seilen hinein. Als ich meine Frau auf dem Hügel zurückließ, versuchte ich nicht an die Schaufeln zu denken, die ich an einen Baum lehnend gesehen hatte.

53

Wie wir Miss Debbie in die Erde runtergelassen haben, hab ich gewusst, dass das nur ihr irdischer Leib gewesen ist. Aber trotzdem war mir's, wie wenn auch mein Herz da in dem Loch verschwindet. Ich hab gewusst, dass Gott einen Plan hat und seine Gründe, warum er sie zu sich geholt hat. Aber ich hab trotzdem nicht kapiert, warum er so'n wunderbares Leben einfach beendet hat, wo doch die ganze Welt voll ist von Kriminellen und Kerlen wie mich, die noch nie viel Gutes gemacht haben.

Wie wir dann ihren Sarg in die Erde runtergelassen hatten, haben ich und Mr Roy Gene und ein paar andere Leute Schaufeln genommen und das Loch zugemacht. Ich hab das Geräusch gehasst, wie die Erde auf den Holzsarg geprasselt ist, es hat sich angehört wie ein böser Regen. Und obwohl ich gewusst hab, dass Miss Debbies Geist beim Herrn ist, war es echt schwer, nicht dauernd dran zu denken, was da in dieser Kiste ist. Ich war froh, wie man nur noch Erde auf Erde hören konnte und nicht mehr, wie Erde auf eine Kiste fällt.

Wie wir fertig gewesen sind, war da ein roter Haufen frischer Erde, wo vorher 'n Loch gewesen war. Einer von Miss Debbies und Mr Rons Freunden hat so'n großes Kreuz aus Zedernholz, wo die Rinde immer noch dran war, gemacht und es mit Lederstreifen zusammengebunden. Irgendeiner hat 'ne Schaufel genommen und das Ding am Kopfende in den Boden geklopft.

Und das wars gewesen. Die Ecke hat nicht anders ausgesehen wie die ganzen anderen Ecken auf der Ranch, da war nur die große rote Narbe im Boden.

Wie dann alle ins Haus gegangen sind, bin ich noch bei ihr geblieben und hab mich auf einen Heuballen gesetzt. Da hab ich ein paarmal mit Gott geredet, hab ihn nach dem Warum gefragt. Nur weil ich dann und wann ein Wort von ihm gehabt hab, wo er mir seine Pläne gesagt hat, und obwohl ich die alle Mr Ron überbracht hab, wie Gott es von mir gewollt hat, heißt das ja nicht, dass es mir Spaß gemacht hat. Und das hab ich ihm auch gesagt, dass mir das kein Spaß gemacht hat. Das ist ja das Gute bei Gott. Weil er eh weiß, wie's in deinem Herzen aussieht, kannst du ihm auch ganz offen sagen, wie du dich fühlst.

Und weil niemand zugehört hat, hab ich auch gleich noch ein bisschen mit Miss Debbie geredet. Laut.

„Sie sind die einzigste Person gewesen, die sich nicht an meiner Hautfarbe gestört hat oder daran, dass ich ein übler Kerl bin. Sie haben da jemanden gesehen, der es wert ist, gerettet zu werden. Ich weiß nicht wie, aber Sie haben das die ganze Zeit gewusst, dass ich nur so getan hab, wie wenn ich ein ganz übler Bursche wäre, damit mich die anderen Leute in Ruhe lassen. Ich wollte keine engere Beziehung, mit niemandem. Das war mir einfach den Stress nicht wert. Und abgesehen davon hab ich in meinem Leben schon genug Leute verloren, und ich hatte keine Lust, wieder jemanden zu verlieren."

Na ja, dafür war es jetzt zu spät. Trotzdem hab ich es nicht bereut, dass ich Miss Debbie an mich rangelassen hab. Ja, ich hab mich sogar bei Gott dafür bedankt, dafür, dass sie mich einfach genug geliebt hat, um mich nicht in Ruhe zu lassen. Dann musste ich heulen. Ich hab geheult und geheult und Miss Debbie gesagt, was das Wichtigste gewesen ist, was sie mir beigebracht hat: „Jeder sollte den Mut haben, seinem Feind entgegenzutreten", hab ich gesagt, „weil ein Mensch, der von außen wie'n Feind aussieht, innen drin nicht unbedingt einer sein muss. Wir alle haben mehr Gemeinsamkeiten, wie wir denken. Sie haben den Mut gehabt, mir entgegenzutreten, wie ich noch gefährlich gewesen bin, und das hat mein Leben verändert. Sie haben mich wegen dem geliebt, was in mir drinnen gewesen ist, wegen dem Menschen, von dem Gott gewollt hat, dass ich er sein sollte, dem Kerl, der auf den üblen Straßen des Lebens verloren gegangen ist."

Ich hab keine Ahnung, wie lange ich da auf dem Heuballen gesessen hab. Aber wie wir Miss Debbie begraben haben, war es Vormittag, und wie ich schließlich mit meinem Reden mit ihr fertig war und ins Haus gegangen bin, war es Abend.

54

Am darauffolgenden Vormittag veranstalteten wir einen Erinnerungsgottesdienst in der Kirche, allerdings unter der strikten An-
weisung von Deborah, dass es eine Jubelveranstaltung sein sollte. Denver hatte geplant, uns in seinem Auto dorthin zu folgen, und erschien
in unserer Einfahrt in einem schicken, dunklen Nadelstreifenanzug mit
Krawatte. Ich stieg aus meinem Auto aus und umarmte ihn lange. Ich
hatte von einer Freundin, die ebenfalls auf der Beerdigung gewesen
war, gehört, dass sie, als sie in der Abenddämmerung Rocky Top verlassen hatte, Denver immer noch neben Deborahs Grab hatte sitzen
sehen.

Als wir einbogen, war der Parkplatz der Kirche bereits voll besetzt,
sodass ich woanders parken musste. In der Kirche hatten sich rund tausend Menschen versammelt, und in den nächsten zwei Stunden teilten
Deborahs engste Freunde und Familienmitglieder ihre Erinnerungen
an ein gut gelebtes Leben. Schwester Bettie war auch eine der Redne-
rinnen.

Schmächtig und eine Frau der leisen Töne ging sie ans Rednerpult
und erzählte kurz, wie Gott Deborah zur Mission geführt hatte und
wie sie Schwestern in Christus geworden waren, die gemeinsam die
Stadt verändern wollten. Dann sah sie zu Denver hinunter, der in der
ersten Reihe vor Regan, Carson, Daphene und mir saß. „Jetzt möchte
Bruder Denver ein paar Worte sagen."

Denver zog sein Taschentuch heraus und wischte sich die Stirn ab.
Dann stand er von seinem Sitzplatz auf und lief langsam zum Podium.
Ich warf einen Blick auf Carson und Regan, wir lächelten gemeinsam
über Denvers schwerfälligen Gang, mit dem er auf das Podium kletterte, so als hätte er eine Bergtour zu bewältigen.

Obwohl er normalerweise nur leise sprach, brauchte Denver an diesem Tag kein Mikrofon. Mit einer mitreißenden Stimme, die mit je-

dem Wort lauter und lauter wurde, predigte er über Mut, Hoffnung und die Liebe einer Frau.

„Gott hat mich damit gesegnet, dass jemand gekommen ist, der sich um mich Sorgen gemacht hat und dem es egal gewesen ist, wo ich herkomme. Seit ich sie kennengelernt hab, hat Miss Debbie mich ständig hierher in die Kirche eingeladen, aber ich wollte auf keinen Fall *hierher*kommen!", sagte Denver lächelnd, während die mehrheitlich weiße Versammlung lachen musste. „Also ist sie gekommen und hat mich eingepackt und hierher gebracht. Ich hab versucht, an der Tür stehen zu bleiben, aber sie hat gesagt: ,Auf, rein mit dir', und dann ist sie mit mir hier reinmarschiert, stolz wie Harry. Sie war eine echte Lady."

Als Denver die Geschichte von den weißen Frauen und der Rüstzeit erzählte, füllte sich der Raum mit Gelächter, und als er berichtete, dass Gott ihm aufgetragen hatte, die Fackel von Miss Debbie zu übernehmen, weinten die Menschen. Regan und Carson drückten tränenüberströmt meine Hände, begeistert darüber, dass ihre Gebete beantwortet worden waren, und stolz auf ihre Mutter, deren Vermächtnis nun durch einen Mann gesichert wurde, der einiges von dem Schlimmsten überlebt hatte, das Amerika zu bieten hatte, ein Mann, den wir nun als Familienmitglied betrachteten.

Während Denver das Podium verließ, sah ich, dass Roy Gene und unser Freund Rob Farrell aufstanden und zu applaudieren begannen. Die ganze Gemeinde stand auf, und der Beifall donnerte durch die Kirche. Neunzehn Monate lang hatten wir für ein Wunder gebetet und es erwartet. Doch jetzt sah ich plötzlich einem direkt ins Gesicht. In ein Gesicht, das sich nicht länger vor mir versteckte. Ein Gesicht mit Augen, die nicht länger ärgerlich und gelb waren, sondern klar und kräftig braun. Ein Gesicht, das in einem freudigen Lächeln strahlte, obwohl es einst vergessen hatte, wie das geht.

Während Denver hölzern vom Podium herunterstieg, hielt der Applaus an. Regan, Carson und ich standen tränenüberströmt da, und als er bei uns angekommen war, nahmen wir ihn in den Arm.

55

Weil sie niemals etwas dem Zufall überließ, hatte Deborah Carson, Regan und mir aufgetragen, nach ihrem Tod eine Reise zu unternehmen – nur wir drei. Wir sollten unmittelbar nach der Beerdigung aufbrechen, hatte sie gesagt, mindestens eine Woche wegbleiben und über nichts Trauriges sprechen. Sie hatte ihre Anweisungen vor einem Monat gegeben, am letzten Tag ihres Krankenhausaufenthaltes. An diesem Tag hatten wir vier in ihrem Zimmer gesessen und darüber geplaudert, wohin wir fahren sollten.

„Italien", hatte ich vorgeschlagen. „Wir könnten bei Julio und Pilar in Florenz übernachten. Wir essen Pasta, trinken Wein und lachen über schöne Erinnerungen."

„Zu weit weg", hatte Regan eingewandt, wie immer eher praktisch orientiert. „Ich möchte den Rio Grande hinunterfahren und im Big Bend wandern gehen."

Deborah hatte dies gefallen, und Carson hatte ebenfalls zugestimmt, also war es beschlossen: Der einsame Big Bend Nationalpark weit im Westen von Texas sollte es sein. Gemäß Deborahs Anweisungen packten wir am Tag nach dem Gottesdienst unser Auto und waren gerade dabei, das Haus zu verlassen, als das Telefon klingelte. Am Apparat war Don Shisler.

„Ron, könntest du bitte gleich runter zur Mission kommen?"

„Nicht wirklich. Die Kinder und ich sind gerade auf dem Weg in den Big Bend."

„Das hier kann aber nicht warten. Kannst du noch eine Minute beim Telefon bleiben? Bob Crow wird dich gleich zurückrufen."

Bob war ein Mitglied des Vorstandes der Mission. Ich sagte, ich würde warten. Innerhalb einer Minute war Bob am Telefon und erklärte mir, was er „den beeindruckendsten Schritt Gottes in den 112 Jahren Union-Gospel-Missions-Geschichte" nannte.

Folgendes war passiert: Unmittelbar nach Deborahs Erinnerungsgottesdienst war ein Ehepaar namens John und Nancy Snyder an Bob herangetreten und hatte ihm mitgeteilt, es wollte eine größere Spende machen und dabei helfen, weitere Gelder zusammenzubekommen, um ein neues Gebäude für die Union Gospel Mission zu bauen. Das bestehende Haus war heruntergekommen und kaum noch zu reparieren. Schwester Betties kraftvolles Zeugnis und Denvers Bericht, wie Deborahs Liebe sein Leben verändert hatte, hatten ihre Herzen angerührt.

Die Nachricht allein erstaunte mich, doch was Bob danach sagte, ließ mir die Knie weich werden: „Ron, sie wollen eine neue Kapelle für die Mission bauen und sie ‚Deborah Hall Memorial Chapel‘ nennen."

Meine Kehle wurde trocken und Tränen stiegen auf. Ich konnte kaum die Worte „Wir werden auf unserem Trip darüber reden" herausquetschen, bevor ich den Hörer auflegte.

Carson und Regan waren über die Spenden für die Mission begeistert, und wir machten uns auf den Weg nach Big Bend, unsere schweren Herzen beflügelt. Wir besprachen die Sache mit dem Namen der Kapelle, während wir die Straße im Suburban hinunterschossen, vollgeladen mit Stiefeln und Rucksäcken. Wir waren uns einig darüber, dass Deborah ihren Namen so wenig auf irgendeinem Messingschild haben wollte wie einen protzigen roten Rolls Royce in ihrer Einfahrt.

Wenn also die Geldgeber der Mission die neue Kapelle nach jemandem benennen wollten, dann sollte es Schwester Bettie sein, fanden wir zunächst. Dann fuhr uns Carson von der Rückbank aus in die Parade: „Entscheiden nicht normalerweise die Leute, die die Schecks ausstellen, darüber, wie das Haus heißen soll, das davon gebaut wird?"

Wir hatten daran einen Augenblick zu kauen, Regan starrte aus dem Fenster auf das vorbeirauschende Unterholz. „Weißt du, Papa", sagte sie schließlich, „sie haben uns nicht gefragt, wie die Kapelle heißen soll, sondern wollten nur wissen, ob wir mit dem Namen, den sie sich ausgedacht haben, einverstanden sind." Damit war das Thema für den Rest der Reise vom Tisch.

Im Big Bend mäandert der Rio Grande durch die glänzenden Biegungen in der Chihuahua-Wüste, über der die gezackten Spitzen der Chisos-Berge aufsteigen. Wir wanderten durch die Berge, gebildet aus purem Vulkangestein, das sich über unseren Köpfen zu einem blauen Gewölbe auftürmte und fuhren mit dem Boot auf dem kalten Fluss durch enge Canyons. Es war wie eine Klausur, rein und asketisch, ein Kloster aus Himmel und Steinen.

Die Woche verging langsam, wunderbar frei vom Lärm des Lebens. Ich dachte an Deborah, jonglierte die Bilder, die mir zufällig durch den Kopf schossen, so als hätte jemand unser Leben zu einer chaotischen Diashow zusammengestellt. Deborah, wie sie Carson als Baby im Arm hält. Deborah, ausgemergelt und im Sterben liegend. Deborah, wie sie „Ja, ich will" sagt. Deborah, wie sie lächelnd auf einer Skipiste steht. Wie sie in der Mission Fleischklöße austeilt. Wie sie mit Regan backt.

Ich dachte an Denver, wieder kamen zufällige Bilder. Denvers Worte in dem Gedächtnisgottesdienst. Wie ich im Caravan meine Hand auf sein Knie lege. Denver mit Mr Ballantine. Denver, wie er neben dem Müllcontainer für Deborah betet. Es würde, das wusste ich genau, kein Fallenlassen mehr geben.

Als unsere Zeit in Big Bend vorüber war, waren wir bereit nach Hause zurückzukehren. Und im selben Augenblick, in dem wir aus der Wüste wieder in das vom Mobilfunknetz abgedeckte Gebiet fuhren, sah ich, dass ich eine Nachricht von Don Shisler bekommen hatte.

56

Wie sie zum Fluss runtergefahren waren, hab ich die ganze Zeit für Mr Ron, Carson und Regan gebetet, dass Gott ihnen Heilung schenkt. So'n Fluss hat ja was Besonderes, irgendwie Geistliches, was ihn mit dem Jordan verbindet. Das war sicher kein Trip, der Mr Ron und seinen Kindern 'n besseres Gefühl dadrüber geben würde, dass sie Miss Debbie verloren haben. Aber ich hab dafür gebetet, dass sie irgendwie erquickt werden, da unten, wo es nichts gibt, außer den Dingen, die Gott selbst gemacht hat.

Ich hab gewusst, dass ich mich wieder in Schale schmeißen muss, wenn sie zurückkommen. Mr Shisler hat mich zu was eingeladen, was sich „Nationaler Tag der Philanthropie" nennt. Er hat auch Mr Ron eingeladen, hat gesagt, er hat ihm eine Nachricht auf seinem Handy hinterlassen. Miss Debbie war eine von den Leuten, die sie da ehren wollten. Ich war nicht gerade glücklich darüber, dass ich jetzt zum dritten Mal in einem Monat einen Anzug anziehen soll, aber ich hab auf jeden Fall dabei sein wollen, weil ich allen erzählen wollte, was für eine Frau der Herr da zu sich gerufen hat.

Am Morgen, nachdem sie vom Fluss zurückgekommen sind, ist Mr Ron zur Mission gefahren, um mich abzuholen. Ich hab einen Anzug aus dem Geschäft in der Mission angehabt, der ausgesehen hat, wie wenn er brandneu wäre. Wie Mr Ron den gesehen hat, hat er gegrinst und gesagt, ich sehe aus wie'n Millionär, ich schätze also, ich hab meine Sache richtig gemacht.

Sie haben ihre „Nationaler-Tag-der-Philanthropie"-Geschichte im Worthington gefeiert, so 'nem Reiche-Leute-Hotel an der Hauptstraße. Wie wir in die Lobby reinmarschiert sind, waren da schon 'ne Million Leute versammelt, die alle gewartet haben, dass so'n paar große, edle Türen aufgehen, die in den Ballsaal führen, wo der ganze Rummel stattfinden sollte, wie Mr Ron gesagt hat. Wir haben da vielleicht ein paar Minuten rumgestanden, da sind Leute, die ich noch nie im Leben gesehen hab, zu mir rübergekommen.

Eine von ihnen war 'ne Lady mit 'ner Perlenkette und 'nem Hut, die hat zu mir gesagt: „Ich habe Sie bei Deborahs Gedenkgottesdienst reden gehört. Was für eine *wundervolle* Geschichte!"

„Denver, ich würde Ihnen gern die Hand schütteln", hat ein großer, dünner Kerl mit einem Diamanten auf der Krawatte zu mir gesagt. „Ich bin so froh zu hören, dass Sie Ihr Leben in Ordnung gebracht haben!"

Und so ist es die ganze Zeit gegangen, andauernd sind irgendwelche Fremden gekommen, die mich mit meinem Vornamen angeredet haben. Mir ist ziemlich heiß geworden. Mr Ron hat nur gegrinst und gesagt, er sollte vielleicht mein Agent werden. Wie dann endlich die großen Türen zum Ballsaal aufgegangen sind, hab ich Gott gedankt und gehofft, dass mir jetzt keiner mehr gratuliert.

Mr Ron hat mich zwar schon öfter in irgendwelche schicken Ecken mitgenommen, aber dieser Ballsaal war mit Abstand das bisher Größte und Schickste. Es hat ausgesehen, wie wenn einer das ganze Silberbesteck und die Kristallgläser von Texas hier rein gepackt hat, auf die Tische mit den dunkelroten Tischdecken. Ich hab neben Mr Ron gesessen und so getan, wie wenn ich hierhergehören würde, aber ich hab die ganze Zeit nur die Kerzenleuchter angestarrt.

Mr Ron hat gesehen, wie ich grinsen musste. „Was denkst du gerade?", hat er gefragt.

„Ich hab dieses Hotel zwanzig Jahre lang von außen gesehen", hab ich gesagt, „aber ich hätt mir nicht träumen lassen, dass ich es auch mal von innen sehe."

Wie ich auf der Straße gelebt hab, hab ich ihm erzählt, bin ich in den kalten Nächten immer hier runter zum Worthington gekommen und hab mich hinters Hotel geschlichen, wo die großen Lüftungsschächte sind, aus denen sie die heiße Luft auf den Bürgersteig rausblasen. Ich hab auf den Gittern geschlafen, damit ich warm bleibe. Einer von den Sicherheitsleuten hat mich anscheinend gemocht. Er ist jedenfalls so nett gewesen, mir ab und zu einen kleinen Tritt zu geben, um zu sehen, ob ich nicht erfroren bin. Manchmal hat er mir sogar 'nen heißen Kaffee gebracht.

„Er hat mich nie weggejagt", hab ich Mr Ron erzählt. „Jedenfalls nicht, wenn ich erst nach Mitternacht gekommen bin und vor sechs Uhr morgens wieder verschwunden war. Dann durfte ich bleiben."

„Bist du nie in die Lobby gegangen? Ich dachte immer, dass Hotellobbys für jeden zugänglich sind."

Ich hab Mr Ron direkt in die Augen geguckt. „Obdachlose Leute sind nicht ‚jeder'", hab ich gesagt.

Ich schätze mal, in dem Augenblick jetzt bin ich „jeder" gewesen, mein Name hat sogar auf 'nem Blatt Papier gestanden, wo „Gästeliste" draufstand. Wie dann das Essen gekommen ist, hab ich meine Stoffserviette genommen und sie mir auf den Schoß gelegt. Und ich hab Mr Ron genau beobachtet, weil ich sicher sein wollte, dass ich die richtige Gabel benutze. Ich hab schließlich gewusst, dass reiche weiße Leute 'ne Menge Regeln haben, wenn's um Gabeln geht. Aber ich hab immer noch nicht kapiert, warum sie unbedingt drei oder vier verschiedene benutzen müssen, schließlich ist das für die Leute in der Küche 'ne Menge Extraarbeit.

Wir waren gerade mit dem Essen fertig, da hat Mr Ron die Geschichte mit dem Namen der neuen Missionskapelle hochgebracht. „Wir sind dagegen, sie nach Deborah zu benennen", hat er gesagt. „Wir glauben nicht, dass es sie gefreut hätte, auf diese Weise die Aufmerksamkeit auf sich zu ziehen."

Ich bin dann echt streng mit ihm geworden. „Mr Ron, Miss Debbie ist im Himmel, und hier geht's auch gar nicht um Miss Debbie. Es geht um Gott. Wollen Sie Gott im Weg stehen, wenn er hier was bewegt?"

Mr Ron hat den Kopf geschüttelt, mit so 'nem Hundeblick. „Nein, ich denke nicht."

„Dann gehen Sie einfach aus dem Weg und lassen Sie Gott tun, was er tun will!"

57

Denver Moore marschierte durch die Crème de la Crème der reichsten Menschen von Fort Worth und nahm mit Anmut und Würde
an Deborahs Stelle einen Philanthropiepreis entgegen. Er bekam ste-
henden Applaus.

Am nächsten Tag traf ich mich mit dem Missionsvorstand und offenbarte ihm, dass meine Familie nicht damit einverstanden war, dass die
Kapelle nach Deborah benannt werden sollte. Ich teilte ihnen jedoch
auch Denvers Rat mit, und damit war es natürlich entschieden: Der
neue Gottesdienstraum sollte Deborah Hall Memorial Chapel heißen.
Unterdessen war das Fundraising für New Beginnings, (Neuanfang)
das neue Missionsgebäude, in vollem Gang. Nur zwei Tage nach Deborahs Gedenkgottesdienst, während wir auf dem Fluss in Big Bend
gepaddelt waren, hatten die Snyders und unsere Freunde Tom und Pa-
tricia Chambers ihr zu Ehren der Mission $ 350.000 gespendet.

Das Vorstandstreffen schien allerdings die Gnadenfrist zu beenden,
zu der Deborahs Beerdigung, der Gedenkgottesdienst sowie Big Bend
und das Banquet gehört hatten. Es war der letzte zivilisierte Halte-
punkt, danach spuckte mich das Leben auf einen unmarkierten Weg.
Ich war fünfundfünfzig Jahre alt, meine Schläfen wurden grau und die
Hälfte meines Herzens war in Rocky Top begraben. Wie überleben?
Wie weitermachen? Ich fühlte mich wie in einem blendenden Schneesturm gefangen, ohne Führer und vom Nachschub abgeschnitten. Ich
war überrascht, wie groß meine Angst war.

Wochenlang wanderte ich durch das Haus wie ein Gespenst auf
dem Friedhof. Ich spukte in Deborahs begehbarem Kleiderschrank herum, öffnete Schubladen und Türen, berührte ihre Halstücher, ihre
Strumpfhosen, vergrub mein Gesicht in ihren Kleidungsstücken, versuchte ihren Duft einzuatmen. Manchmal schloss ich die Tür hinter
mir und saß dort in der Dunkelheit, in den Händen die letzte Fotogra-
fie, die uns beide zusammen zeigte.

Ich durchforstete Ordner und Fotoalben und machte mir ein Sammelalbum aus meinen Lieblingsbildern und den Briefen, die sie geschrieben hatte. Mehrere Tage und Nächte lang saß ich wie benommen auf unserem Bett, blätterte langsam die Seiten um, belebte Erinnerungen: das Frühjahr, in dem ich mich in sie verliebt und ihr eine kleine braune Tüte Zitronenbonbons in die Schule gebracht hatte, wo sie unterrichtete ... der Sommer, in dem wir uns verlobt hatten, als wir uns beim Schwimmen in einem See so lange unter Wasser geküsst hatten, bis wir auftauchen und nach Luft schnappen mussten, kichernd, weil wir fast ertrunken wären ... unsere Flitterwochen im Herbst in Vail, so arm, dass wir uns mit einem anderen Pärchen ein Zimmer teilen mussten ... sonnige Tage mit den Kindern im Park ... Winter, in denen wir Cowboy-Schneemänner gebaut und Indianerhöhlen in Rocky Top erforscht hatten.

Ich legte meine Bibel zur Seite und las ihre, nicht weil ich tröstende Worte von Gott suchte, mit dem ich kaum noch redete, sondern weil ich Deborahs Worte lesen wollte – Tausende von ihnen, die auf den Rand der 2.094 Seiten gekritzelt waren. Sie hatte unsere Höhen und Tiefen aufgezeichnet, unsere Kämpfe und Siege – in der Ehe, beim Erziehen der Kinder, unterwegs mit Freunden. Ihre Worte – nicht unser Geld, unsere Juwelen, Antiquitäten oder die Gemälde von Künstlern aus dem zwanzigsten Jahrhundert – waren unser Familienschatz: das, was Deborah selbst aufgeschrieben hatte, worin sie ihr Herz ausschüttete.

Mein eigenes Herz fühlte sich zusammengeschrumpelt und schwarz an, mein Körper verfiel mit ihm. Obwohl ich fast ein Meter achtzig groß war, wog ich weniger als siebzig Kilo. Freunde sagten mir, dass ich schlimmer als furchtbar aussähe. Ich war froh darüber. Dachte, dass das angemessen wäre. Mary Ellen fragte mich, ob ich mich nach dem Tod sehnte. In gewisser Weise tat ich das, vermute ich: Ich sehnte mich nach einer Person, die tot war.

Meine Angst verwandelte sich in Ärger, und ich war voll davon. Doch während ich meine Vorwurfspfeile abschoss – auf die Ärzte, die pharmazeutische Industrie, Krebsforscher – war die eigentliche Zielscheibe Gott. Es war seine Schuld, dass nun ein klaffendes, unreparierbares Loch in meinem Herzen war. Er hatte mir meine Frau geraubt, meinen Kindern die Mutter und meinen Enkeln die Großmutter. Ich hatte ihm vertraut, und er hatte mich im Stich gelassen.

Wie soll man das vergeben?

Thanksgiving kam und damit ein Tag, den man schlichtweg durchhalten musste, weil es nichts zu feiern gab. In einem Haus, das an Deborahs Lieblingsfeiertag einem Festessen bei den Pilgervätern glich, waren Denver und meine Eltern die einzigen Gäste. Ich stand früh auf, steckte einen dürren Truthahn in den Ofen, und ging mit einer Tasse Kaffee in der Hand auf die hintere Veranda. Während der Sonnenaufgang langsam das Tal erleuchtete, sah ich Rehe in der Nähe des Flusses spielen. Bis zu diesem Tag war ich jedes Jahr am Morgen des Erntedankfestes auf die Jagd gegangen. Aber der Tod war nun eine zu persönliche Sache geworden.

Ich fuhr den Hügel hinauf, um bei Deborah zu sitzen. Ich setzte mich auf den großen Felsen unter der schiefen Eiche und versank noch tiefer in meinem Leid, während die blutroten Blätter um mich herum zu Boden drifteten. Die weißen Rosen auf Deborahs Grab waren braun geworden. Nur ein hässliches Geflecht von Kaninchendraht schützte ihre Ruhestätte vor wilden Tieren.

Mein Herz schmerzte, als ich mich fragte, wie ich sie so hatte zurücklassen können, ohne Mauer oder Tore, die sie beschützen könnten. Denver hatte mir gesagt, dass er diesen Ort gern in einen Familienfriedhof umwandeln wollte, also planten wir, es zusammen anzugehen.

Mitte Dezember begannen Denver und ich mit unserem Liebeswerk auf Rocky Top, durch das wir den kahlen, einsamen Hügel, in dem Deborah lag, in einen sicheren Hafen der Ruhe verwandeln wollten. Am Abend, bevor wir mit unserem Werk begannen, legten wir ein paar Scheite in unseren großen Steinkamin und streckten uns auf Ledersesseln aus, damit unsere Füße warm wurden. Der Feuerschein glänzte auf Denvers dunkler Haut, während wir in Erinnerungen an Deborah schwelgten.

„Erinnern Sie sich noch, wie sie eine Geburtstagsfeier für mich veranstaltet hat, Mr Ron?"

„Natürlich. Im Red, Hot & Blue."

Denver war dreiundsechzig Jahre alt geworden, und Deborah hatte eine kleine Überraschungsparty für ihn geplant. Nach dem Gottesdienst hatten wir ihn ins Red, Hot & Blue mitgenommen, ein Grillrestaurant, das Denver und ich oft besucht hatten, um Grillsandwiches mit Kohl und Süßkartoffeln zu essen. Scott und Janina waren mit ihren Kindern gekommen, um das Geburtstagskind zu ehren.

„Denver", hatte Deborah gesagt, nachdem wir das Essen bestellt hatten, „erzähle uns einmal, was bisher deine schönste Geburtstagsfeier gewesen ist."

Er hatte ein paar Minuten lang auf den Tisch gestarrt und ein paar Momente nachgedacht, dann hatte er Deborah wieder angeblickt. „Na ja, ich schätze mal, dass das hier meine schönste Geburtstagsfeier ist, weil es nämlich die einzigste ist, die ich je gehabt hab."

„Hattest du selbst als Kind keine?", hatte Deborah überrascht gefragt.

„Nein, Ma'am. Auf der Plantage haben wir nie irgendwelche Geburtstage gefeiert. Ich hab nicht mal gewusst, wann ich Geburtstag hab. Meine Schwester hat's mir erst erzählt, wie ich schon groß gewesen bin." Dann hatte er gelacht. „Die Geburtstagsfeier heute ist also mit Sicherheit die beste."

Deborah hatte einen kleinen Kuchen mitgebracht, Schokolade mit einem weißen Zuckerguss. Sie hatte die Kerzen angezündet, und wir hatten „Happy Birthday" gesungen, mit zirpenden Kinderstimmen, während Denver schüchtern gelächelt hatte.

Er lächelte auch jetzt über die Erinnerung, wobei er seine Füße näher an das knisternde Feuer streckte. „Das hat mir echt gutgetan. Und der Grillabend und der Kuchen waren auch gut."

„Aber du hattest ziemliche Probleme, als es darum ging, das Gegrillte zu essen", sagte ich, weil ich mich daran erinnerte, wie jedes Mal, wenn er einen Bissen getan hatte, ganze Sturzbäche von Speichel durch seine wenigen guten Zähne auf das rotgescheckte Tischtuch geflossen waren.

„Die hatte ich", sagte er und gluckste angesichts der Erinnerungen. Er hatte mit seinem Geburtstagsessen solche Probleme gehabt, dass ich am nächsten Tag Glen Petta angerufen hatte, einen Zahnarzt, den Denver noch von der Rüstzeit kannte. Damals hatte er angeboten, Denver umsonst die entsprechenden Prothesen anzufertigen. Als ich also Glen anrief, war er froh, sein Versprechen wahrmachen zu können. Bei unserem nächsten Treffen hatte Denver dieses Ich-habe-neue-Zähne-Grinsen gegrinst, das einen vollen Satz blendend weißer Zähne offenbarte, die so sauber und ordentlich aufgereiht waren wie der Kühlergrill an einer 1954er Corvette.

„Super, du siehst aus wie ein Filmstar, Denver", hatte ich lächelnd gesagt.

„Welcher denn?"

Ich hatte den ersten Namen ausgesprochen, der mir durch den Kopf gegangen war: „John Wayne!"

Für ihn schien das in Ordnung zu sein, seine Zähne waren es allerdings nicht. Er trug sie nur im Gottesdienst. Behauptete, sie wären ihm beim Essen im Weg.

Zu dem Zeitpunkt, als wir am Feuer saßen, trug er sie auch nicht, das zischende und spuckende grüne Holz versetzte uns in eine schläfrige Ruhe. Schließlich rafften wir uns auf, und ich nahm Denver mit nach oben, um ihm das Zimmer zu zeigen, in dem er schlafen sollte. Ich wollte alles tun, damit er sich willkommen fühlte. Er hatte schon mehrmals in Rocky Top geschlafen, allerdings niemals ohne gutes Zureden. Und jetzt, wo Deborah nicht mehr da war, hatte ich Angst, dass er sich vorkam wie das fünfte Rad am Wagen. Für mich war er alles andere als das. Ganz im Gegenteil, durch ihre Krankheit und seit ihrem Tod war er für mich so etwas wie ein Bruder geworden.

58

Ich war echt froh, dass ich mit Mr Ron den Platz ein bisschen schöner machen konnte, wo Miss Debbie gelegen hat. Aber wenn ich ehrlich bin, hab ich mich in seiner Nähe nie so wohlgefühlt wie bei ihr. Wirklich nicht, obwohl wir uns nun schon seit ein paar Jahren gekannt haben. Ich bin mir ziemlich sicher gewesen, dass der einzigste Grund, warum sich Mr Ron überhaupt mit mir getroffen hat, der war, dass Miss Debbie ihm gesagt hat, er soll das machen. Und jetzt, wo Miss Debbie weg war, würde es sicher nicht mehr lange dauern, bis er mich fallen lässt, hab ich mir gedacht.

An dem Abend hat mir Mr Ron wieder das Zimmer im ersten Stock gezeigt, obwohl ich es schon ein paarmal gesehen hab. Es ist ein echt netter Raum, mit einem kleinen Eisenbett drin und alles in so 'nem Cowboystil. Ich hab da schon öfter drin geschlafen, aber immer auf dem Boden, weil ich mich in 'nem Bett noch nie besonders wohlgefühlt hab. Aber Mr Ron hat gesagt, dass er davon nichts mehr hören will, und hat so lange auf mich eingeredet, bis ich ihm versprochen hab, dass ich in dem Bett schlafe.

„Wir sehen uns morgen früh", hat er gesagt und ist rausgegangen, dabei hat er die Tür hinter sich zugemacht. Ich hab einfach still in der Mitte von dem Zimmer gestanden und hab seine Schritte auf der Treppe gehört. Wie ich gehört hab, dass seine Schlafzimmertür zugemacht wird, hab ich meine aufgemacht, so hab ich mich nicht mehr so eingesperrt gefühlt. Dann hab ich mich in 'ne Decke gewickelt und aufs Bett gelegt, hab die Decke übern Kopf gezogen wie eine Kapuze, wo nur die Nase rausguckt, halt so, wie's die Obdachlosen machen. War sowieso egal, was ich gemacht hab. Ich hab mich einfach in so 'nem Bett nicht wohlgefühlt, und mir war klar, dass ich in der Nacht nicht viel schlafen werde.

Ich hab ein paar Stunden lang dagelegen, ruhig wie'n Toter, aber hellwach, wie ich plötzlich was gehört hab – da waren Schritte im Zimmer.

Ich war 'ne Minute lang wie erstarrt, so 'ne Angst hab ich gehabt.

Aber dann ist so'n Frieden über mich gekommen, und ich hab unter der Decke meine Augen zugemacht. Dann hab ich gespürt, wie mir die Decke vom Kopf gerutscht ist, und weiche Hände, so leicht wie 'ne Feder, haben sie hinter meinem Kopf reingesteckt. Ich hab die Augen immer noch nicht aufgemacht.

Dann hab ich die Stimme von 'ner Frau gehört, 'ne Stimme, die ich gekannt hab: „Denver, du bist in unserem Zuhause willkommen."

Ich hab die Augen aufgemacht, und da war Miss Debbie, geheilt und schön. Dann, genauso schnell, war sie wieder weg. Wirklich wahr, das war kein Traum, weil ich nicht geschlafen hab. Das ist 'ne Vision gewesen.

Ich hab noch lange dagelegen und mich gefragt, warum Miss Debbie gekommen ist. *Du bist in unserem Zuhause willkommen.*

Unser Zuhause.

Ich hab das so verstanden, dass sie damit ihr Zuhause *und* Mr Rons Zuhause gemeint hat, und dass ich auch dann noch willkommen bin, wo sie weg ist. Na ja, sie war ziemlich lange mit ihm verheiratet, also hab ich gedacht, dass sie ihn wohl ziemlich gut kennt. Da hab ich gewusst, dass Mr Ron das ernst gemeint hat, wie er gesagt hat, dass er mein Freund ist.

Gleich, nachdem ich mir das klargemacht hab, war das Bett nicht mehr so komisch, und ich bin in einen ziemlichen Tiefschlaf gefallen.

59

Am darauffolgenden Morgen erwachten wir zu einem rosigen Sonnenaufgang, der den Frost zunächst rosa färbte, dann, während die Sonne im wolkenlosen Himmel aufstieg, golden. Denver schien ausgeschlafen und besonders fröhlich. Wir verzogen uns für den Kaffee auf die hintere Veranda und beobachteten ein paar Rehe, die weiter unten über den blassen Fluss kamen. Selbst hundert Meter höher konnte man noch hören, wie die dünnen Hufe das Eis zerbrachen, das sich im Laufe der Nacht am Flussufer gebildet hatte.

Weil wir uns vorgenommen hatten, den Tag über Steine für Deborahs Grabstätte zu sammeln, waren wir dankbar für die kalte Witterung. Steine zu sammeln ist in Texas keine Arbeit, die man vor dem ersten Frost tun sollte, es sei denn, man weiß, wie man mit wütenden Klapperschlangen umgeht.

Denver und ich sammelten gemeinsam drei Tage lang Steine zusammen, wobei wir jeden einzelnen sorgfältig aussuchten. Stein auf Stein bauten wir dann eine Mauer um den Bereich, in dem ich eines Tages neben meiner Frau liegen würde. Wir benutzten nur die besten Steine um Säulen zu bauen, über denen wir einen gusseisernen Eingangsbogen anbringen wollten, der den Namen des Friedhofs verkünden sollte: Brazos de Dios. Die Arme Gottes.

Zu diesem Zeitpunkt hatten wir schon sechs Tage lang zusammengearbeitet, und ich hatte den Eindruck, dass sich bei Denver etwas veränderte. Irgendwie wurde es ihm *leichter* ums Herz. Ich konnte es nicht genau beschreiben. Doch während wir Steine aufeinandersetzten, löste er das Geheimnis selbst auf.

„Mr Ron, ich muss Ihnen was erzählen."

„Was denn?", fragte ich, während ich einen rostig aussehenden Kalkstein an die richtige Stelle setzte.

„Na ja, Sie werden's vielleicht nicht glauben, aber ich hab neulich nachts Miss Debbie gesehen."

Ich hatte mich gerade nach vorn gebeugt, um den nächsten Stein zu nehmen, doch jetzt stand ich kerzengerade und drehte mich um, um ihn anzusehen. „Wie meinst du das: Du hast sie gesehen?"

Denver zog sich die Baseballkappe vom Kopf, wischte sich den Schweiß von der Stirn und stopfte das Tuch wieder in seine hintere Hosentasche. „Erinnern Sie sich noch an die erste Nacht, wo ich hier war, und Sie mich oben in das Zimmer gebracht haben, wo ich schlafen sollte?"

„Ja ..."

„Na ja, ich hab nicht einschlafen können. Und wie ich da so 'ne Weile gelegen hab, ist Miss Debbie ins Zimmer gekommen. Nur dass sie nicht mehr krank ausgesehen hat. Sie war so schön wie damals vor dem Krebs."

Unsicher, was ich sagen sollte, neigte ich den Kopf ein wenig und betrachtete ihn sorgfältig. „Denkst du, dass du geträumt hast?"

„Nein, Sir." Er schüttelte entschieden den Kopf. „Wie ich schon gesagt hab, ich hab nicht geschlafen. Das ist kein Traum gewesen. Das war eine *Visitation*."

Meine Erfahrung mit Denver während Deborahs Krankheit war, dass alles, was er sagte, eintraf. Die Ankündigung, dass etwas Schlimmes passieren würde. Die Engel. Ihr Bemühen, in den Himmel zu kommen. Selbst ihre Lebenserwartung. Als Ergebnis davon glaubte ich ihm Dinge, die ich früher für unglaubwürdig gehalten hätte.

Ich sah zu Deborahs Grab hinüber und dann wieder auf Denver. „Hat sie irgendetwas gesagt?"

„Ja, Sir. Sie hat ‚Willkommen in unserem Zuhause' gesagt. Mr Ron, ich muss Ihnen sagen, dass ich mich eine ganze Ecke besser gefühlt hab, wie sie das gesagt hat, denn ich war mir ziemlich sicher, dass Sie mich fallen lassen würden, jetzt, wo sie zum Herrn gegangen ist."

„Dich fallen lassen?" Ich war völlig perplex, dass er so etwas gedacht hatte. Für mich hatte kein Zweifel bestanden, dass er und ich für immer Freunde sein würden, genauso, wie er es an jenem Tag im Starbucks gesagt hatte. Doch dann erinnerte ich mich: Ich hatte zunächst deshalb Denvers Freund werden wollen, weil Deborah mich dazu gedrängt hatte. Dann hatte ich mich heimlich eine Weile lang als eine Art Mutter Theresa für die Obdachlosen verstanden – jedenfalls glaubte ich, dass das heimlich gewesen war. Und hatte ich ihm nicht versprochen, dass

241

ich ihn nicht fallen lassen würde, während meine Frau noch am Leben war? Jetzt war sie gestorben. Vielleicht sollte ich nicht überrascht darüber sein, dass Denver mir unterstellte, ich würde ihn im Stich lassen.

Lächelnd trat ich einen Schritt auf ihn zu und legte ihm die Hand auf die Schulter. „Denver, natürlich bist du hier willkommen. Du bist sogar dann willkommen, wenn ich nicht hier bin. Die Kinder und ich sehen dich jetzt als Teil unserer Familie an, und unser Zuhause ist auch dein Zuhause. Als ich dir versprochen habe, ich würde dich nicht fallen lassen, habe ich das so gemeint."

Ich hatte den Eindruck, dass ich es in seiner Kehle arbeiten sehen konnte. Er blinzelte einen langen Augenblick in Richtung Boden, und als er wieder aufsah, waren seine Augen feucht.

„Für immer", sagte er. Dann lächelte er und drehte sich um, um einen weiteren Stein aufzuheben.

60

Ich mag den großen Stein oben bei den Brazos de Dios, den flachen unter der schiefen Eiche. Es ist eine ziemlich nette Ecke, denn immer, wenn ich da hochgehe, dann weiß ich, dass Miss Debbie auch da ist.

Wir haben den Friedhof im Mai eingeweiht, und ich war ziemlich froh, wie ich gesehen hab, dass Gott uns mit 'nem blauen Himmel gesegnet hat und einer Decke aus weißen Blumen, so weit das Auge reicht. Wir waren vielleicht fünfzig Leute, im Großen und Ganzen dieselben, die auch schon bei der Beerdigung damals im November dabei gewesen sind. Wir haben für 'ne Weile gesungen und darüber geredet, wie Gottes Treue uns durch die Trauerzeit durchgetragen hat.

Dann hatte ich das Gefühl, dass mir Gott ein Wort für die Leute geben wollte, die da versammelt waren. Und wenn der Herr sagt, „rede", dann kannst du nicht viel anderes tun als aufstehen, den Mund aufmachen und sehen, was rauskommt.

Das da kam an dem Tag raus: „Miss Debbie war so 'ne enge Freundin von mir, dass ich für sie gebetet und gebetet hab, Tag und Nacht – ich hab Gott sogar mein Leben für ihrs angeboten. ‚Lass mich gehen', hab ich Ihm gesagt. ‚Lass sie hierbleiben, denn sie ist würdiger wie ich, hier auf der Erde zu bleiben, und mir würde es im Himmel besser gehen, weil ich hier unten eh kein Glück hab.'"

Aber jeder hat gewusst, dass es anders gekommen ist. Also hab ich Mr Ron und Carson und Regan angesehen, wie sie da auf der Bank gesessen haben, die Miss Pame dahingestellt hat, weil ich gewusst hab, dass das, was ich ihnen sagen muss, für sie eine ziemliche harte Geschichte werden wird.

„Ich weiß, wenn einer, den man lieb hat, gestorben ist, dann ist Gott zu danken das Letzte, was man tun will. Aber manchmal müssen wir für das dankbar sein, was uns verletzt", hab ich gesagt, „weil Gott manchmal Sachen macht, die uns verletzen, aber andern helfen."

Ich konnte sehen, wie ein paar Leute mit den Köpfen nickten. Mr Ron und die Kinder saßen einfach nur still und ruhig da.

„Wenn Sie wirklich die Wahrheit wissen wollen: Es gibt nichts, was einfach so aufhört, ohne dass irgendwas neu anfängt", hab ich gesagt. „Auch wenn es für uns so aussieht, wie wenn irgendwas einfach nur enden würde, dann beginnt trotzdem irgendwo anders was Neues, was wir nicht hören oder sehen oder fühlen können. Wir leben in zwei Welten – der Welt, die wir anfassen können, und der geistlichen Welt. Wie Miss Debbies anfassbarer Körper sich hingelegt hat, ist ihr Geist nach oben gestiegen. Wenn wir mit dieser Welt durch sind, dann ändern wir einfach nur unsere Form und gehen weiter in die nächste."

Ich hab auf das Grab geguckt, wo Mr Rons Farmarbeiter ein paar wilde Rosen in einen alten Eimer gepflanzt und ans Kopfende von Miss Debbies Grab getan haben. Dann hab ich wieder Mr Ron angeguckt, und ich konnte sehen, wie er jetzt auch nickte. Er hat 'n bisschen gelächelt, und ich hab gedacht, vielleicht denkt er daran, dass ich Miss Debbies geistlichen Leib mit meinen eigenen Augen gesehen hab.

61

Der Sommer brannte aus und der September wehte herein, statt der üblichen heißen Winde war es für die Jahreszeit erstaunlich kühl. Denver und ich verbrachten eine Menge Zeit zusammen. Wir redeten über das, was wir erlebt hatten, und spielten mit dem Gedanken, unsere Geschichte aufzuschreiben.

Aber um die Geschichte erzählen zu können, musste ich zunächst mehr über Denvers Wurzeln erfahren. War der Ort, an dem er lange gelebt hatte, wirklich so übel? Ich war in Gedanken schon oft auf den Plantagen von Red River Parish unterwegs gewesen. Aber die Bilder vor meinen Augen hatten etwas von Filmkulissen, so als hätte sie ein Bühnenbildner aus Resten von *Vom Winde verweht* zusammengebastelt. Denvers Vokabular war unterdessen nicht gerade opulent, was die Beschreibungen anging, damit blieb uns keine andere Wahl. Ich wusste, dass ich mit ihm nach Red River Parish fahren musste, um den Ort kennenzulernen, der den Mann hervorgebracht hatte, der mein Leben änderte. Denver hatte einen anderen Grund, dorthin zurückzukehren: Er wollte die Tür in die Vergangenheit zuschließen.

Vielleicht verhielt er sich aus diesem Grund so mucksmäuschenstill, als wir Anfang September 2001 auf die Interstate 20 fuhren und unsere Pilgereise begannen. Während wir in meinem neuen Suburban nach Osten fuhren – der alte hatte mittlerweile zu viele Kilometer auf dem Buckel – war Denver ungewöhnlich ruhig, deshalb fragte ich ihn nach dem Grund.

„Ich hab in letzter Zeit nicht viel geschlafen", sagte er. „War ziemlich nervös wegen diesem Trip."

Er war schon einmal zurückgekehrt, um seine Schwester Hershalee und seine Tante Pearly Mae zu besuchen. Aber Hershalee war im Jahr 2000 gestorben, nur ein paar Monate vor Deborah, womit Denver für immer die Familienbande verloren hatte, die uns auf Erden festbinden und uns eine Heimat geben.

Wir waren noch nicht lange unterwegs, da fiel Denvers Kopf auf seine Brust wie ein Felsbrocken, der von einer Klippe stürzt. Eine Minute später fing er an zu schnarchen. Die nächsten drei Stunden glich die Reise dem Rundgang durch eine Sägemühle. Doch sobald wir Lousiana erreicht hatten, schien die Luftveränderung seinen Geist zu beleben: Er wachte nicht langsam aus seinem Schlaf auf, sondern saß plötzlich kerzengerade auf seinem Sitz.

„Wir sind fast da", sagte ich.

Die Luft in Louisiana war warm und feucht, schwer durch die Reste eines zurückliegenden Regenschauers. Schon bald fuhren wir an Baumwollfeldern vorbei, und Denvers Augen leuchteten wie die eines kleinen Jungen, der an einem Rummelplatz vorbeikommt. Durch die Autoscheiben konnten wir Hektar über Hektar milchig-weißer Bällchen sehen, die sich in langen Reihen zum Horizont ausdehnten, wo sie in der Ferne von alten Laubbäumen aufgehalten wurden.

„Schauen Sie sich das an, sieht das nicht toll aus?! Die sind reif für die Ernte!" Denver schüttelte langsam den Kopf, wie in Erinnerungen schwelgend. „Früher waren da Hunderte von farbigen Leuten, überall in den Feldern, so weit das Auge sehen konnte. Und der *Mann* stand da neben seinem Wagen mit 'ner Waage und hat aufgeschrieben, wie viel jeder gepflückt hat. Heutzutage wartet die ganze Baumwolle nur noch auf so 'ne riesige, monsterartige Maschine, die durch die Felder fährt und alles abreißt. Die Maschinen haben 'ner Menge Leute die Arbeit weggenommen. Das ist irgendwie nicht richtig."

Wieder beeindruckte mich Denvers Hassliebe zu seiner Plantage. Es war, als würde es ihn überhaupt nicht stören, was er als Kind an Unrecht erdulden musste.

Wir fuhren einen weiteren knappen Kilometer, dabei klebte Denvers Nase an der Seitenscheibe. „Hier ist es, Mr Ron. Fahren Sie hier ran."

Ich verlangsamte den Suburban und hielt auf dem Schotter neben der Straße, die Reifen am Rand der Baumwolle, neben weißen Reihen, die sich ausstreckten wie Fahrradspeichen. Denver stapfte auf einen matschigen Pfad, und wir marschierten zwischen den Baumwollreihen entlang, während Denver leicht mit der Hand über die flauschigen Kapseln strich.

„Auf diesem Feld hab ich gepflügt und gejätet und die Baumwolle gepflückt, viele Jahre lang, genau hier, Mr Ron ... viele Jahre lang." Er hörte sich schwermütig und matt an, dann begann er zu strahlen, so als hätte er mir ein Geschäftsgeheimnis zu erzählen. „Das heute ist ein guter Tag zum Pflücken, weil da so ein bisschen Dunst in der Luft ist", sagte mit einem Blinzeln. „Dann wiegt die Baumwolle mehr."

„Glaubst du nicht, dass das der *Mann* auch gewusst und entsprechend einkalkuliert hat?", fragte ich.

Denver überlegte einen Augenblick lang und fing an zu lachen. „Ich schätze schon."

Ich zog eine kleine Digitalkamera aus der Tasche, und Denver schaltete irgendwie auf Sepia-Portrait um, so als hätte ich einen Hebel umgelegt. Er kniete sich mit einem Bein in den Dreck und schaute ernst durch seine Designer-Sonnenbrille in die Linse, wobei er so sehr wie ein ehemaliger Baumwollpflücker aussah wie Sidney Poitier. Ich knipste ein paar Bilder, und er war immer noch in der Touristenpositur eingefroren, als der einsame Ruf einer Zugpfeife über die Felder hallte.

„War das der Zug, der dich von hier weggebracht hat?", fragte ich.

Denver nickte feierlich. Ich fragte mich, wie oft er diese Pfeife wohl gehört hatte, bevor er gemerkt hatte, dass sie seinen Namen rief.

62

Ich war ziemlich nervös, wie es darum ging, wieder nach Red River Parish zu gehen. Trotzdem hab ich mich besser gefühlt, wie wir über die Staatsgrenze nach Louisiana waren. Da war so was in der Luft – Erinnerungen, Geister, keine Ahnung. Nicht jeder Geist ist gut, aber sie sind auch nicht alle schlecht.

Mr Ron hat von mir 'n paar Bilder gemacht, dort in den Feldern, wo ich früher gearbeitet hab. Wir sind nur ein paar Minuten dageblieben, dann sind wir zurück auf den Highway 1, der einfach nur geradeaus geht und die Baumwollfelder wie ein schwarzes Messer in zwei Teile schneidet.

Wir sind ein gutes Stück gefahren, dann hab ich ihm gesagt: „Fahren Sie hier rechts." Er hat das Lenkrad ziemlich rumgerissen und ist in einen alten Feldweg eingebogen. Weiter hinten auf der linken Seite war das Haus von dem *Mann*, und vorn rechts war 'n Haus, das hab ich noch nie gesehen.

Wir sind ziemlich langsam den Weg runtergeholpert, der Schlamm hat ein bisschen gespritzt und überall ist Baumwolle gewesen. Es hat nicht lange gedauert, dann waren wir bei 'ner alten, verfallenen Hütte, grau und am Zusammenbrechen, die Farbe war überall ab. „Das war das Haus vom Boss-Nigger", hab ich gesagt.

Mr Ron hat mich ziemlich komisch angeguckt. Ich schätze mal, er war 'n bisschen überrascht, dass ich „Nigger" gesagt hab, aber so was hat man damals eben gesagt. Vielleicht hast du keine Ahnung, was ein Boss-Nigger ist, aber er war genau das: Das war ein farbiger Mann, der die anderen farbigen Leute rumkommandiert hat.

Mr Ron ist weitergefahren, bis ich gesagt hab: „Halten Sie hier."

Direkt neben dem Weg war auf der anderen Seite von 'nem Drahtzaun eine Hütte mit zwei Räumen, die ausgesehen hat, wie wenn sie jeden Augenblick zusammenbrechen würde. Unkraut ist übers Dach gewachsen. Die Tür war nicht mehr da, stattdessen war da ein Wespennest, so groß wie 'ne Radkappe. „Da hab ich gewohnt", hab ich gesagt, irgendwie leise.

Da war kein Platz, wo man parken kann, deshalb hat Mr Ron den Suburban einfach mitten auf dem Weg stehen gelassen. Wir sind ausgestiegen und übern Zaun geklettert, haben uns ein bisschen umgeguckt, das Unkraut zur Seite geschoben und einen Blick durch die Fenster geworfen. In denen war kein Glas drin. War nie welches drin gewesen. War nichts anderes zu sehen wie Spinnweben, Wespen und Müll. Ich hab mich gefragt, ob irgendwas davon mir gehört. Doch nach 'ner so langen Zeit schätze ich mal, nichts.

Mr Ron hat andauernd den Kopf geschüttelt. „Ich kann mir kaum vorstellen, dass du all die Jahre hier gelebt hast", hat er gesagt. „Es ist furchtbar. Schlimmer, als ich dachte."

Wie ich auf die Hütte geguckt hab, hab ich mich selbst als jungen Kerl sehen können, wie ich stolz war, weil ich ein eigenes Haus gehabt hab, mir ist gar nicht in den Sinn gekommen, dass es nicht größer war wie 'n Werkzeugschuppen. Ich hab mich selbst da unten auf dem Feld mit dem Traktor von dem Mann gesehen. Ich hab das Schwein gesehen, das ich hinten hinter der Hütte gehalten hab, und wie ich das Fleisch gestreckt hab, damit's länger hält. Ich hab mich sehen können, wie ich morgens noch vor Sonnenaufgang aus'm Bett gekrochen bin, nur um mich um die Baumwolle von dem Mann zu kümmern, jahrein, jahraus, und alles für nichts.

Wie Mr Ron mich gefragt hat, ob er mich vor der Hütte fotografieren darf, hab ich ja gesagt. Aber ich hab nur außen gelächelt.

63

Als Denver mir zeigte, wie er früher gelebt hatte, konnte ich es mir kaum vorstellen. Aus grauen Holzbrettern gezimmert, war seine Bleibe nur halb so groß wie die Flintenhütten, die ich als Kind in Corsicana gesehen hatte, beinahe klein genug, um auf die Ladefläche eines etwas größeren Pickup Trucks zu passen. Ich starrte auf den Weg, den wir gekommen waren, und erinnerte mich an das Haus des *Mannes* – ein großes, weißes Landhaus, verschindelt, mit einer ausladenden Veranda mit einer Schaukel. Der Unterschied ekelte mich an.

Denver redete nicht viel, während wir den Ort erkundeten. Dann schlug er vor, zu dem Haus hinunterzufahren, in dem Hershalee gelebt hatte. Wir kletterten wieder in den Suburban, und während wir den roten Feldweg hinunterrollten, erzählte er mir, dass der *Mann* Hershalee in dem Haus hatte wohnen lassen, bis sie gestorben war, obwohl sie nicht mehr auf den Feldern arbeitete und deshalb auch keine Miete zahlen konnte. Denver schien das für ziemlich anständig zu halten.

Einen Augenblick lang drifteten meine Gedanken einen Weg hinunter, auf dem sie schon einmal unterwegs gewesen waren: Was für ein Mensch war dieser *Mann*? Jahrzehntelang hielt er sich Sharecropper, barfuß und bettelarm, aber er ließ es zu, dass sich ein kleiner farbiger Junge ein brandneues Fahrrad verdiente. Ein anderer *Mann* ließ eine alte schwarze Frau mietfrei auf seinem Gelände wohnen, lange nachdem sie aufgehört hatte, in den Feldern zu arbeiten. Ein dritter *Mann* sorgte dafür, dass Denver ungebildet und abhängig blieb, aber er versorgte ihn auch weit über den Zeitpunkt hinaus, an dem er seine Arbeitskraft nötig hatte.

Es schien wie eine Rückblende in die Sklavenzeit mit ihrer Doktrin des „Paternalismus" zu sein, der Vorstellung, dass schwarze Menschen wie Kinder sind und nicht in der Lage, frei zu leben und deshalb als Sklaven besser aufgehoben sind. Dass so etwas Denver in der Mitte des zwanzigsten Jahrhunderts hatte passieren können, schockierte mich.

Rund einen halben Kilometer den Weg hinunter hielten wir vor Hershalees Haus. Es war ein richtiges Haus – soweit man es erkennen konnte. Schindeln aus Dachpappe und graue, abblätternde Dachrinnen stachen aus einem drei Meter hohen Durcheinander aus Gras hervor, so wie das letzte trockene Deck auf einem sinkenden Schiff. Hinter dem Haus, in zehn Meter Entfernung, schlängelte sich ein erbsengrüner sumpfiger Bayou von links nach rechts. Ich stellte den Motor des Suburban ab, und Denver und ich stiegen aus, um uns den Ort näher anzusehen.

Irgendwann einmal war Hershalees Haus weiß gestrichen gewesen, mit babyblauen Verzierungen. Doch heute sah es aus, als sei in der Nähe eine Bombe explodiert. Alle Fenster waren eingeschlagen. Müll und Glas – vor allem Weinflaschen – lag verstreut auf den wenigen Flecken herum, die noch nicht vom Unkraut überwuchert waren. Das Haus sackte auf den Baumstümpfen, auf denen es gebaut worden war, zusammen, und die Veranda war verrottet und teilweise zusammengebrochen. Soweit wir es beurteilen konnten, war das Haus auf allen Seiten von meterhohem Gras umgeben. Aus den Fenstern, die wir sehen konnten, kam uns nur Dunkelheit entgegen.

Denver sah mich mit einem hinterhältigen Grinsen an. „Haben Sie Angst, dort reinzugehen?"

„Nein, ich habe keine Angst. Wie ist es mit dir?"

„Ich? Ich hab vor nichts Angst."

Damit arbeiteten wir uns durch das mannshohe Gras wie Forscher auf einer Safari und sprangen auf die Veranda – wir mussten es, denn die Treppenstufen waren zusammengebrochen. Indem wir die wenigen übrig gebliebenen Bretter als Trittsteine benutzten, erreichten wir schließlich die Eingangstür, die weit offen in den Angeln hing und mich an ein hungriges Maul erinnerte.

Denver ging zuerst hinein, und als ich ihm in den kleinen Eingangsbereich folgte, der zunächst geplündert und dann als Müllhalde benutzt worden war, hörte ich, wie Nagetiere auseinanderstoben. Ein Divan war vollgepackt mit Müll, zerbrochenen Stühlen und einem alten Plattenspieler. Ein Tisch und eine Ankleide standen in komischen Winkeln an eine Wand gelehnt. Überall lagen Kleidungsstücke auf dem Boden. Eine dicke Staubschicht bedeckte alles.

Ich tat einen Schritt, stieß auf Papier, bückte mich und fand einen

Stapel alter Post. Obenauf lag ein Brief der Stadtverwaltung von Fort Worth, adressiert an Denver Moore, Red River Parish, Louisiana. Das Datum: 25. März 1995. Ich wollte ihn Denver geben, doch er winkte ab.

„Öffnen Sie ihn. Sie wissen doch, dass ich nicht lesen kann."

Ich schob einen Daumen unter die vergilbte Umschlagrückseite und der Kleber löste sich wie Staub. Ich schüttelte ein einzelnes Blatt Papier hervor und faltete auseinander, was sich als Strafbescheid wegen Fahrens ohne Führerschein entpuppte. Aufgrund des schwachen Lichtes las ich mit zusammengekniffenen Augen vor: „Sehr geehrter Mr Moore, gegen Sie liegt ein Haftbefehl vor, weil Sie einen Strafbescheid von $ 153,00 nicht bezahlt haben."

Wir brachen in Lachen aus, ein Geräusch, das sich in dem dunklen, heruntergekommenen Haus seltsam anhörte. Ich stopfte den Brief in meine Tasche, ich wollte ihn aufheben. Im Bücken stieß ich auf einen weiteren Brief, diesmal adressiert an Hershalee. Er kam vom Publishers Clearing House und informierte sie, dass sie vielleicht $ 10 Millionen gewonnen haben könnte. Anscheinend war sie gestorben, kurz bevor sich ihr Glück gewendet hätte.

Hershalees Schlafzimmer war gespenstisch, so als würde man durch ein plötzlich verlassenes Leben wandern. Familienbilder standen auf der Kommode. Ihre Kleidung hing immer noch im Schrank, das Bett war gemacht.

Denver sah auf das Bett und lächelte. „Ich weiß noch, wie Hershalee mal auf 'n paar Kinder von anderen Leuten aufpassen musste, und wollte, dass die auf sie hören. Wir sind also hier reingegangen und haben die Tür zugemacht, und dann hat sie mir gesagt, ich soll auf dem Bett rumhopsen und brüllen, wie wenn sie mich grün und blau schlägt. Sie wollte halt, dass die anderen Kinder tun, was sie sagt."

Die Erinnerung ließ ihn melancholisch werden, aber dieser Moment ging schnell vorüber.

Irgendwann schlenderten wir in Gedanken versunken zum Auto zurück und machten uns auf den Weg zur nächsten Etappe unserer Reise in die Vergangenheit.

64

Ich lenkte den Suburban über den roten Feldweg zurück, bis wir schließlich auf dem Highway 1 landeten. Wir fuhren rund anderthalb Kilometer und hielten nach einem weiteren Feldweg Ausschau, eigentlich nur nach einem kleinen Pfad im Unkraut, so klein, dass wir mehrmals an ihm vorbeifuhren und umkehren mussten. Es war der Weg zu Tante Pearlie Maes Haus. In den 1960er-Jahren war sie in eine Flintenhütte in der Nähe der Plantage gezogen und hatte seither dort gelebt.

Während ich den Geländewagen durch die Schlaglöcher steuerte, teilte sich vor uns das meterhohe Gras und offenbarte ein Stück Amerika, das die meisten Amerikaner niemals zu Gesicht bekamen. Sechs Flintenhütten standen über eine Waldlichtung verteilt, aufgereiht wie Gefangene, die aus einem anderen Zeitalter als Geiseln mitgeschleppt worden waren. Die Grundstücke waren nicht durch Vorgärten abgeteilt, stattdessen lagen Haufen von Müll neben jedem Haus – alte Reifen, Bierdosen, Autositze, verrostete Matratzenrahmen. Mitten auf dem Weg lag der aufgedunsene Kadaver eines toten Straßenköters.

Vor einem der Häuser saßen ein junger schwarzer Mann und eine Frau auf einem verrotteten Sofa, das irgendjemand hier in den Dreck gestellt hatte. Die Frau zog an einer Zigarrette, während Hühner um ihre Füße pickten. Rauch stieg von einem der Grundstücke auf, auf dem sich zwei Kinder um einen brennenden Müllhaufen kümmerten. Direkt daneben hängte ein Mädchen nasse Wäsche auf eine Leine, die zwischen dem Haus und einem toten Baum gespannt war. Sie schien etwa dreizehn Jahre alt zu sein und war schwanger.

Ich fuhr langsamer, so als führe ich an einer schlimmen Unfallstelle vorbei. Die Anwohner starrten mich an, als wäre ich ein Außerirdischer.

„Halten Sie hier an", sagte Denver. Dort, auf einem Baumstumpf neben dem Weg saß eine ältere Frau, die um drei Uhr nachmittags an einer Bierdose nippte. Gekleidet in Männerhosen und mit einem zerlöcherten, schmutzigen T-Shirt, begann sie zu strahlen, als sie Denver sah. Er stieg aus dem Geländewagen aus und umarmte sie, dann gab er ihr einen $ 5-Schein. Mit einem keuchenden Kichern steckte sie eine Hand durch eines der Löcher in ihrem T-Shirt und stopfte den Geldschein in ihren Büstenhalter.

„Kommt mal mit ins Haus", raspelte sie. „Ich hab 'n bisschen Grünzeug auf'm Ofen, ganz frisch."

Denver lehnte höflich ab und schwang sich wieder in den Suburban.

„Sie gehört nicht zur Familie", sagte er. „Ist nur 'ne Freundin von Pearlie Mae."

Wir krochen weiter bis zum letzten Haus, wobei wir einen Mann passierten, der sich an einem Traktor zu schaffen machte. Er hatte die Maschine in einige Dutzend Teile zerlegt, die er vor seiner Haustür ausgebreitet hatte, nur dass es eigentlich keine Haustür war, sondern ein rotgemustertes Tuch, das die Fliegen aus dem Haus halten sollte.

Pearlie Maes Haus war das letzte in der Reihe. Ungefähr ein Dutzend Plastikstühle lag vor dem Haus im Dreck, durchsetzt mit riesigen Pyramiden aus leeren Bierdosen, die wie Feuerholz aufgestapelt waren. Neben dem Eingang erhob sich ein Berg von braunen Schnupftabakdosen, Hunderte davon. Am Ende einer langen Kette bellte ein gefleckter Straßenköter vor ihm pickende Hühner an, die sich davon nicht beirren ließen, weil sie genau wussten, wie lang die Kette war.

„Little Buddy!", schnarrte Tante Pearlie, als wir die Stufen zu ihrem Haus hinaufstiegen. „Mein Gott, wenn du mal nicht die Nase von deinem Vater hast!" Denver umarmte sie – nicht besonders innig – dann lehnte sie sich an das verrottete Geländer und rief ein Schimpfwort in Richtung des kläffenden Hundes. „Halt die Schnauze, blöder Hund, sonst komm ich rüber und sorg dafür, dass du sie für immer hältst!"

Daraufhin drehte sie sich um und lächelte Denver an, doch an ihrem wettergegerbtem Gesicht konnte man ablesen, dass meine Anwesenheit sie irritierte. Um das Eis zu brechen, nickte ich zu dem Schnupftabakdosenberg hinüber und erzählte ihr, dass auch meine Großmutter und meine Großtanten geschnupft hatten. Das schien sie etwas zu erleichtern.

Tante Pearly Mae lud uns in ihr Wohnzimmer ein, das vielleicht zwei mal zweieinhalb Meter groß und mit einem Flickenteppich aus weihnachtlichem Geschenkpapier tapeziert war, hinzu kamen drei Jesusbilder. Irgendjemandem war es gelungen, zwei ausrangierte Zweiersofas in den Raum zu bugsieren und sie so aufzustellen, dass sie einander gegenüberstanden. Als Denver und ich uns Auge in Auge mit Pearlie Mae und ihrem Mann niederließen, berührten sich unsere Knie. Wir plauderten über dies und das und versuchten, so gut es ging, den Ehemann zu ignorieren, der einfach nur dasaß und kein Wort herausbrachte. Später offenbarte Denver mir, dass er ihn noch nie zuvor so freundlich erlebt hatte.

„Kommt mal mit nach draußen und schaut euch meine Schweine an", sagte Pearlie Mae nach einer Weile. „Ich denk darüber nach, ob ich sie nicht verkaufen soll. Schau doch mal, ob du meinst, dass einer die kaufen würde."

Wir falteten uns wieder auseinander und waren mit drei Schritten an der Hintertür. Draußen, hinter dem Haus, grunzten und schnüffelten zwei korpulente Schweine, die bis zum Bauch im Schlamm steckten. Pearlie Mae plauderte ein wenig über den Schweinemarkt, dann plapperte sie begeistert über ihre neue Innentoilette. Sie hatte sie im Jahr 2001 installieren lassen und von den Einnahmen aus einem lebenslangen Schmuggelgeschäft mit Natural Light Bier bezahlt, das sie für einen Dollar pro Dose aus ihrem Schlafzimmerfenster heraus verkaufte. Sie erzählte uns jedoch, dass sie in der Regel das Plumpsklo benutzte, weil ihr Abwasseranschluss immer noch ein paar Macken hatte.

Wir gingen vor Einbruch der Dunkelheit, und während wir davonfuhren, brannten sich Bilder von Armut und Elend wie verhasste Tätowierungen in mein Hirn. Ich konnte mir kaum vorstellen, dass es in Amerika immer noch Orte wie diesen gab. Ich bedankte mich bei Denver, dass er mich mitgenommen und mir die Augenbinde abgenommen hatte.

„Mr Ron, denen geht es besser, wie es mir je gegangen ist, wo ich noch hier gelebt hab. Aber jetzt wissen Sie, dass ich das ernst gemeint hab, wie ich gesagt hab, dass es für mich 'n Schritt auf der Karriereleiter gewesen ist, wie ich ein Obdachloser in Fort Worth geworden bin."

65

In der zweiten Septemberwoche waren schon mehr als eine halbe Million Dollars in die Mission geflossen. Ein paar Tage vor der Grundsteinlegung von Deborahs Kapelle bekam ich einen Anruf von Mary Ellen. Sie wollte mir etwas mitteilen, das Jesus seinen Jüngern gesagt hatte, eine Metapher über seinen eigenen Tod, die im Johannesevangelium überliefert ist: „Wahrlich, wahrlich, ich sage euch: Wenn das Weizenkorn nicht in die Erde fällt und erstirbt, bleibt es allein; wenn es aber erstirbt, bringt es viel Frucht."

Während sie an diesem Morgen gebetet hatte, hatte Mary Ellen das Gefühl gehabt, dass Gott ihr ins Herz flüsterte: *Debora war wie dieses Weizenkorn.*

Am nächsten Tag kam Denver auf einen Besuch vorbei. Während er mir, so wie er es oft schon getan hatte, am Küchentisch gegenübersaß, sagte er ungefähr dasselbe, allerdings im Tonfall eines Landpredigers. „Mr Ron, alles Gute muss ein Ende haben", sagte er. „Aber nichts hört wirklich auf, ohne dass was Neues anfängt. Wie Miss Debbie. Sie ist gegangen, aber was Neues fängt an."

Drei Tage später, am 13. September, versammelten wir uns zur Grundsteinlegung von „New Beginnings", dem neuen Missionsgebäude. Nur zwei Tage zuvor hatten Terroristen zwei Passagierflugzeuge ins World Trade Center geflogen und damit Amerika für immer verändert. Carson lebte in New York. Ich hatte Stunden gebraucht, bis ich ihn telefonisch erreicht hatte. Ich hatte stundenlang vor dem Fernseher gesessen, völlig überwältigt von den Nachrichten und mit der dunklen Ahnung, dass nicht nur meine Welt auf tragische Weise für immer verändert worden war.

Das ganze Land war zum Stillstand gekommen, doch zu Ehren von Deborah entschied man in der Mission, die Grundsteinlegung dennoch durchzuführen. Ich folgte der vertrauten Route, die sie und ich so oft zur Mission gefahren waren, vorbei an Eisenbahnschienen und

256

verfallenen Gebäuden sowie Unterführungen, die Obdachlosen als Wohnsitz dienten. Als Deborah das erste Mal mit mir die East Lancaster Street hinuntergefahren war, hatte sie davon geträumt, Schönheit dorthin zu bringen. Und das hatte sie getan, wenn auch anders, als sie zuerst gedacht hatte. Statt die Bürgersteige mit netten Zäunen zu dekorieren, hatte sie Angst, Vorurteile und Vorverurteilungen ausgeschlossen und mit ihrem Lächeln und einem offenen Herzen einen sicheren Ort geschaffen. Statt gelbe Blumen zu pflanzen, hatte sie den Samen der Barmherzigkeit ausgestreut, der die Herzen verändert. Meines und Deborahs waren nur zwei davon.

Ich stand also mit Regan, Denver, meiner Mutter, Tommye und rund hundert Freunden an jenem Tag unter Gottes blauem Baldachin, wobei ich mich mit einem Programmheftchen vor der Sonne schützte. Wir lauschten Bürgermeister Kenneth Barr und Senator Mike Moncrief, die über die Hoffnung sprachen, die das neue Missionsgebäude den Obdachlosen von Fort Worth bringen würde. Hinter ihnen lag eine offene Fläche roter Erde von drei mal drei Metern und vier Schaufeln standen mit blauen Schleifen verziert wie Soldaten bereit, um die Erde aufzubrechen. Bereit, den Grundstein zu setzen.

Heute steht an der East Lancaster Street eine neue Mission, die einen neuen Dienst für die Bedürftigen anbietet: Räume, in denen Frauen und Kinder dauerhaft unterkommen können, und die Deborah L. Hall Memorial Chapel. Beide sind Erinnerungen an eine Frau, die der Stadt gedient hat, eine Frau, die Gott in seinem unergründlichen Willen zu sich gerufen hat, damit die Kranken und Verlorenen einen größeren Rückzugsort und mehr Hoffnung finden können.

Bitter fragte ich mich, ob er das nicht auch hätte bauen können, ohne mir die Frau zu nehmen. Man hätte den Bau Gottes Kapelle nennen können und Deborah Hall hätte ihm weiter hier dienen können.

Mir fiel ein, was C. S. Lewis über den Zusammenprall von Trauer und Glauben gesagt hatte: „Das Leid passiert", schrieb er. „Wenn es sinnlos ist, dann gibt es keinen Gott oder einen bösen. Wenn es einen guten Gott gibt, dann ist das Leid nicht sinnlos, denn kein auch nur annähernd gutes Wesen würde es erlauben oder gar uns zumuten, wenn es das nicht wäre."

Der Schmerz, Deborah verloren zu haben, treibt mir immer noch Tränen in die Augen. Und ich kann meine tief greifende Enttäuschung darüber nicht verbergen, dass Gott unsere Gebete um Heilung nicht beantwortet hat. Ich denke, er kann damit leben. Einer von diesen Sätzen, mit denen Evangelikale gern um sich werfen, ist ja, dass das Christsein „keine Religion, sondern eine Beziehung" ist. Ich glaube das, deshalb weiß ich auch, dass Gott mich immer noch angenommen hat, selbst als mein Glaube zerbrochen war und ich wütend auf ihn gewesen bin. Und obwohl ich ihm für seine Arbeit eine schlechte Note gegeben habe, kann ich ehrlich mit ihm darüber reden. So ist das in Beziehungen.

Trotzdem kann ich die Frucht von Deborahs Tod nicht leugnen – Denver ist ein neuer Mensch, und Hunderten von Männern, Frauen und Kindern wird durch das neue Missionsgebäude geholfen. Und so gebe ich sie frei, damit sie zurückkehren kann zu Gott.

* * *

Am Sonntag nach der Grundsteinlegung fuhren Denver und ich auf den Parkplatz der New Mount Calvary Baptist Church, einer Gemeinde in einem heruntergekommenen Stadtteil im Südosten von Fort Worth. Pastor Tom Franklin hatte Denver in Deborahs Gedächtnisgottesdienst gehört und monatelang bei mir angerufen, damit ich ihn überrede, einmal in dieser Kirche zu predigen. Schließlich hatte Denver zugestimmt. Ich hatte für einen Gottesdienst gebetet, in dem es nur noch Stehplätze gibt, doch ein Blick auf den Parkplatz schien eher dafür zu sprechen, dass die Massen heute morgen woanders zu finden waren.

Wenn Abraham Lincoln schwarz gewesen wäre, hätte Pastor Tom sein Zwillingsbruder sein können. Grauhaarig und bärtig begrüßte er uns an der Kirchentür, wobei er uns beide schlaksig umarmte. Als ich einen kurzen Blick in den Kirchenraum warf, konnte ich nur ein paar verstreute Besucher in den Bänken sitzen sehen.

Pastor Tom konnte offenbar meine Gedanken lesen. „Keine Sorge, Ron. Alle, von denen Gott will, dass sie hier sind, sind auch hier."

Während der Gottesdienst begann und die kleine Gemeinschaft die Luft vor allem mit alten Spirituals füllte, rückten Denver und ich auf einer der hinteren Bänke eng zusammen. Pastor Tom wollte, dass ich Denver von der Kanzel aus vorstellte und dabei kurz seine Lebensgeschichte erzählte. Wie ich geahnt hatte, war Denver dagegen. Während des Singens steckten wir also die Köpfe zusammen und berieten uns.

„Es geht niemanden was an, wieso ich hier bin", flüsterte er. „Abgesehen davon hab ich keine Lust, was von mir zu erzählen, ich will denen was über den Herrn erzählen."

„Was soll ich ihnen also sagen?"

Er überlegte und starrte auf eine Bibel, die neben mir auf der Bank lag. „Sagen Sie ihnen einfach, dass ich ein Niemand bin, der ihnen von Jemandem erzählen will, der *jeden* retten kann. Mehr brauchen Sie ihnen nicht zu sagen."

Als der Gesang geendet hatte, marschierte ich also nach vorn und sagte genau das. Dann stieg Denver auf die Kanzel. Zunächst zitterte seine Stimme ein bisschen, sie war aber laut genug. Und je länger er predigte, desto lauter wurde sie. Und wie ein Magnet zog seine Stimme die Menschen von der Straße herein. Nachdem er sich schließlich den Schweiß aus dem Gesicht gewischt hatte und sich wieder setzte, waren die Bänke beinahe voll.

Wie eine Kanonenkugel schoss Pastor Tom aus seinem Stuhl zur Kanzel, wobei er seine Arme zu den Menschen hob. „Ich glaube, dass Gott Denver hier auf einer Evangelisation predigen hören möchte!", sagte er. Die versammelten Gottesdienstbesucher, von denen die meisten erst durch Denvers Stimme in die Kirche gelockt worden waren, explodierten geradezu vor Beifall.

Mir schoss Deborahs Traum durch den Kopf, in dem sie Denvers Gesicht gesehen und sich an die Worte Salomos erinnert hatte: *Und es fand sich darin ein armer, weiser Mann, der hätte die Stadt retten können durch seine Weisheit. (Pred. 9,15)*

Wieder hatte etwas Neues begonnen. Etwas, von dem ich mir sicher war, dass es meine Frau auf den Straßen des Himmels zum Tanzen brachte.

66

Wie ich schon mal gesagt hab, bin ich zuerst ziemlich skeptisch gewesen, wie Mr Ron gesagt hat, dass er mich nicht wieder fallen lassen will. Aber hör dir das an: Nicht lange nachdem ich in Pastor Toms Gemeinde gepredigt hab, hat mich Mr Ron gefragt, ob ich nicht bei ihm einziehen will. Und du kannst dir nicht vorstellen, wo – im Murchison Estate in Dallas, 'nem Haus, wo auch schon Präsidenten, Filmstars und sogar 'n Kerl namens J. Edgar Hoover übernachtet haben, das hat jedenfalls Mr Ron gesagt.

Ich schätze mal, dass die Murchisons mal die reichsten Leute von Texas gewesen sind und zu den reichsten von Amerika gehört haben. Wie 2001 Mrs Lupe Murchison gestorben und zu ihrem Ehemann gegangen ist, hat ihre Familie Mr Ron gefragt, ob er nicht in ihrem Haus leben und die ganze Kunst dadrin verkaufen will. Sie hatten Hunderte von Bildern, Statuen und was weiß ich noch alles. Mr Ron hat gesagt, dass der ganze Kram zig Millionen Dollar wert ist. Also hat er mich angestellt, damit ich mit ihm in dem Haus lebe und den Nachtwächter spiele. Das hat mir ganz gut gepasst, weil ich endlich mal was für meinen Lebensunterhalt arbeiten und ein bisschen Geld verdienen wollte. Das Haus war echt alt und ziemlich groß, Mr Ron hat gesagt, dass es irgendwann in den 20er-Jahren gebaut worden ist.

Kurz nachdem ich mit Mr Ron in dem Haus eingezogen bin, hab ich in der Garage ein paar Farbeimer entdeckt und gedacht, jetzt male ich mir auch mal ein Bild. Ich hab schließlich mein Geld damit verdient, dass ich blöd aussehende Bilder von Kerlen wie Picasso bewacht hab. Sah nicht aus, wie wenn es schwer wäre, so was zu malen. Und so war's auch. Nach nur 'n paar Stunden hatte ich 'n Bild von 'nem Engel zustande gekriegt, den man ohne Probleme neben die hätte hängen können, auf die ich aufgepasst hab.

Wie ich ihn am nächsten Tag Mr Ron gezeigt hab, hat ihm der Engel ziemlich gut gefallen. „Wie viel willst du denn dafür haben?", hat er mich gefragt.

„Eine Million Dollar", hab ich gesagt.

„Eine Million Dollar!", hat er gesagt und dabei gelacht. „Ich kann mir deine Bilder nicht leisten."

„Mr Ron, ich hab ja auch nicht gesagt, dass Sie ihn kaufen sollen. Verkaufen Sie ihn doch einfach zusammen mit den anderen Millionen-Dollar-Bildern."

Danach hab ich aber mein Engelbild Schwester Bettie gezeigt, und sie hat gesagt, dass das ihr Lieblingsbild wäre, also habe ich's ihr geschenkt. Sie ist sowieso wie'n Engel. Dann hat mir Mr Ron 'n Studio eingerichtet, in dem Zimmer neben Lupe Murchisons Garage für fünf Autos. Ich schätze mal, ich hab mittlerweile über hundert Bilder gemalt. Hab sogar welche davon verkauft.

Carson und Mr Ron haben das meiste von Murchisons Kunst verkauft, und dann hat auch noch einer das große Haus gekauft. Jetzt leben wir also in 'nem anderen Haus auf dem Grundstück, während die den Rest noch verkaufen.

Tagsüber, wo ich nicht arbeite, nehme ich Miss Debbies Fackel, die, von der mir der Herr gesagt hat, dass ich sie nehmen soll, wenn sie sie hinlegt. Ich geh immer noch zu dem Bauplatz und helfe Schwester Bettie und Miss Mary Ellen. Schwester Bettie wird immer älter, das macht mir ein bisschen Sorgen. Einmal im Monat predige ich in der Riteway Baptist Church. Ich bringe den obdachlosen Leuten Klamotten und pass auf meine Kumpels auf, die immer noch auf der Straße leben, und geb ihnen manchmal ein paar Dollar.

Ich reise auch rum. Im Januar 2005 hat mich Mr Ron zur Amtseinführung von unserem Präsidenten mitgenommen. Mr Ron war eingeladen, und so hat er mich gefragt, ob ich mitkomme. Das war das erste Mal, dass ich in einem Flugzeug geflogen bin. Wir sind in 'nem Schneesturm gelandet, aber ich hab nicht gewusst, dass ich deshalb Angst haben sollte.

Da waren wir also, auf dem Rasen vor dem Weißen Haus, wir haben in der ersten Reihe gesessen, und wie ich mich umsehe, entdecke ich die ganzen Astronauten und Kriegshelden und frag mich, was um alles in der Welt hat 'n Kerl wie ich an so 'nem Platz verloren? Davon hätt ich mir nie träumen lassen. Ich war nicht weit weg vom Präsidenten, aber ich wollt ihn mir noch 'n bisschen näher ansehen, also bin ich aufgestanden und bin ein bisschen näher hingegangen, wo er gesessen und sich auf seine Rede vorbereitet hat. Aber ein Mann vom Geheimdienst, so 'n schwarzer Kerl wie ich, hat die Hand gehoben.

„Sir, wo möchten Sie hin?"

„Ich will da vorn hin und den Präsidenten sehen", hab ich gesagt.

Er hat mich ziemlich streng angeguckt. „Nein. Sie sind nahe genug."

Später an dem Abend sind Mr Ron und ich zum Einführungsball gegangen. Der Präsident und seine Frau sind direkt vor mir rumgetanzt. Ich hatte so 'n Frack an und 'ne Fliege. Und das hat sich ziemlich gut angefühlt.

Am nächsten Tag hab ich auf den Stufen vom Lincoln Memorial gestanden. Mir ist eingefallen, dass mir vor ganz langer Zeit, wie ich noch 'n kleiner Kerl gewesen bin, da hat mir Big Mama erzählt, wie Präsident Lincoln die schwarzen Leute aus der Sklaverei befreit hat. Aus dem Grund haben sie ihn auch erschossen.

Ich hab mich mächtig gesegnet gefühlt, dass ich hingehen und den Präsidenten sehen konnte. Ich und Mr Ron, wir haben auch noch mehr Reisen gemacht. Ich bin in Santa Fee gewesen und in San Diego. Daheim in Dallas gehen wir immer noch in Restaurants und Cafés, auf Ranchs und Rodeos, und sonntags gehen wir in die Kirche. Alles in allem sind wir ziemlich dicke miteinander. Ganz oft sitzen wir auf der hinteren Veranda von dem Murchisonhaus oder auf der Terasse von Rocky Top, schauen uns an, wie der Mond auf den Fluss scheint, und reden über das Leben. Mr Ron muss da immer noch 'ne Menge lernen.

Das war nur'n Scherz. Obwohl ich schon fast siebzig Jahre alt bin, muss ich auch noch 'ne Menge lernen. Ich hab 'ne Menge Zeit damit zugebracht, mir Gedanken darüber zu machen, dass ich anders bin wie die anderen Leute, auch anders wie viele von den Obdachlosen. Wie ich dann Miss Debbie und Mr Ron getroffen hab, hab ich mir Sorgen gemacht, weil ich gedacht hab, dass ich so anders bin wie die, dass wir nie 'ne gemeinsame Zukunft haben werden. Aber ich hab rausgefunden, dass jeder anders ist – genauso anders wie ich. Wir sind alle nur gewöhnliche Leute, die den Weg runtergehen, auf den Gott sie geschickt hat.

Und egal, ob wir nun arm sind oder reich oder irgendwas dazwischen, die Wahrheit ist, dass die Erde nicht unsere letzte Ruhestätte ist. Auf die eine oder andere Weise sind wir also alle Obdachlose – und jeder versucht irgendwie nach Hause zu kommen.

Weitere Titel aus dem LUQS-Verlag

Tony Dungy
Stille Kraft
Die Prinzipien, Praktiken und Prioritäten
eines siegreichen Lebens
Paperback • 304 Seiten
Euro [D] 9,80 • CHF 14.90
ISBN 978-3-940158-00-0

Vorwort von Denzel Washington!

Er machte sein Team zur Nummer 1 in der Welt – und zeigte der Welt einen besseren Weg zu leben, zu leiten und erfolgreich zu sein.

Als Tony Dungy die Indianapolis Colts zum Sieg im Super Bowl XLI führte – und damit als der erste afroamerikanische Coach, der dieses Spiel gewann, Geschichte machte – fragten sich Millionen von Menschen, überrascht über den Erfolg seines stillen, autoritären Führungsstils: Wie schafft er das?

In seiner faszinierenden Biografie offenbart Tony Dungy die Geheimnisse seines Erfolgs – die Prinzipien, Praktiken und Prioritäten, die ihn seinen Weg trotz überwältigender Hindernisse im privaten und beruflichen Bereich beibehalten ließen – sei es nun, dass er entlassen wurde, auf Vorurteile stieß oder den tragischen Tod eines seiner Kinder verkraften musste.

Angesichts so vieler Widrigkeiten hat Tony nicht nur überlebt, sondern ist auf eine Art und Weise, die ihm den Respekt von Fans, Spielern und sogar seinen Rivalen eingebracht hat, an die Spitze seines Berufsstands aufgestiegen. Seine Gedanken darüber, wie man führt, erfolgreich wird und wahre Bedeutung erlangt, wird dich zu einem langen, prüfenden Blick auf die Dinge inspirieren, die in deinem Leben wirklich wichtig sind.

Donald Miller
Blue like Jazz
Unfromme Gedanken über christliche
Spiritualität
Paperback • 288 Seiten
Euro [D] 9,95 • CHF 14.90
ISBN 978-3-940158-01-7

„Ich mochte nie Jazz, weil Jazz sich nicht auflöst.
Früher mochte ich Gott nicht, weil Gott sich nicht auflöste.
Aber das war, bevor das alles passierte."

In seinen frühen Jahren hatte Donald Miller eine vage Vorstellung von einem Gott, der weit entfernt war. Doch als er Jesus Christus kennenlernte, stürzte er sich mit Volleifer ins christliche Leben. Binnen weniger Jahre baute er eine erfolgreiche Arbeit auf, doch am Ende fühlte er sich leer, ausgebrannt und wiederum weit entfernt von Gott.

In diesem gründlichen, tiefe Einblicke gewährenden Bericht schildert Miller seinen bemerkenswerten Weg zurück zu einem kulturell relevanten, unendlich liebevollen Gott. Miller schreibt erfreulich intelligent und er hat eine aufschlussreiche, schöne, ja bewegende Geschichte zu erzählen.

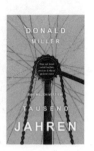

Donald Miller
Eine Million Meilen in tausend Jahren
Was ich beim Umschreiben meines Lebens
gelernt habe
Paperback • 300 Seiten
Euro [D] 8,95 • CHF 13.50
ISBN 978-3-940158-03-1

Angefüllt mit schönen, berührenden und urkomischen Geschichten, beschreibt *Eine Million Meilen in tausend Jahren,* wie ein Mann die Gelegenheit bekommt, sein Leben zu überarbeiten, als wäre er eine Figur in einem Film.

Eine Million Meilen in tausend Jahren schildert, wie man sein tatsächliches Leben zu einer besseren Geschichte machen kann, und fordert die Leser heraus, neu darüber nachzudenken, wonach sie im Leben streben. Das Buch zeigt, wie man im ersten Leben eine zweite Chance bekommt.

„Ich habe noch nie in Donald Millers Wohnzimmer gesessen, aber dieses Buch gibt mir das Gefühl, als hätte ich es. Die Geschichten sind packend, der Humor funktioniert und Dons Weisheit schleicht sich in jede Seite ein. Ich habe jetzt schon Lust, es noch einmal zu lesen."
Max Lucado

Katarzyna Zychla
Das Mädchen, das mit dem Wind tanzt
Paperback • 74 Seiten
Euro [D] 5,95 • CHF 8.90
ISBN 978-3-940158-05-5

„Werde ich nicht mehr gehen können?" So lautet die schwierige Frage, die Alexandra ihren Eltern im Krankenhaus stellt, als sie nach einem übermütigen Sprung ins Wasser ihre Beine nicht mehr bewegen kann. Gerade einmal 13 Jahre ist sie alt, als das Schicksal so grausam zuschlägt. Wütend und ängstlich fühlt sie sich nun, vollkommen allein und verlassen, ein Krüppel, zu nichts nütze. Doch dann erhält sie einen besonderen Besucher. Es ist ihr Freund, der Wind, der sie mit vergessenen Düften beschenkt und jeden Gedanken schon zu kennen scheint, bevor sie ihn ausspricht. Und nun kehrt auch das Leben zu Alexandra zurück.

Mit einfühlsamen und wunderbar bildgeladenen Worten erzählt die polnische Autorin Katarzyna Zychla diese berührende Geschichte von einem Mädchen, das inmitten eines Verlustes großen Gewinn macht und das Leben neu zu lieben lernt. Und plötzlich spürt auch der Leser das Rauschen des Windes in seinem Herzen, entdeckt längst vergessene Träume und den Mut sie zu wagen.

Jill E. Smith
Michal
Die Ehefrauen des Königs David
Paperback • 336 Seiten
Euro [D] 7,95 • CHF 11.90
ISBN 978-3-940158-06-2

Michal wächst auf im Schatten ihres Vaters Saul, dem ersten König von Israel. Ihr Leben ist privilegiert, aber einsam. Da tritt David in ihr Leben, der Mann ihrer Träume. Mit ihm will sie ausbrechen und ihre Familie hinter sich lassen. Doch sie liebt den schlimmsten Feind ihres Vaters und bezahlt dafür einen hohen Preis.

Meisterhaft erzählt Jill Smith die Geschichte von Michal in diesem packenden historischen Roman neu. Auf der Basis von aufwendigen Recherchen gewährt sie ungeahnte Einblicke in die politischen Verwicklungen der damaligen Zeit. So wird eine der rätselhaftesten Figuren der Bibel einfühlsam porträtiert und entschlüsselt. Ein Muss für alle Fans von Francine Rivers!

Weitere Biografien von FRANCKE

Stephen Lungu, Anne Coomes
Der aus dem Schatten trat
Vom Bombenleger zum Missionar
ISBN 978-3-86122-684-0
256 Seiten, Paperback

Rhodesien 1942.

Stephens Mutter ist 14, als sie ihn zur Welt bringt, verheiratet mit einem 40 Jahre älteren Mann. Als er mit 7 Jahren ein Alter erreicht hat, in dem andere Kinder beginnen, die Welt zu erobern, verlässt sie ihn und seine beiden Geschwisterchen und schickt sie auf einen Weg durch die Hölle.

Fortan füllt er seinen Magen mit dem Müll der Weißen und schläft unter den Brücken der Hauptstadt. Sein letztes Mittel im täglichen Überlebenskampf ist die Gewalt. Nur bei seinen Waffenbrüdern in der Gang der „Schwarzen Schatten" findet er Annahme, Treue und eine Religion: Die Revolution. Und bald auch eine besondere Aufgabe, das Bombenwerfen.

Als ein Evangelist in die Stadt kommt, hat er endlich ein spektakuläres Ziel. Ein Inferno bahnt sich an, als er mit seinen Benzinbomben das Zelt betritt …

Was dann kommt, ist fesselnder als ein Thriller.

Steve Saint
Die Spitze des Speers
Eine wahre Geschichte
ISBN 978-3-86827-108-9
400 Seiten, Paperback

Steve Saint ist fünf Jahre alt, als sein Vater Nate zusammen mit vier anderen Missionaren, unter ihnen Jim Elliot, ermordet wird. Die Speere primitiver ecuadorianischer Eingeborener durchbohren den Piloten und seine Kollegen.

Inzwischen erwachsen, lebt Steve in den USA und macht in der Wirtschaft Karriere. Wieder nach Ecuador zurückzukehren, gehört nicht zu seinem Lebensplan. Doch dann bittet ihn der Stamm um Hilfe, der seinen Vater auf dem Gewissen hat. Und so zieht Steve mit seiner Familie in den Dschungel zu den Huaorani, die inzwischen zu Gott gefunden haben. Als er hinter lange gehütete Geheimnisse um den Mord an seinem Vater kommt, steht er vor schweren Entscheidungen – und erfährt, wie das Leben und der Tod seines Vaters das Leben anderer für immer verändert hat.

Nonna Bannister
**Das geheime Tagebuch der
Nonna Lisowskaja**
ISBN 978-3-86827-152-2
288 Seiten, gebunden

Ein halbes Jahrhundert lang liegt auf einem Dachboden in Amerika ein erschütterndes Geheimnis in einer Truhe verschlossen: Fotos, Dokumente und Tagebucheinträge eines kleinen Mädchens. Dann ist die Zeit reif. Als alte Dame beschließt Nonna Bannister, ihrem Mann Henry ihre Lebensgeschichte zu erzählen. Er muss ihr versprechen, die geheimen Papiere bis zu ihrem Tod niemandem zu zeigen. Und Henry hält sein Versprechen.

Dies ist der packende Augenzeugenbericht der Nonna Lisowskaja Bannister, die als junges Mädchen nach einer behüteten Kindheit die schrecklichen Folgen der russischen Revolution, die Grausamkeiten der deutschen Invasoren und die Zwangsarbeit im nationalsozialistischen Deutschland erlebt und überlebt.
50 Jahre hält sie ihre Geschichte geheim und führt ein normales Leben. Ihre dunklen Erinnerungen an den Krieg schließt sie in einer Truhe ein, die sie erst gegen Ende ihres Lebens öffnet – zunächst nur für sich selbst, dann für ihren Mann und jetzt für den Rest der Welt. Ihr Tagebuch schildert eine Tragödie, aber auch eine unvergessliche Geschichte über Vergebung, Liebe, Mut und Hoffnung.

Daisy Gräfin von Arnim,
Kathrin Schultheis
Die Apfelgräfin
ISBN 978-3-86827-151-5
144 Seiten, gebunden

*„Die Wende war auch eine Wende in meinem Leben. ‚Jetzt ist alles mög-
lich‘, schoss es mir durch den Kopf, als ich kurz nach dem Mauerfall erst-
mals ungehindert die innerdeutsche Grenze passierte. Dass dieses alles aber
beinhalten könnte, dass aus mir einmal ‚Die Apfelgräfin der Uckermark‘
würde, hätte ich mir niemals träumen lassen.“*

Humorvoll, offenherzig und liebevoll erzählt Daisy Gräfin von Arnim von ihrem Neuanfang in der Uckermark. 1995 zog sie mit ihrem
Mann Michael nach Lichtenhain und baute sich dort ein neues Leben
auf. Mittlerweile führt sie ein kleines Apfelunternehmen und beschäftigt mehrere Mitarbeiter.
In amüsanten, aber auch nachdenklichen Anekdoten gewährt sie Einblicke in ihren Alltag und lässt lebendig werden, wie aus ihr „Die Apfelgräfin“ wurde.

Björn Wagner, Mirja Wagner
Wunderkinder
Wie wir doch noch eine Familie wurden
ISBN 978-3-86827-309-0
ca. 160 Seiten, gebunden

Björn und Mirja Wagner erzählen offen und ehrlich von ihrem schweren Weg zu ihren Kindern. Geschrieben abwechselnd aus der Perspektive der Ehefrau und des Ehemanns nehmen die beiden den Leser mit hinein in ihre Fehlgeburt, die schwierige, hochdramatische zweite Schwangerschaft, die Geburt, bei der die Mutter so in Lebensgefahr gerät, dass sie erneut operiert werden muss und danach keine Kinder mehr bekommen kann, in ihren Entschluss zur Adoption und schließlich den Weg zu einer glücklichen Familie zu viert. Dabei legen die Autoren ein herzzerreißendes Zeugnis ab, wie es in dieser Zeit um ihre Gottesbeziehung bestellt war, lassen den Leser an ihren Glaubenskämpfen und ihrem Ringen mit Gott teilhaben und daran, wie sie trotzdem immer wieder seine Gegenwart spüren durften.

Ein großartiges Buch, das ermutigt, zum Staunen einlädt und sicherlich vielen Menschen, die womöglich ähnlich Schweres durchmachen, zum Segen werden kann.